Zomerstorm

Van Tamara McKinley verschenen eveneens bij Uitgeverij De Kern:

Windbloemen
Onderstromen

Tamara McKinley

ZOMERSTORM

 DE KERN

Oorspronkelijke titel: *Summer Lightning*
First published in 2003 by Judy Piatkus (Publishers) Ltd, London
Copyright © 2003 by Tamara McKinley
The moral right of the author has been asserted
Copyright © 2006 voor deze uitgave:
Uitgeverij De Kern, De Fontein bv, Postbus 1, 3740 AA Baarn
Vertaling: Hans Verbeek
Omslagontwerp: Wil Immink
Foto omslag: Adam Randolph
Zetwerk: v3-Services, Baarn
ISBN 90 325 1028 2
NUR 302
www.uitgeverijdefontein.nl

Voor Brandon John Morris,
de eerste van de volgende generatie

De vriendelijke inborst blijkt uit mededogen
want niets toont beter de ware aard van een man

– EDMUND SPENSER 1552-1599

Proloog 1969

Een uur voor het licht zou worden stapte Miriam Strong de veranda van de boerderij Bellbird op. Het was een onrustige nacht geweest, vol dromen over en beelden uit het verleden die waren opgewekt door de gebeurtenissen van de dag ervoor. Nu, terwijl ze daar stond en de frisheid van het doorweekte gras en de zoete geur van goede, rode aarde inademde, voelde ze haar energie en vastberadenheid terugkeren. Die zou ze nodig hebben, want de strijd die voor haar lag zou niet aangenaam zijn.

Ze deed haar ogen dicht en verdrong de beelden van de nacht door aan de goede dingen in haar leven te denken. Haar leven mocht dan misschien bijna vijfenzeventig jaar geleden zijn begonnen in het koelere groen van Zuid-Australië, toch had ze het gevoel dat ze hier, op deze plek in de hete sepia wereld, was geboren. Ze voelde zich thuis bij het getsjirp van de krekels, het gelach van de kookaburra en het geritsel van de warme wind in de bladeren van de bomen. Dit was haar thuis en ze zou er nooit weggaan, want het gaf haar kracht en rust. Ze had hier op het erf haar eerste pony bereden en er de grillen van het leven op een afgelegen boerderij leren kennen – de harde lessen van de ongenaakbare schoonheid die haar omringde. Haar leven had zich hier afgespeeld en in de stilte zo vlak voor de zon opkwam kon je de echo's van het gelach en de tranen bijna horen.

Bellbird Station lag in de afgelegen noordwesthoek van New South Wales. De boerderij telde zes kamers en was bijna een eeuw geleden gebouwd. De keuken was in het achterhuis; verder was er een zelden gebruikte zitkamer en drie slaapkamers. Twintig jaar geleden was er een badkamer aangebouwd en de oude plee achter op het erf was al snel ten prooi gevallen aan de termieten en de elementen.

Het onvermijdelijke dak van golfplaat liep door tot over de brede veranda die de boerderij aan alle kanten omringde. Het leven speelde zich voornamelijk op deze veranda af, vooral tijdens de grootste hitte van de zomer, en Miriam had een bed met een klamboe in de ene hoek en een tafel en stoelen in een andere. Een verzameling versleten rotan stoelen stond her en der tussen de grote potten met varens en andere planten die bijdroegen aan de groene koelte van de omringende bomen. Die bomen waren een thuis voor de kaketoes en kanaries in alle schakeringen en natuurlijk van de kleine klokvogel wiens roep een van de zuiverste geluiden uit de bush was.

Miriam liet zich met een diepe zucht in een van de stoelen zakken en zette de speeldoos voorzichtig op de wankele tafel. Daar kwam ze later wel aan toe. Haar bezoeker zou al spoedig arriveren en ze had dit rustige moment nodig om kracht op te doen voor wat komen zou. Alleen God wist hoe haar familie zou reageren.

Chloe, haar dochter, zou waarschijnlijk zeggen dat ze zich niet zo druk moest maken. Zij moest helemaal niks hebben van problemen van wat voor aard dan ook en verstopte zich het liefst met haar schilderijen in dat grote bouwvallige huis op het strand van Byron Bay. Dat meisje had altijd al in een droomwereld geleefd, dacht Miriam vermoeid. Ze staarde naar het erf en zag het kleine meisje weer voor zich met haar stralenkrans van koperkleurig haar en haar groene ogen die in de daaropvolgende jaren niets van hun glans hadden verloren. Ze nam aan dat ze gelukkig was, maar wie weet? Leo en zij waren dan wel gescheiden, maar ze vermoedde dat ze elkaar beter lagen, nu ze uit elkaar waren – en dat was toch goed? Of niet soms? Miriam klakte met haar tong. Er spookten te veel gedachten door haar hoofd en het oplossen van de problemen van haar familie had zeker niet de hoogste prioriteit.

Nu wat haar kleindochters betrof. Miriam glimlachte. Zo verschillend als dag en nacht. Fiona zou zich waarschijnlijk verheugen op het avontuur van de strijd die ophanden was, maar Louise? De arme timide en gefrustreerde Louise zou het waarschijnlijk zien als wéér een probleem in haar leven.

Miriam drong alle gedachten aan haar familie naar de achtergrond en worstelde zich in haar laarzen. De pijn in haar rug hielp haar daarbij. Die vormde een voortdurende herinnering aan haar sterfelijkheid. Ze vloekte binnensmonds omdat de veters een eigen leven leken te leiden en weigerden zich te laten strikken. Het was een verschrikking om oud te zijn en in plaats van trots te zijn op haar gevorderde leeftijd, vervloekte ze die. Wat zou ze er niet voor overhebben om weer jong en lenig te zijn. Om de hele nacht door te kunnen slapen zonder bezoekjes aan de wc en om uren achtereen door de weiden te rijden zonder nog dagen daarna stijf te zijn en spierpijn te hebben.

Haar gezicht vertrok. Het alternatief was niet erg aantrekkelijk, maar ze kon zich niet neerleggen bij wat er met haar gebeurde. Ze was haar hele leven een vechter geweest en ze vertikte het om nu het hoofd in de schoot te leggen. Ze gromde tevreden toen ze er eindelijk in slaagde de veters te strikken en nadat ze nog een blik op de speeldoos had geworpen, liet ze haar blik weer over het erf en de omheinde weide dwalen.

De hemel was lichter en in het eerste, roze licht van de dageraad staken de bomen af tegen het donkerdere groepje bijgebouwen. De vogels roerden zich en het scherpe, snerpende geluid van de kaketoes werd wat verzacht door het rollende, bijna sensuele geneurie van de fluiteksters.

Ze bleef op de veranda zitten terwijl de dag aanbrak, rook uit het kookhuis omhoog kringelde en de vogels voor de eerste keer die dag het luchtruim kozen. Ze stegen op in een wolk van roze en wit en grijs en kleine groene parkieten en blauwe pieten schoten enthousiast tussen de kaketoes door op weg naar de beek. Ze keek ze een ogenblik na en haar scherpe blik ontwaarde de eerste jonge vogels die het nest hadden verlaten. Een nieuwe generatie vloog uit. Het zou spoedig tijd zijn om plaats voor ze te maken.

'Maar nog niet,' zei ze bij zichzelf. 'Ik heb eerst nog tijd nodig om de zaken recht te zetten.'

Ze richtte haar aandacht met tegenzin op de speeldoos. Het kersenhout was ingelegd met parelmoer en aangetast door de tand des tijds. Maar dat had alleen maar bijgedragen aan zijn bekoring, want de krassen en groeven vertelden over lange reizen over de hele wereld, over de tijd in enkele van de meest onherbergzame streken op aarde. En als kind had Miriam geprobeerd zich voor te stellen hoe ze waren ontstaan – had geprobeerd zich een beeld te vormen van de mensen van wie de speeldoos was geweest en die hadden gekoesterd.

'Tot nu toe,' mompelde ze boos terwijl ze de versplinterde onderkant bekeek. Maar haar onvoorzichtigheid had een reeks gebeurtenissen in gang gezet die gemakkelijk uit de hand konden lopen als er niet zorgvuldig mee werd omgegaan. Want door het beschadigen van de speeldoos was een geheim aan het licht gekomen – een geheim dat het leven van haar familieleden voor altijd kon veranderen.

Ze ging met haar vinger over het deksel en haar twijfel groeide. Was het misschien beter geweest om de geesten te laten rusten? Om datgene wat ze had gevonden te aanvaarden en te gebruiken om haar familie te helpen? Hier zat ze niet op te wachten – niet nu. En toch, hoe zou ze de vondst kunnen negeren? Het was het eerste harde bewijs dat haar verdenkingen juist waren. Een tastbaar cadeau uit het verleden dat erom schreeuwde dat de waarheid werd verteld.

Ze prutste met de kleine gouden sleutel en deed het deksel open. De zwarte Harlekijn danste met zijn bleke Columbine op de blikken tonen van een Strausswals voor de rookkleurige spiegels, hun uitdrukking een raadsel achter hun maskers.

Miriam bekeek de felle kleuren van Harlekijns kostuum en de frivole franje aan de jurk van Columbine. Het was prachtig, gaf ze toe, en waarschijnlijk zeldzaam, want een zwarte Harlekijn was niet gebruikelijk. Maar zelfs als kind al had ze gevonden dat er iets vreemds was aan de glazige ogen achter de maskers – iets gemaakts en houterigs in hun emotieloze omhelzing. Ze trok een gezicht. Nu dacht ze dat ze misschien altijd geweten hadden van het geheim onder hun voeten en dat ze daarom zo hooghartig keken.

De muziek stopte en de dansers kwamen tot stilstand. Miriam deed het deksel dicht en probeerde niet te denken aan de ophanden zijnde komst van haar bezoeker door zich over te geven aan de geluiden en de geuren van een verleden dat ze alleen maar kende uit de verhalen die ze als kind had gehoord. Dat was in een tijd dat ze nog geboren moest worden – maar ze was toch al een stille, onschuldige getuige geweest van het drama dat vijfenzeventig jaar later tot een einde zou komen.

I

Ierland 1893

Maureen sloeg rillend de dunne sjaal om haar schouders terwijl ze op Henry wachtte. Hij was nog nooit zo laat geweest en ze begon ongerust te worden. Was er misschien iets gebeurd in het grote huis? Een reden dat hij niet weg kon glippen? Ze klemde haar kaken op elkaar om niet te klappertanden. Het was een lange wandeling geweest van het dorp naar het bos en door de regen plakte haar lange donkere haar tegen haar huid en ijskoude druppels liepen langs haar nek haar jurk in. Maar het was niet de ijskoude snijdende wind die haar verkleumde, maar de gedachte dat ze misschien verraden waren – dat hij misschien helemaal niet zou komen.

Ze zocht beschutting in de deuropening van de verlaten hut van de jachtopziener. Ze leunde tegen het ruwe hout van de deurpost en veegde de regen uit haar gezicht.

De dag paste uitstekend bij haar humeur, want de hemel was loodgrijs gebleven en de duisternis zou al snel invallen. Ze moest al vlug weer gaan, want ze zou thuis worden gemist – en ze voelde er niet veel voor om pa onder ogen te komen, want hij zou een verklaring eisen. Maar de angst dat ze Henry zou mislopen was groter, want er waren dingen die ze moesten bespreken. Zaken die niet konden wachten – niet als ze opgelost moesten worden vóór haar zeventiende verjaardag.

Het roffelende geluid van de regen op het kapotte rieten dak overstemde elk geluid terwijl ze daar in de snel invallende duisternis stond. Ze tuurde in de steeds dieper wordende schaduwen en repeteerde in haar hoofd de dingen die ze moest zeggen. Het zou niet gemakkelijk zijn, maar ze moest vertrouwen blijven houden in Henry. Hij zou haar nu toch zeker niet in de steek laten?

'Maureen.'

Bij het horen van de zachte stem draaide ze zich snel om. Hij sprong van zijn paard en met een snik van vreugde en opluchting viel ze in zijn armen. 'Ik dacht dat je niet zou komen,' zei ze ademloos.

Hij liet de teugels vallen en trok haar tegen zich aan. Hij liet zijn kin op haar hoofd rusten terwijl ze beschutting zochten onder de resten van het dak. 'Ik was ook bijna niet gekomen,' zei hij ernstig. 'Mijn broer kwam opdagen en mijn vader stond erop om de gang van zaken op het landgoed te bespreken. Ik ben hier alleen maar omdat een merrie die moet werpen problemen heeft. Ik heb aangeboden hulp te gaan halen.'

Hij maakte zich met tegenzin los en streek het natte haar uit haar gezicht voor hij haar kin tussen zijn lange, elegante vingers nam. 'Het spijt me, schat, maar ik kan niet blijven. Vader heeft een van zijn buien en ik durf niet al te lang weg te blijven.'

Maureen keek op naar zijn knappe gezicht. Henry Beecham Fford was tweeëntwintig en zijn blonde haar plakte nat tegen zijn fijn gevormde hoofd. Zijn ogen waren blauw en werden omlijst door volle wimpers; hij had een lange, rechte neus met daaronder een keurige snor en een sensuele mond. Ze nam zijn hand in de hare en drukte een kus op de palm. 'Kun je niet heel even blijven?' smeekte ze. 'Ik heb je de afgelopen dagen zo weinig gezien en het lijkt wel of we nooit tijd hebben om te praten.'

Toen kuste hij haar, trok haar tegen zich aan en sloeg zijn armen om haar heen. De warmte van zijn omhelzing trok als een gloed door haar heen. Ze versmolt met hem, proefde hem, ademde zijn geur in van dure eau de cologne en vochtige tweed.

'Ik tref je morgen hier na de jacht,' zei hij terwijl hij zich met tegenzin losmaakte uit hun omhelzing. 'Dan kunnen we praten.' Zijn blauwe ogen sprankelden vol humor terwijl hij naar haar keek. 'Wat het ook is kan niet zo belangrijk zijn – we hebben alles al gezegd, hier, met deze kus.'

Ze deed een stap bij hem vandaan. Als hij haar nog een keer kuste, zou ze verloren zijn en ze moest haar hoofd erbij houden. 'Henry,' begon ze.

Hij bracht haar tot zwijgen door een zachte vinger tegen haar lippen te leggen. 'Morgen,' zei hij vastberaden. 'Als ik blijf, lopen we het risico dat we worden betrapt en als ik een beetje in een goed blaadje wil komen bij vader, dan zal ik me als een plichtsgetrouwe zoon moeten gedragen.' Hij draaide zich na een haastige kus om en nam de teugels in zijn hand. Hij klom in het zadel en boog zich voorover om Maureens natte haar te strelen. 'Ga naar huis en zorg dat je droog wordt voor je een longontsteking oploopt en denk eraan: ik hou van je,' zei hij. 'Houd moed, mijn liefste. We zullen een manier vinden om voor altijd bij elkaar te zijn. Dat beloof ik je.'

Maureen sloeg haar armen om zich heen terwijl hij het paard keerde en weg galoppeerde. Ze bleef lange tijd staan en luisterde naar het wegstervende hoefgetrappel en het getik van de regen op het bladerdak. Ze had niets gezegd omdat het duidelijk was dat hij toch niet zou hebben geluisterd – hij had veel te veel haast – was te bang geweest dat ze zouden worden betrapt. Maar de gedachten die door haar hoofd spookten stonden haar niet aan. Kon ze hem vertrouwen? Of maakte hij alleen maar misbruik van haar?

Henry kwam uit een familie van rijke Engelse protestanten. Ze bezaten het land dat zich van de haven af tegen de heuvel uitstrekte in een spinnenweb van stenen muurtjes. Land dat was verdeeld in stukjes die nauwelijks groter waren dan O'Hallorans mooiste zitkamer. Land dat nauwelijks genoeg opbracht om de pachters die het bewerkten te voeden als de pacht eenmaal was betaald. Henry's afkomst stond hun liefde in de weg. Zou Henry sterk genoeg zijn om tegen zijn tirannieke vader in opstand te komen? Hield hij genoeg van haar om het risico te lopen dat hij alles kwijt zou raken?

Ze trok haar schouders op en stapte met haar armen stevig om zich heen geslagen uit de beschutting van de hut en begon zich een weg te banen door het bos. Hij had haar gevraagd vertrouwen in hem te hebben – maar kon ze dat wel? Durfde ze te hopen dat hij zijn belofte zou nakomen dat ze op een dag samen zouden zijn? Zou hij haar nog steeds willen als het seizoen eenmaal begon en hij in beslag werd genomen door jachtpartijen en bals in het grote huis?

Haar voeten gleden weg op de natte bladeren terwijl ze struikelend over afgebroken takken om doornstruiken heen haar weg zocht. Ze kon niet anders dan hem op zijn woord geloven – niet nu. Maar God stond haar bij als ze het bij het verkeerde eind had.

De wind loeide toen ze uit de beschutting van het bos kwam en het pad op stapte dat langs de heuvel naar beneden naar het dorp aan de kust leidde. Haar haar werd uit haar gezicht gerukt en haar jurk wikkelde zich om haar benen en flapperde om haar enkels terwijl ze tegen de wind leunde en haar kin stevig in de kraag van haar cape drukte. Meeuwen schreeuwden boven de haven waar de vissersboten aan hun trossen rukten en de golven van de Atlantische Oceaan zich met donderend geraas op de stenen pier stortten en de zachte gloed die uit de huisjes scheen een welkome aanblik bood. Ze worstelde zich, bijna verblind door tranen, de heuvel af.

Ze zag de vrouwen pas toen het te laat was.

Henry bracht Dan Finnigan naar de stallen en toen hij zich ervan had vergewist dat zijn paard was afgedroogd en genoeg te eten en te drinken had, haastte hij zich over de klinkers naar het huis. Het regende nu harder, de vlagen hakten de nacht bijna horizontaal in tweeën. Hij hoopte dat Maureen veilig was thuisgekomen; dit was geen nacht om buiten rond te lopen.

De gedachte aan Maureen deed hem glimlachen terwijl hij zich met twee treden tegelijk de trap op haastte en zijn slaapkamer binnenstormde. Zijn liefde voor haar was geen verrassing geweest, want hij had haar altijd al bewonderd, zelfs toen ze nog een kind was. Hij rukte zijn doorweekte hemd en broek uit en kleedde zich snel voor het diner. Die kinderjaren waren het best van al geweest, want hoewel hij zich wel bewust was geweest van het klassenverschil, was er sprake geweest van een grotere mate van vrijheid – een vrijheid die het mogelijk had gemaakt dat hun vriendschap zich ontwikkelde, ondanks hun verschillende omstandigheden.

Hij zuchtte terwijl hij met het gesteven boord en de gouden manchetknopen worstelde. Daar was met de volwassenheid een einde aan gekomen en de kloof tussen hen was alleen maar groter geworden. Wat was het toch met Ierland dat mensen tot zulke haat werden aangezet? Die was aan beide kanten duidelijk aanwezig, zowel in de protestantse gemeenschappen als in de katholieke sloppenwijken, maar er moest toch een oplossing te vinden zijn – een manier om dit arme, achterlijke land te verlossen van eeuwen van ellende?

Hij strikte zijn vlinderdas en trok zijn jas aan. Terwijl hij zijn spiegelbeeld bekeek, trok hij spottend een wenkbrauw op. Wat wist hij nou van Ierse politiek, laat staan dat hij een oplossing kon vinden voor de voortdurende strijd? Het enige wat hij wist was dat hij van Maureen hield en vastbesloten was een manier te vinden om bij elkaar te blijven. Wat zou het dat zij katholiek was en haar vader een van die raddraaiers die met een hoop misbaar om Iers zelfbestuur riepen?

De ongemakkelijke gedachte dat zijn eigen vader zich sterk tegen een dergelijke verbintenis zou keren deed hem aarzelen toen hij zijn hand uitstrekte naar de deurkruk. Het fanatisme zat er aan beide kanten ingebakken; had hij genoeg karakter om generaties Beecham-Ffords te tarten en zijn hart te volgen? Zou Maureen de lang in ere gehouden traditie van haat voor de Engelsen los kunnen laten en er met hem vandoor willen gaan?

'Er is maar één manier om daar achter te komen,' mompelde hij terwijl hij de deur opendeed en de schemerige overloop overstak.

Beecham Hall was een vierkant stenen bouwwerk dat ruim een eeuw geleden was opgetrokken in opdracht van een rijke voorvader. Het stond in eenzame pracht te midden van de heuvels die Lough Leigh beschutten tegen de westenwind die over de Atlantische Oceaan kwam aangestormd. De hoge, elegante ramen boden uitzicht op de goed onderhouden tuinen en een oprijlaan die werd omzoomd door in allerlei vormen gesnoeide heggen. Een poort in de zacht stenen muur die schuilging onder klimrozen en kamperfoelie gaf toegang tot het met klinkers bestrate plein voor de stallen, en de kruidentuin lag verscholen achter de grote wasserij.

Het land dat het huis omgaf was prima weidegrond voor het vee en de paarden en de bossen herbergden een overdaad aan fazanten voor de jachtpartijen die zijn vader elk jaar hield. Er zat volop vis in de rivier die van Lough naar zee liep en de kudde herten in het parkachtige landschap bood 's morgens vroeg een prachtige aanblik, maar betekende een ware nachtmerrie voor de jachtopziener die stropers moest zien te weren.

Henry had het grootste deel van zijn leven in Beecham Hall gewoond en gaf de voorkeur aan het groen van Ierland boven de smog van Londen. Hier, te midden van de grasgroene heuvels en aan de grillige kust, kon je ademen. Er hing een bijna mystieke sfeer rond de vervallen kastelen en huisjes die appelleerde aan zijn artistieke inborst. En dan was er natuurlijk nog dit huis. Hij was dol op de hoge plafonds, het fijne stucwerk op de kroonlijsten en de knusse zitbanken bij de ramen waar hij als kind altijd achter de zware gordijnen zat te lezen. Maar het meest van alles hield hij van het zomerhuis. Want daar kon hij helemaal opgaan in zijn schilderen.

Hij staarde vanaf de overloop de nacht in terwijl vanuit de zitkamer het gedempte geluid van stemmen klonk. Het zomerhuis was daar ergens in de duisternis, weggestopt in een afgelegen hoek van de tuin, bijna vergeten sinds vader aan de zijkant van het huis de oranjerie had laten optrekken. Hij friemelde aan zijn das en wou dat hij het diner aan zich voorbij kon laten gaan en zich kon terugtrekken in zijn toevluchtsoord – naar zijn schilderij dat bijna klaar was. Maar plicht riep en met een diepe zucht haastte hij zich de laatste trap af en liep de hal door. De staande klok sloeg acht uur toen hij de zitkamer binnenging.

'Waar heb jij verdorie uitgehangen?' wilde sir Oswald weten.

Henry keek naar zijn vader die zijn gebruikelijke wijdbeense houding bij het vuur had aangenomen. Zijn haar glansde zilver in het licht van de lamp en de fraai gesneden jas accentueerde een lichaam dat slank en fit bleef door de vossenjacht. 'Ik ben naar het dorp geweest om Dan Finnigan te halen,' antwoordde Henry kalm. 'Ik moest eerst mijn natte kleren uitdoen.'

'Daar heb je flink wat tijd voor nodig gehad,' teemde Thomas terwijl hij zijn doordringende blik over Henry's gezicht liet gaan op zoek naar tekenen van bedrog. 'Weet je zeker dat je niet ergens een of andere lekkere meid hebt verstopt?' Hij snoof van het lachen en streek zijn lichtbruine haar achterover. 'Niks mis mee, maar je moet wel erg wanhopig zijn om er op een avond als deze op uit te gaan.'

Henry keek woedend naar zijn broer, zijn vuisten gebald naast zijn lichaam terwijl hij een scherp antwoord inslikte. Thomas zag altijd kans hem te ergeren – wist altijd een zwakke plek te vinden en er genadeloos misbruik van te maken.

'Er zijn dames aanwezig,' bulderde sir Oswald. 'Hou je een beetje in, jongen.'

Thomas kreeg een kleur, hij keerde het gezelschap de rug toe en ging naar zijn vrouw. Emma zat op een lage bank met haar handwerk en had haar ogen neergeslagen, alsof ze bang was opgemerkt te worden.

'Kom bij het vuur, schat, en warm jezelf.' Lady Miriam klopte op het kussen naast zich op de bank. Henry en zij wisten maar al te goed hoe gemakkelijk er in dit gezin ruzie ontstond en Henry zag aan de manier waarop ze haar kin omhoogstak dat ze vastbesloten was een confrontatie te voorkomen. 'Hoe is het met de merrie?'

Henry durfde niet naar zijn vader te kijken terwijl hij een glas sherry van het zilveren dienblad op de bijzettafel pakte en naast zijn moeder ging zitten. De opmerking van zijn broer was te dicht in de buurt van de waarheid geweest en die ouwe smeerlap was zo scherp als een scheermes als hij ergens lucht van kreeg. 'Finnigan denkt dat ze het wel redt,' zei hij kalm. 'Maar dit zal haar laatste veulen moeten zijn. Ze wordt te oud.'

De diamanten van lady Miriam fonkelden in het licht terwijl ze met haar hand over haar zijden jurk streek. 'Dank je dat je er op een avond als deze op uit bent gegaan,' mompelde ze.

Haar doordringend blauwe ogen keken hem langdurig aan voor ze haar blik afwendde. Maar Henry had de vragen gezien in die ogen, de twijfels, en vroeg zich af hoe lang hij dit belachelijke spelletje kon volhouden. Misschien moest hij na het eten de confrontatie aangaan met zijn vader – het was misschien beter om zelf het initiatief te nemen dan op heterdaad te worden betrapt waardoor hij in de verdediging zou worden gedrongen. Maar bij de gedachte alleen al kreeg hij het benauwd en het koude zweet liep langs zijn rug terwijl zijn vader orakelde over alle problemen die het runnen van een huishouden in Zuid-Ierland in deze politiek beladen tijden met zich meebracht.

Henry sloot zich af voor het geluid van zijn stem en richtte zijn gedachten op Maureen. Hij herinnerde zich hoe nat haar haar was geweest. Herinnerde zich hoe koud de wind en hoe dun haar cape was geweest. Het was niet eerlijk dat hij zo beschut leefde, dat hij zich bij een vuur kon warmen terwijl zij zich door de regen voortsleepte naar het dorp. De pijn binnen in hem was zo hevig dat hij een kreun moest onderdrukken die in zijn keel opwelde. Konden ze maar vaker bij elkaar zijn. Hij haatte de gestolen ogenblikken, de geheime ontmoetingen waarbij elk geluid hun ontdekking kon aankondigen. Er moest iets gebeuren – en snel. Hij kon het niet langer verdragen van haar gescheiden te zijn.

Het avondeten leek een eeuwigheid te duren en de sfeer werd overschaduwd door de dreigende moeilijkheden. Sir Oswald werkte zich zwijgend door de zes gangen en nam nauwelijks de moeite zich om de aanwezigheid van zijn gezin te bekommeren. Lady Miriam deed haar best de lange stiltes te vullen met een gesprek over koetjes en kalfjes en Thomas zeurde maar door over de verkiezingen die voor de deur stonden en dat hij ervan overtuigd was dat hij zijn zetel in het parlement zou behouden.

De vrouw van Thomas zat met haar eten te spelen, terwijl het lamplicht op haar doffe bruine haar scheen en diepe schaduwen over haar magere, bleke gezicht wierp. Ze deed Henry denken aan een kleine grijze muis die hij ooit als huisdier had gehad. Maar dat was misschien niet aardig. Arme Emma, dacht hij toen hij eindelijk zijn servet aan de kant legde en het eten voor gezien hield. Haar laatste inzinking was te wijten aan haar derde miskraam in evenzoveel jaar – als Thomas zich maar eens een beetje kon beheersen, zodat het arme ding de tijd kreeg om te herstellen. Maar dat was nou typisch zijn oudere broer. Dacht nooit aan iemand anders dan zichzelf.

De bedienden kwamen met cognac en sigaren en lady Miriam schreed de kamer uit met Emma schuifelend in haar kielzog. Hun opluchting was bijna tastbaar en Henry schoof heen en weer in zijn stoel en wou dat hij met hen meekon. De avond leek eindeloos en hij verlangde naar de eenzaamheid van zijn slaapkamer, naar het gevoel van een potlood in zijn hand en een vel schoon, dik papier om op te schetsen. Hij wilde Maureens gezicht tekenen – haar buitengewoon groene ogen en het donkere haar, de zachte, gewelfde lippen en de ronde wangen met het ondeugende kuiltje, dat verscheen als ze lachte. Ze was perfect. Hoe kon iemand niet van haar houden?

Zijn vaders stem rukte hem uit zijn gedachten. 'Heb vanmorgen een brief ontvangen van generaal Collingwood,' bulderde hij. 'Hij heeft een gesprek voor je geregeld in Londen, volgende week.' De borstelige wenkbrauwen overschaduwden zijn samengeknepen ogen.

'Het wordt tijd dat je iets nuttigs gaat doen in plaats van hier als een of andere verwijfde nietsnut rond te hangen.'

De hatelijke grijns van Thomas ontging hem niet, net zo min als de strijdlustige blik van zijn vader. Henry haalde diep adem en dwong zichzelf kalm te blijven. Dit was een oud, bekend gespreksonderwerp, maar hij moest voet bij stuk houden. 'Ik heb geen enkele behoefte om het leger in te gaan,' zei hij kalm. 'We hebben het hier al vaker over gehad en ik ben niet van plan om...'

'Je doet verdorie wat je gezegd wordt, jongeman,' barstte sir Oswald uit en de klap waarmee zijn vuist op tafel kwam deed de glazen rinkelen. 'Ik *neem* die onzin niet langer. Je hebt ten opzichte van deze familie de plicht carrière te maken en als je weigert dat op eigen houtje te doen, dan heb je maar te doen wat *ík* wil.'

Henry stond op en de kleur verdween uit zijn gezicht. Hij beefde van woede. 'Ik heb altijd geprobeerd het u naar de zin te maken, vader, maar dat is blijkbaar onmogelijk. Ik weet dat ik u en moeder iets verschuldigd ben, maar een leven in het leger of in de kerk is niets voor mij.' Hij haalde diep adem. 'Ik heb een talent – een talent dat volgens mij tot iets belangrijks zal leiden als ik de kans maar krijg het te ontwikkelen. En dat kan ik niet als ik op een of ander slagveld tot mijn nek in de modder en de speren van inboorlingen zit.'

'Talent!' De overhangende wenkbrauwen schoten van verbazing de hoogte in en namen vervolgens hun dreigende positie boven de gloeiende ogen weer in. 'Nonsens. Dus jij gelooft de een of andere verwijfde, zogenaamde kunstenaar en je denkt dat je er behoorlijk van kunt bestaan? Flauwekul!' De glazen rinkelden opnieuw en de kaarsen sputterden toen hij met zijn vuist op tafel sloeg. 'Je bent nu tweeëntwintig. Tijd om volwassen te worden.'

Henry deed met vooruitgestoken kin een stap bij de tafel vandaan en zijn vastberadenheid was af te lezen aan zijn opeengeklemde kaken. 'Ik ben volwassen genoeg om te weten dat ik nooit soldaat of priester zal worden,' zei hij stijfjes. 'En wat die kunstenaar aangaat over wie u zo neerbuigend doet, die heeft pas van hare majesteit de opdracht gekregen haar portret te schilderen.'

Hij vouwde zijn handen achter zijn rug zodat niemand kon zien dat ze trilden en weerstond de blik van zijn vader. 'Thomas heeft carrière gemaakt in de politiek. Dat was zijn keuze. U hebt carrière gemaakt in de katoen en in de mijnen. Ik kies ervoor mijn eigen weg te gaan. Dit alles,' hij gebaarde naar de betimmerde muren van de kamer, het kristal en het fraaie meubilair, 'dit alles zal nooit van mij worden en als de jongste zoon moet ik de kans krijgen mijn eigen levensweg te vinden. Waarom kunt u me niet accepteren zoals ik ben en het daarbij laten? Deze discussie hebben we al vaker gevoerd en ik begin hem aardig beu te raken.'

'Hoe dúrf je?' Sir Oswald was rood aangelopen en zijn grijze ogen waren samengeknepen van woede terwijl hij zijn stoel achteruit schoof. 'Ik voel er veel voor om je een flink pak slaag te geven,' zei hij ademloos.

Henry beet zijn kiezen op elkaar en de tic in zijn gezicht was het enige uiterlijke kenmerk van de woede die hij voelde toen hij dacht aan hoe vreselijk zijn vader hem had geslagen toen hij nog jong was. 'Ik ben geen kleine jongen meer, vader,' zei hij kil. 'U kunt niet langer gehoorzaamheid in me slaan.'

'Ga uit mijn ogen,' brulde sir Oswald.

Henry speelde even met de gedachte zijn vader over Maureen te vertellen, maar sir Oswald was uit op een vechtpartij en het had geen zin olie op het vuur te gooien. Zonder verder nog iets te zeggen ging Henry de kamer uit.

'Opgeduveld, Paddy Dempster! En waag het niet terug te komen voor je nuchter bent.'

Een stevige duw in de rug hielp Paddy struikelend over de drempel van de pub in Dublin naar buiten. Hij kon nauwelijks overeind blijven en het was alleen maar te danken aan het meisje dat haar arm om zijn middel sloeg dat hij niet languit in de goot belandde. Dit was niet de eerste keer dat hij uit een kroeg werd gegooid, en met zijn negenentwintig jaar vermoedde hij dat het ook niet de laatste keer zou zijn. De hoeveelheid bier die hij had gedronken deed zich gelden en hij gaf over; het braaksel spetterde zonder dat hij het in de gaten had op zijn schoenen en broekspijpen.

'Ik besteed m'n geld wel ergens anders,' schreeuwde hij terwijl hij zijn mond afveegde aan zijn mouw. 'Ik moet toch alleen maar kotsen van dat smerige bier van je.'

'Je mag van geluk spreken als ze je nog ergens binnenlaten, jij dronken lor,' antwoordde de barkeeper en hij sloeg de deur in zijn gezicht dicht.

Paddy zwaaide heen en weer terwijl hij met een stompzinnige uitdrukking op zijn gezicht naar de deur staarde. 'Ik vermoord hem,' mompelde hij en hij balde zijn stevige vuisten.

'Kom op nou, Paddy. Je had me een lekker etentje beloofd en mijn maag denkt inmiddels dat m'n kop eraf ligt.' Het meisje vlijde haar hoofd tegen zijn schouder terwijl ze haar arm door de zijne wurmde en hem aanspoorde in beweging te komen.

Paddy staarde haar aan en probeerde zich te herinneren wie ze verdorie ook alweer was en waarom hij haar een etentje had beloofd. Zijn glazige blik maakte de harde lijnen in haar gezicht wat zachter en deden het warrige, vette haar en de vuile nek er bijna aantrekkelijk uitzien. Maar hij kon haar ruiken, zelfs boven zijn eigen stank uit, en het restant van het bier dat hij eerder had gedronken kwam weer omhoog.

'Kom op,' drong ze aan en haar stem klonk schril. 'Laat je me soms de hele avond wachten?'

'Donder op,' bracht hij uit. 'Laat me met rust.' Hij maakte haar grijpgrage vingers los en duwde haar weg. Hij was een grote vent, en sterk, zeker als hij flink wat bier had gedronken. Het meisje dat daar niet op bedacht was, viel tegen de muur van de kroeg en gleed in de goot.

Paddy zette zich in een onzekere looppas. Hij moest bij haar vandaan zien te komen. Weg van het lawaai van de pub en de stank van de steeg. Zijn ingewanden gingen tekeer en de gal smaakte bitter in zijn mond terwijl haar venijnige schreeuw hem in de duisternis achtervolgde.

'Je bent me wat schuldig,' krijste ze terwijl ze op zijn rug sprong. Haar handen waren net klauwen van een roofvogel die naar zijn ogen graaiden, terwijl haar benen hem als een bankschroef omklemden. 'Kom over de brug, klootzak, of ik roep de politie erbij!'

Hij schudde haar van zich af zoals een hond de regen van zich afschudt en ze viel opnieuw op de ruwe stenen. 'Kom op met je geld,' krijste ze terwijl ze in één beweging overeind kwam en weer op hem af dook. 'Help! Politie! Politie! Ik word overvallen,' schreeuwde ze terwijl hij haar wegduwde en probeerde zijn onzekere weg voort te zetten. 'Houd de dief!'

Het werd Paddy rood voor de ogen – het was een wolk van rood die zijn wazige wereld omsloot en waar zijn hoofd vol mee was. Hij moest haar het zwijgen opleggen. Hij moest zorgen dat ze haar mond hield voor de politie kwam opdagen. Hij draaide zich snel om, zijn enorme hand greep haar bij haar magere nek en maakte een einde aan de stroom vitriool die door zijn hoofd sneed. En toen begon hij te knijpen, te knijpen, te knijpen. Hij had stilte nodig, rust, tijd om na te denken, tijd om de vreselijke pijn in zijn maag en in zijn hoofd tot bedaren te brengen, en pas toen zij ophield weerstand te bieden drong het tot hem door dat er iets niet klopte.

Hij zag in gefascineerde verwarring hoe de ogen van de hoer uitpuilden en haar tong naar buiten stak. Hij voelde hoe ze slap werd en liet haar los. Ze viel als een lappenpop op de grond. Hij duwde voorzichtig met zijn voet tegen haar aan en toen ze niet reageerde, kreunde hij van afschuw en verbijstering. Nu was hij erbij. De politie kon hier elk ogenblik zijn en met zijn lijst van veroordelingen zou hij nu zeker in aanmerking komen voor een stropdas van hennep.

Hij wierp een blik over zijn schouder toen hij de politiefluitjes hoorde en het gestamp van legerlaarzen door de straatjes weergalmde. De effecten van het bier waren in één klap verdwenen. Er werkt niks zo goed als de dreiging van de beul en zijn strop om een man te ontnuchteren, dacht hij bitter.

Voor zo'n grote man bewoog hij zich soepel en snel in de schaduwen, maar dat was een vaardigheid die hij had geleerd in de twintig jaar dat hij buiten de wet leefde. Een vaardigheid die hij zich al jong eigen had moeten maken om op straat te kunnen overleven.

Paddy rende kriskras door de doolhof van straatjes en steegjes vol bouwvallige huizen en lawaaiige kroegen tot hij bij de rivier kwam. De Liffey had onder de voortjagende wolken en bij het licht van de zuurkijkende maan de kleur van gesmolten lood. Paddy klauterde vlug over de lage stenen muur en verstopte zich in een nauwe duiker onder een van de bruggen. Hij kon het rottende afval op de oever en de koude, groene duisternis van het water ruiken terwijl het in olieachtige stilte voorbijgleed.

Hij bleef op zijn hurken in zijn vochtige en stinkende schuilplaats zitten; hij huiverde en sloeg zijn armen om zich heen. Zijn jas was versleten, het overhemd eronder dun en vaak versteld. Wat zou hij er niet voor overhebben om weer in dat kale kleine kamertje in Wales te zitten – in de kille duisternis van de kolenmijn die ervoor zorgde dat hij geld op zak had en een volle maag. Waarom was hij in vredesnaam teruggekeerd naar Ierland?

Hij trok een gezicht, stak zijn ongeschoren kin in zijn kraag en staarde naar de weerspiegeling van de maan in het smerige water. Londen was te gevaarlijk gebleken en hij was te vaak op het laatste nippertje aan de sterke arm ontsnapt om nog risico's te nemen. Hij was op weg gegaan naar Wales waar hij werk en kameraadschap had gevonden in het kleine mijndorpje in de bergen, maar hij had zijn lange vingers niet lang thuis kunnen houden en hij was bijna gepakt tijdens een inbraak in een nabijgelegen pub.

Hij wreef met eeltige handen over zijn gezicht. Ierland zou een toevluchtsoord moeten zijn – een plek waar hij kon terugkeren naar mensen die het iets kon schelen hoe het met hem ging. Maar mam was dood en zijn broers en zussen zaten in alle uithoeken van de wereld op zoek naar fortuin. Zelfs het oude huisje werd nu bewoond door vreemden en niemand wist wat er met pa was gebeurd. Die was op een ochtend gewoon de deur uitgestapt en nooit meer teruggekomen.

'Ik moet hier weg,' fluisterde hij. 'Ik moet er op de een of andere manier iets van zien te maken voor de beul me te pakken krijgt.'

Kate Kelly hield de baby stevig vast terwijl ze uit de schaduw achter het gordijn stapte en zag hoe de man de steeg uit rende. Haar hart ging tekeer en haar mond was droog. Ze had zijn gezicht duidelijk gezien in het licht dat uit de pub scheen en ze wist dat ze het nooit zou vergeten.

Er ging een rilling door haar heen toen ze weer naar de stille figuur keek die daar in het vuil van het achterafsteegje lag. Het meisje zag er zo jong, zo kwetsbaar uit met haar vieze haar dat in de goot vol regenwater dreef, en haar handen die in de richting van de hemel geopend waren. Kate sloeg een kruis en mompelde een gebed toen de politie en de soldaten arriveerden. Het meisje was dood, maar waarom moest er in godsnaam met haar gezeuld worden alsof ze een stuk vlees was?

Kate schrok toen een van de mannen naar boven keek. Hij had zijn ogen samengeknepen, op zoek naar getuigen, en Kate trok zich terug in de schaduw. Als ze vertelde wat ze had gezien zou het gezin problemen krijgen – en dat konden ze niet gebruiken, ze hadden al moeilijkheden genoeg.

De baby jammerde zachtjes in zijn slaap en ze hield hem dicht tegen zich aan, sprak troostende woorden in het donsachtige haar. Haar nieuwste broertje was een verrukking, maar zijn komst had mam uitgeput. Pa was nog minder dan waardeloos als het ging om de zorg voor de overige negen kinderen, dus rustte de taak om alles gladjes te laten verlopen tot mam beter was op Kates smalle schouders. Niet dat pa te beroerd was om hard te werken om voor zijn altijd maar groeiende gezin te zorgen. Hij kwam altijd grauw van vermoeidheid thuis van de leerlooierij.

Ze legde de baby op de matras bij de overige slapende kinderen en liep weer naar het raam. Het lichaam was weggehaald en de steeg was weer teruggekeerd naar de grauwe toestand van alledag.

'Waar sta je naar te kijken? Ik dacht dat ik even geleden geschreeuw hoorde.'

Ze schrok op van de zachte stem en draaide zich om. 'Je moet uitrusten,' zei ze vriendelijk toen ze de donkere kringen onder haar moeders ogen en de bijna doorschijnende huid zag.

'Ach. Als ik dood ben kan ik nog lang genoeg slapen,' antwoordde Finola Kelly met een onverschillig gebaar. Ze trok de dunne sjaal vaster om haar smalle schouders. 'Nou, wat was daar beneden allemaal aan de hand? Weer een knokpartij van een paar hoeren?'

Kate vertelde haar wat ze had gezien, maar had het nauwelijks over de man die ze zo duidelijk zou kunnen beschrijven. 'Laat me je terug in bed helpen,' zei ze, op een ander onderwerp overstappend. 'Pa komt zo thuis en hij wordt boos als hij ziet dat je nu al op bent.'

'Het zal je vader helemaal niet opvallen. Hij zal niet uit zijn ogen kunnen kijken van vermoeidheid.' Finola Kelly greep haar dochter bij de armen en keek haar diep in de ogen. 'Trap niet net als ik in de val, Kate,' zei ze dringend. 'Zorg dat je hier wegkomt voor je hier ook vastzit.'

'Mam?' Kate deed een stap achteruit bij het zien van de felheid in haar moeders ogen. Dergelijke dingen had ze haar nog nooit horen zeggen. 'Zie je ons zo – als een val?'

'Ach meisje, je bent oud en wijs genoeg om te begrijpen wat ik bedoel. De wereld verandert en jij bent nog jong genoeg om daarvan te profiteren.' De werkhanden pakten een lok van Kates haar beet en streken die uit haar gezicht. 'Je bent achttien; ouder dan ik was toen ik jou kreeg. Maak niet dezelfde vergissing als ik door te denken dat dit alles is wat het leven te bieden heeft. Je hebt een goeie kop, Kate, gebruik die dan ook.'

'Ik weet dat het nu moeilijke tijden zijn,' stamelde Kate. 'Maar als ik weer aan het werk ga in de looierij wordt het met dat extra geld allemaal wat makkelijker.'

'Daar heb ik het niet over,' snauwde Finola. 'Ga weg uit Ierland. Steek de plas over – of nog verder als je daar zin in hebt. Blijf hier niet rotten zoals de rest van ons, Kate, want beter dan dit wordt het niet voor ons katholieken.'

Kate voelde een tinteling van opwinding, maar die was vermengd met angst. Ze had er nooit eerder serieus over nagedacht haar familie te verlaten en het water over te steken om een leven onder vreemden te leiden – tot dit moment. Haar verbeelding draaide op volle toeren. Ze had over de Amerika's en over de nieuwe kolonien in Australië gehoord van mensen van wie de zonen en dochters daarheen waren getrokken en nu geld naar huis stuurden. Ze had naar de verhalen geluisterd over de weidse vlakten, over de lucht die zo schoon en helder moest zijn dat het pijn deed aan je longen, en over de mogelijkheden die er waren in deze afgelegen plekken en waar afkomst en religie geen belemmering vormden om fortuin te maken.

Maar haar gezonde verstand zei haar dat ze aan het dromen was. Ze schudde langzaam haar hoofd. 'Ik weet het niet...' begon ze.

Finola's hand lag op haar arm. Haar stem was zacht, maar had een dringende ondertoon die niet te negeren was. 'Kijk eens naar je toekomst als je besluit te blijven,' siste ze. 'Moord en doodslag op straat, met drie gezinnen in één huis, geen geld. Als je blijft, zit je in de val. Ieder jaar een baby en je hersenen die verweken.'

Ze schudde haar hoofd en het eerste grijs glinsterde in haar donkere krullen toen ze zich omdraaide om naar haar slapende kinderen te kijken. 'Ik wil dat je het beter krijgt dan dit, Kate.'

Kate keek naar de andere kinderen. Ze lagen dicht op elkaar gepakt, als haringen in een ton, en ze wist dat de matras nog voor het ochtend werd doorweekt zou zijn. Ze haalde diep adem en realiseerde zich voor het eerst hoe vochtig en stinkend de twee kamers boven in dit overbevolkte huis waren. In dit nieuwe beloftevolle licht werd ze zich plotseling bewust van de smerige en sterke geurenmengeling van ongewassen lichamen en oude etensluchtjes die over het vuil van de armoede en de doordringende stank van met urine doorweekte luiers en dekens hing. 'Maar hoe...' begon ze.

'Ik heb hier niet zomaar wat liggen niksen,' zei Finola met een opgewektheid die in tegenspraak was met haar duidelijke vermoeidheid. 'Ik heb met pater Pat gesproken en er is een baan bij de kerk in Liverpool.'

Kate keek haar moeder aan en de hoop kreeg de overhand boven de angst voor het onbekende. 'Liverpool?' Dat was weliswaar niet in de koloniën, maar verder weg dan ze ooit eerder was geweest.

'Ja. Ze hebben een huishoudster nodig.' Finola sloeg een arm om Kates middel. 'Het is niet zulk zwaar werk als in de leerlooierij en je krijgt drie keer per dag een maaltijd. Dat is een goed begin voor een leven weg van hier.'

Kate staarde uit het raam naar de natgeregende straatstenen beneden. Het was alsof het meisje nooit had bestaan, want er was geen spoor van haar, niemand die om haar treurde. En wat haar moordenaar betrof – die was allang verdwenen – een anoniem gezicht in de duisternis van verloren hoop waarvan deze stegen doordrongen waren. Ze keek even naar haar moeder en zag de vermoeidheid in haar ogen en in de lijnen die aan weerszijden van haar mond liepen. Ja, besloot ze. Als ze ooit iets van haar leven wilde maken, dan was dit het moment om weg te gaan.

De vrouwen waren doorweekt; de zomen van hun zelfgemaakte jurken waren besmeurd met modder waarin ze hadden staan wachten tot Maureen kwam. Hun gezichten stonden onverbiddelijk, er liepen lijnen van woede om hun samengeknepen monden. Zonder iets te zeggen omringden ze haar.

Maureen deed haar best om niet te laten merken dat ze bang was en schreeuwde om de wind te overstemmen: 'Wat willen jullie?'

Het enige antwoord bestond uit het gekrijs van de meeuwen en het beuken van de golven tegen de kademuur terwijl de vrouwen dichter om haar heen dromden.

Maureen keek wanhopig in de gezichten van de vrouwen die ze haar hele, korte leven had gekend. Dit waren meisjes waar ze als kind mee had gespeeld, vrouwen met wie ze had gewerkt in de turfvelden en die ze tot haar vrienden rekende. Maar er was geen sprankje medelijden te bekennen in hun meedogenloze blikken, geen enkel teken van vriendschap – enkel een wezenloze, bijna puriteinse euforie terwijl ze haar omsingelden, insloten en geen ontsnappingsweg openlieten.

'Alsjeblieft,' smeekte ze. 'Wat willen jullie toch?' Ze zocht de blik van haar beste vriendin Regan, wetend wat het antwoord zou zijn – wetend wat de straf zou zijn die ze zouden uitvoeren. 'Waarom doen jullie dit?' zei ze fluisterend.

Regan stak haar kin omhoog, haar woeste haar lag als een duivelse stralenkrans om haar hoofd en in haar ogen glansde het vuur van fanatieke deugdzaamheid. 'Dat zul jij niet weten,' snauwde ze. 'We hebben je wel gezien met die klootzak van een Engelsman. Met hem bezig gezien als de hoer die je bent! We moeten je hier niet meer, Maureen O'Halloran.'

Haar hart ging zo tekeer dat ze nauwelijks adem kon halen. 'Dan ga ik wel,' stamelde ze. 'Laat me erdoor.' Ze deed een aarzelende stap naar voren.

Het gekrijs van de meeuwen ging verloren in het demonische gehuil van woede toen zij op haar af sprongen. Handen rukten aan haar kleren, smerige nagels maakten diepe krassen en zware laarzen schopten terwijl ze haar de kleren van het lijf rukten. Ze kon hun zweet ruiken, hun ongewassen lichamen en doorweekte kleren terwijl ze probeerde hen van het lijf te houden. Ze voelde de nagels krabben, de vingers knijpen en porren terwijl hun hete adem dampte in de koude lucht. In de vloedgolf van venijn die ze over haar uitstortten drongen de scheldnamen die ze haar toeriepen nauwelijks tot haar door.

Maureens angst gaf haar krachten waarvan ze niet wist dat ze die bezat en ze vocht terug, vuist om vuist, nagel om nagel, trap om trap. Maar ze waren met te veel en bezaten een kracht die gekweekt was in uren van zware arbeid op het land en een onlesbare dorst naar wat zij zagen als rechtvaardigheid. Ze grepen haar bij haar armen en benen en draaiden haar om zodat haar gezicht tegen de grond werd gedrukt.

'Ik stik,' gilde ze en ze probeerde zich te ontdoen van de modder die haar neus en mond binnendrong. Ze probeerde haar hoofd omhoog te doen, maar de lucht werd uit haar longen geperst toen iemand op haar rug sprong.

Maureen trapte van zich af. Ze maaide wild met haar armen in het rond in een poging zich van het gewicht op haar rug te ontdoen en wat lucht in haar gepijnigde longen te krijgen. Haar laars trof doel en de kreun die daarop volgde gaf een beetje voldoening. Maar de wraak kwam snel in de vorm van een schop die haar ribben trof.

'Blijf liggen, kreng,' siste Regan terwijl ze zich vooroverboog, op Maureens rug ging zitten en aan haar haar trok. 'Je kunt toch niet ontsnappen, dus je kunt je straf maar beter gewoon ondergaan.'

Maureens nek boog achterover toen er zo hard aan haar haar werd getrokken dat ze zeker wist dat ze het van haar hoofd zouden rukken. Haar smeekbeden werden niet verhoord. Haar snikken en steeds zwakker wordende verzet werden genegeerd toen er een schaar tevoorschijn werd gehaald en ze haar kaal begonnen te knippen. De schaar was scherp, het hanteren slordig en bloed begon warm langs haar gezicht en nek te stromen.

Maureen verstarde, doodsbang dat de scherpe punten in haar ogen terecht zouden komen en toen ze klaar waren en Regan met een laatste, scherpe por met haar knie van haar af was geklommen, zakte ze in de modder ineen.

Maar haar beproeving was nog niet voorbij. Ruwe handen begonnen iets op haar hoofd en over haar lichaam te smeren, lompe vingers wreven de straf genietend in. Het brandde waar ze haar hadden gesneden en het prikte zo vreselijk dat ze begon te gillen. De geur maakte haar duidelijk wat het was en ze begon te jammeren van angst. Teer.

'Mooie veren voor een mooie dame,' zei een van de vrouwen met een ruwe lach terwijl ze een jutezak opendeed. De kippenveren dwarrelden in het rond en bleven plakken. Handen drukten ze aan, wreef ze in de plukjes overgebleven haar, bedekten haar beurs geslagen lichaam tot ze er helemaal onder zat.

'Klaar om geplukt te worden,' krijste een andere vrouw. Die opmerking werd begroet met obsceen gelach terwijl de vrouwen een stap achteruit deden, zich omdraaiden en arm in arm de heuvel afliepen in de richting van het dorp.

Maureen trok haar knieën beschermend tegen haar borst en bleef uitgeput in de modder en de regen liggen, ze had te veel pijn om te bewegen, was te geschokt om te denken. Ze hoorde hoe de stemmen zich verwijderden en uiteindelijk werden overstemd door het gekrijs van de rondcirkelende meeuwen. Ze voelde hoe de teer in haar huid brandde en hoe de wind aan haar verendek plukte. Ze voelde nog steeds de hitte van de haat van de vrouwen en de kwaadaardige kracht in hun handen. De gedachte dat ze terug moest naar het dorp joeg haar angst aan, maar ze wist ook dat ze hier niet kon blijven. Ze wist dat ze een manier moest zien te vinden om zichzelf schoon te krijgen voor het onmogelijk zou worden om de teer nog te verwijderen.

Eindelijk kwam ze overeind en betastte voorzichtig haar mishandelde hoofd. De wonden zouden genezen, het haar zou weer teruggroeien, maar tot het zover was zou ze net zo gebrandmerkt zijn als Kaïn.

Haar kleren lagen in flarden her en der verspreid. De lange lokken donker haar lagen als eenzame slangen opgerold in de modder. Ze raapte haar cape op die gelukkig niet al te erg was beschadigd, wikkelde die strak om haar schouders en trok de capuchon diep over haar ogen. Hij was doorweekt van de modder en de regen, maar het was de enige bescherming tegen de elementen die ze had.

Minuten gingen voorbij voor ze genoeg kracht had verzameld om te gaan staan. Ze vertrok haar gezicht van pijn toen de trap in haar ribben zich deed voelen. Ze rilde onophoudelijk van de shock die de brute aanval teweeg had gebracht en ze trok de cape nog strakker om zich heen en staarde in de richting van het dorp. Ze kon nergens anders heen dan naar huis, maar hoe kon ze haar ouders nu onder ogen komen? Haar vader?

Michael O'Halloran was geen man die het kon waarderen dat zijn dochter hem te schande maakte – zeker niet als dat met een Engelsman gebeurde. Hij was geen man die de kant van zijn dochter zou kiezen als hij er eenmaal achter kwam wat de aanleiding tot de aanval was geweest. Hij was op en top Ier, met een haat voor de Engelse landeigenaren die zijn hele kijk op het leven kleurde. Maureen wist dat hij in plaats van haar te troosten, de riem zou pakken om haar de les die haar vandaag geleerd was nog eens extra in te peperen.

De herinnering aan eerdere pakken slaag joeg haar angst aan en ze vroeg zich af of ze op de een of andere manier het huis kon binnenglippen zonder dat hij haar zag. Maar ze wist tegelijk dat dat onmogelijk was. Het huisje bestond uit niet meer dan twee kamers en ze deelde de bedstee met haar drie jongere zusjes. Zelfs als pa weg was op een van zijn geheime reisjes naar het noorden, bestond altijd nog de kans dat haar moeder bij het vuur op hem zou zitten wachten.

Maureen keek over haar schouder in de richting van de bossen die ze eerder achter zich had gelaten. Misschien was het beter om te proberen het pek en de veren in de Lough af te wassen? Ze verwierp het idee onmiddellijk. Het was meer dan een halfuur lopen naar de Lough Leigh en het betekende dat ze over het land van sir Oswald moest, waar ze het risico liep ontdekt te worden door zijn jachtopziener, Fergus. Ze was te moe, te koud en had te veel pijn om zo'n tocht zelfs maar te overwegen. Er zat niets anders op dan naar huis te gaan.

'Henry,' jammerde ze terwijl de regen de laatste restjes moed die ze nog had wegspoelde. 'Waar ben je, nu ik je nodig heb? Kun je me dan niet horen roepen?'

Ze slikte haar tranen weg en deed haar eigen woorden af als fantasie – hoe zou een Engelsman de eigenaardigheden kunnen begrijpen van het Ierse geloof in mystieke zaken? – want natuurlijk kon hij haar pijn, haar verwarring niet voelen. Hij was maar een man – een vreemdeling als het aankwam op het volledig begrijpen van de Ierse mentaliteit. Ze dook ineen in haar cape en begon aan de lange afdaling naar het vissersdorp.

Het stenen huisje was er een van vijf die op een rijtje tegen de steile heuvel geplakt stonden en uitkeken op de haven. Het riet op het dak was aan reparatie toe, maar de ramen waren schoon en de deur was pas geschilderd. Het zachte geloei van de melkkoe klonk uit de stal die was afgescheiden van de grote kamer en de kippen tokten hun ongenoegen over het feit dat ze werden gestoord toen ze het achterhek opendeed en het modderige erf opkwam. Het licht van het vuur in de haard flakkerde door het raam en ze gluurde naar binnen.

Bridie O'Halloran zat op haar gebruikelijke plek naast het vuur met naaiwerk in haar schoot, terwijl ze met haar voet de ruwhouten wieg liet schommelen waarin haar drie maanden oude baby lag te slapen. Ze had donkere wallen onder haar ogen van vermoeidheid en zoals ze daar zat te midden van de drogende was zag haar magere gezicht er veel ouder uit dan haar drieëndertig jaar.

Maureen beet op haar lip. Pa was nergens te zien. Misschien kon ze ma veilig in vertrouwen nemen?

Bridie keek op van haar verstelwerk toen een vlaag koude wind en regen samen met haar oudste dochter de kamer binnenkwam. 'O heilige Maria,' bracht ze uit. 'Wat is er in hemelsnaam gebeurd?' Het naaiwerk viel op de grond, de wieg en de baby waren vergeten op het moment dat ze uit haar schommelstoel overeind kwam.

Maureen deed de deur dicht en haastte zich naar het vuur. Ze strekte haar handen uit naar de warmte en merkte dat ze niet kon stoppen met rillen. Maar het was niet de kou die haar deed huiveren, maar de gedachte aan haar vaders thuiskomst. 'Het spijt me, mam,' zei ze hakkelend. 'Het spijt me zo. Maar ik wist niet waar ik anders naartoe moest.'

Bridie stak haar hand uit en sloeg de capuchon naar achter. Haar trillende vingers gingen naar haar mond terwijl haar ogen groot van afschuw werden. 'Wat heb je gedaan?' fluisterde ze. 'Mijn God in de hemel, wat heb je gedaan?'

'Dat doet er niet toe, mam,' antwoordde Maureen terwijl ze haastig de teil van de haak aan de achterdeur tilde en die vulde met heet water uit de ketel die altijd boven de haard hing. 'Ik moet zien schoon te worden voor pa thuiskomt. Als hij me zo ziet...'

Er blonk een flits van angst in Bridies ogen en er ontsnapte haar een snik terwijl ze een kruis sloeg. 'Snel, snel, hij komt zo thuis, hij is alleen maar even wat gaan drinken bij Donovan.'

Maureens vingers maakten onhandig haar cape los.

Bridie kneep haar ogen tot spleetjes en sloeg opnieuw een kruis. 'Van wie is het?' snauwde ze en in haar stem klonk kille verachting.

Maureen begon de veren uit de troep te plukken die op haar lichaam was gesmeerd. In haar haast weigerden haar vingers haar te gehoorzamen terwijl ze de hele tijd in de richting van de deur keek. 'Van Henry,' gaf ze toe.

'Hen...? God heb meelij. Weet hij het?' Bridies stem was scherp en in haar ogen fonkelde iets wat in de buurt kwam van afkeer.

'Nog niet. Ik wilde het hem vanavond vertellen.' Maureen gooide de veren in het vuur en keek hoe de vlammen ze verteerden. 'Maar hij kon maar even blijven en...'

De klap was even onverwacht als fel en brandde op haar wang. Donkere wolken vulden haar hoofd. 'Stomme slet,' snauwde Bridie. Haar stem ging omhoog terwijl ze Maureen bij een arm greep en door elkaar rammelde. 'Je bent geen haar beter dan een hoer. Een stomme trut die zich door mensen zoals hij laat gebruiken en dan wordt weggegooid. Hij mag misschien dure woorden gebruiken en dure manieren hebben, maar hij geeft geen zier om je – je bent maar een speeltje om de tijd te verdrijven als hij niets beters te doen heeft.'

Toen kwamen de tranen en ze keerde zich af en sloeg haar armen om zich heen. 'Je vader vermoordt je,' fluisterde ze. 'Als hij erachter komt vermoordt hij ons allebei. Je moet weg. Nu. Voor hij terugkomt.'

Maureen wierp een ongeruste blik op de deur voor ze zich in het hete water liet zakken en de troep van zich af begon te boenen. 'Zo kan ik niet weg,' zei ze tussen opeengeklemde tanden. De combinatie van de teer, de wonden en blauwe plekken en de sodazeep was bijna ondraaglijk – en haar moeders reactie, zo kort na de overval, was helemaal verschrikkelijk.

'Wat is er, mam?' De slaperige stem kwam uit de bedstee en vanachter het gordijn kwamen drie kleine meisjes tevoorschijn.

'Schiet op, ga je bed weer in,' commandeerde Bridie op een toon die geen tegenspraak duldde. Ze wierp ongeruste blikken op de klok en de achterdeur; ze verwachtte elk ogenblik betrapt te worden door haar echtgenoot terwijl ze de resterende veren in een oude krant wikkelde en op het vuur gooide. Ze begon te mompelen, braakte de woorden van de rozenkrans in een onverstaanbare stroom uit terwijl ze de borstel pakte en Maureens rug begon te schrobben.

'Stil jij,' zei ze in antwoord op Maureens kreet van protest. 'Je hebt het allemaal aan jezelf te wijten. As ik terugdenk aan al die keren dat ik je gewaarschuwd heb dat je jezelf rein moest houden. God mag weten wat pater Paul zal zeggen.'

'Dat gaat hem geen moer aan,' snauwde Maureen terug terwijl ze probeerde een kreet van pijn te onderdrukken toen haar moeder haar rug boende met een kracht die beslist niet nodig was.

Weer een klap, dit keer tegen de achterkant van Maureens mishandelde hoofd. 'Hou je brutale mond,' zei Bridie binnensmonds. 'Het is al erg genoeg dat je dit huis te schande maakt zonder ook nog eens dergelijke taal uit te slaan.'

Maureen nam niet de moeite zich te verontschuldigen; als mam in een dergelijke bui was, kon je maar beter je mond houden.

'Wie heeft je dit aangedaan?' wilde Bridie weten en haar stem klonk zachter, alsof ze zich plotseling realiseerde hoe dun de muren tussen de huizen waren.

'Elke vrouw die in staat was de heuvel op te lopen,' zei Maureen nijdig terwijl ze de borstel weer overnam en probeerde haar armen schoon te krijgen. 'En ze genoten er ook nog van. Je had hun gezichten moeten zien. Zelfs Regan Donovan was erbij.'

'Je weet wat dit betekent, hè?' zei Bridie ernstig terwijl ze schone kleren van een stapel naast de haard griste. 'We zullen worden doodgezwegen. En het is zonder dit allemaal al moeilijk genoeg om aan werk te komen.' Haar harde werkhanden bleven even op de smalle schouders rusten in een vluchtig moment van intimiteit zoals die alleen tussen twee vrouwen kan bestaan.

Het was een gebaar dat Maureen duidelijk maakte dat het haar moeder wél iets kon schelen, maar ze vermoedde dat Bridie niet wist hoe ze om moest gaan met dit vreselijke iets wat in hun leven was gekomen, omdat het haar verstand te boven ging.

'Waarom, Maureen? In naam van alles wat heilig is, waarom, waarom ben je met hem meegegaan? Je wist wat je te wachten stond als ze je zouden betrappen. Kijk maar naar wat er met de dochter van Finbar is gebeurd toen ze met die Engelse soldaat ging.'

Maureens tranen waren opgedroogd, maar er was een einde gekomen aan haar veerkracht. 'Het spijt me, mam,' fluisterde ze. 'Maar ik hou van hem.' Ze keek op in haar moeders strakke gezicht en probeerde te glimlachen. 'En hij houdt van mij. Hij heeft beloofd dat we altijd bij elkaar zullen blijven.'

Bridie sloeg haar armen over elkaar en keek haar oudste dochter woedend aan. 'Als je dat gelooft, ben je een nog grotere sufferd dan ik al dacht,' snauwde ze.

Ze sprongen op toen ze de klap hoorden waarmee de deur tegen de muur sloeg. Bridie sprong weg bij de teil en alle kleur trok uit haar gezicht. Maureen greep de kleine handdoek en probeerde haar naaktheid te bedekken.

De atmosfeer was geladen. De stilte die volgde op de binnenkomst van Michael O'Halloran was doortrokken van angst.

'Smijt die kleine smerige hoer mijn huis uit,' schreeuwde Michael die in de deuropening torende. 'En als jij het waagt om ook maar een kik te geven, Bridie O'Halloran, dan krijgen jullie allebei met de riem.'

Maureen en Bridie kwamen met een schok uit hun verdoving – ze kwamen allebei snel in actie in een poging Michaels overduidelijke woede te temperen. Maureen greep de schone kleren en worstelde zich erin terwijl Bridie zich naar het gordijn haastte om de drie kleine meisjes af te schermen die met grote ronde ogen door de kier keken.

'Eruit,' bulderde Michael. 'Of je krijgt met de riem!'

De jongere kinderen schoten uit het zicht en Maureen, die nu helemaal was aangekleed, voelde voor deze bullebak van een vader iets wat op haat leek. 'Je moet mij hebben,' zei ze koud. 'Laat ze met rust.'

Hij staarde haar aan met ogen die rood van drank en woede waren en zijn hand was al bezig zijn riem los te maken. 'Jij hebt me niet te vertellen wat ik in mijn eigen huis moet doen,' schreeuwde hij. Zijn zware laarzen stampten over de houten vloer naar haar toe terwijl hij de riem langzaam van zijn al wat dikker wordende middel trok.

'Je hebt me te schande gemaakt, Maureen O'Halloran. En ik moet van dat kreng van een Regan Donovan horen wat mijn dochter allemaal heeft uitgespookt. Ze kon niet wachten om het iedereen in de pub te vertellen. En haar pa stond daar maar achter de bar met die zelfingenomen glimlach op zijn lelijke smoel. Daar zul je voor boeten, meisje.'

De gesp glom in het licht van het vuur terwijl de riem in de vlezige hand bungelde.

Maureen stak haar hand uit naar de pook. Hoewel ze stond te trillen van angst, wist ze dat ze zichzelf en de baby die ze droeg moest verdedigen. 'Als je me aanraakt, sla ik terug,' zei ze met een koelbloedigheid die haar zelf verbaasde. 'Ik ben vanavond al genoeg gestraft.'

Hij bleef met wijdopen mond staan. Maureen zag de verwarring in zijn donkere ogen, de schok op zijn gezicht. Ze besefte plotseling dat hij, net als alle andere bullebakken, eigenlijk een lafaard was – hij had de moed niet tegen zijn eigen dochter in te gaan.

'Zo kun je niet tegen me praten,' stamelde hij. 'Ik, ik...'

'Jij doet je riem weer om en gaat zitten,' zei ze met een brutaliteit die haar zelf verbaasde en Bridie naar adem deed snakken. 'En als ik weg ben, raak je mam of de kleintjes met geen vinger aan. Zij hebben nergens wat mee te maken – helemaal niets. Wee je gebeente als ik erachter kom dat je een van hen iets hebt aangedaan.'

Michael liep als verdoofd naar de stoel en plofte er in neer. Hij staarde met open mond naar zijn oudste dochter, alsof ze een vreemde was – alsof hij niet kon geloven dat ze hem trotseerde.

Maureen graaide vlug de rest van haar kleren van de stapel bij de haard en rolde ze tot een slordige bundel. Ze keek naar haar moeder die ineengedoken tegen de muur bij het gordijn stond en probeerde iets van haar moed over te brengen. Vervolgens liep ze de kamer door, ging de deur uit en sloeg die met een klap achter zich dicht als laatste uitdagende gebaar.

Ze was al halverwege de heuvel toen haar moed haar in de steek liet en ze zich op een stenen muur liet zakken en in tranen uitbarstte.

De storm van de avond ervoor was uitgewoed en de dag was helder en koud aangebroken. Het was het soort dag waar Henry dol op was, met de geur van natte aarde en gras, vermengd met de zilte lucht die van zee kwam en de warme geur van paarden en honden. Prima weer om te jagen.

Hij zat schrijlings op zijn jachtpaard en dacht aan zijn komende afspraakje met Maureen terwijl hij wachtte tot de hondenmeester de honden bij elkaar had gedreven. Wat zou ze dit allemaal vreemd vinden, bedacht hij terwijl hij een slok van zijn drankje nam. Maar toch was het een mooi plaatje. Het oude stenen huis glansde zacht in de voorjaarszon en vormde een prachtige achtergrond voor de opgewonden, in het rond rennende honden, de rode jassen en de rusteloze paarden.

Zijn blik gleed over het gezelschap en bleef op zijn moeder rusten. Lady Miriam zat keurig rechtop in haar damezadel op haar grijze merrie en haar lange zwarte rok en het nauwe jasje lieten een, voor een vrouw van achter in de veertig, fraai figuur zien.

Ze ving zijn blik op en bracht haar merrie naast zijn paard. 'Ik moet je spreken,' zei ze zachtjes. 'Na de jacht, wanneer je vader met andere dingen bezig is.'

Hij keek haar aan. Haar uitdrukking ging schuil achter de voile die aan haar hoed bevestigd was, maar haar kin stond vastberaden. 'Ik heb dingen te doen na de jacht,' zei hij kalm. 'Het zal even moeten wachten.'

Haar gehandschoende hand bleef op zijn arm rusten. 'Ik heb ook ogen in mijn hoofd, zoon,' zei ze met een staalharde blik. 'Je kunt het beter met mij over je probleempje hebben, dan met je vader, vind je niet?'

Henry streek met zijn vingers over zijn snor en keek de andere kant op. 'Ik geef toe dat ik wat zorgen heb. Maar niets waar u zich druk over hoeft te maken,' zei hij met een kalmte die in tegenspraak was met zijn rondtollende gedachten. Was moeder achter zijn geheime ontmoetingen met Maureen gekomen, of ging dit over de ruzie met zijn vader van gisteravond?

'Er zijn gisteren moeilijkheden geweest in het dorp,' zei ze ernstig terwijl ze probeerde haar ongeduldige paard in bedwang te houden. 'En als mijn vermoedens waar zijn, dan zullen we moeten ingrijpen. Vandaag nog.'

Zijn hart sloeg samen met zijn fantasie op hol. 'Wat voor moeilijkheden?' Zijn stem leek te luid te midden van de hoeven die op de stenen stampten en het gehuil van de honden, maar het gezelschap werd te zeer in beslag genomen door het vooruitzicht van de jacht om ergens anders aandacht aan te besteden.

'Maureen O'Halloran,' antwoordde zijn moeder en haar blik doorboorde de voile.

Henry greep haar bij de hand, de ontzetting maakte het hem bijna onmogelijk een woord uit te brengen. 'Wat is er gebeurd?' vroeg hij ademloos.

Lady Miriam schudde zijn hand af en hield haar merrie in bedwang. 'Dus ik had gelijk,' siste ze. 'Sufferd. Ik heb je nog zo gewaarschuwd niet betrokken te raken bij die vreselijke familie.'

'Wat is er met Maureen, moeder?' Er klonk angst in zijn stem door.

'Wat er in het dorp gebeurt, zou ons niets aan moeten gaan,' zei ze met vlakke stem. 'Maar aangezien jij dat onmogelijk hebt gemaakt, kom je onmiddellijk na de jacht naar mijn kamer en dan zal ik je vertellen wat je te doen staat.'

'Ik ga Maureen zoeken,' snauwde hij en hij trok aan de teugels.

Ze hield hem tegen, haar greep lag als een stalen band om zijn arm. 'Als je dat doet, kan ik je niet helpen. Je weet wat de reactie van je vader zal zijn als hij hoort wat je hebt uitgespookt.'

'Ik moet gaan, moeder. Ik moet met m'n eigen ogen zien dat er niets met haar is.' Hij zag de blik in zijn moeders ogen en verstijfde. 'Wat is er?' wilde hij weten. 'Wat is er met haar gebeurd?'

Ze trok haar hand terug en nam de teugels ter hand. Haar rug was kaarsrecht en de houding van haar schouders straalde uit dat ze vastbesloten was elke emotie die ze mocht voelen in bedwang te houden. 'Ik heb altijd al gezegd dat Ieren barbaren zijn en wat ze met Maureen O'Halloran hebben gedaan, bewijst alleen maar dat ik gelijk heb.' Ze keerde zich met strakke mond hooghartig naar hem toe. 'Zelfs haar eigen familie heeft haar verstoten, en ik kan niet zeggen dat ik ze ongelijk geef.'

'Waar is ze?' bracht Henry uit.

Lady Miriam keek hem lange tijd aan. 'Jij was altijd mijn lieveling,' mompelde ze uiteindelijk terwijl haar schouders omlaag gingen en ze haar kin liet zakken. 'Hoe heb je ons dit kunnen aandoen, Henry? Hoe kon je mijn vertrouwen zo beschamen?'

'Vertel me waar ze is,' eiste hij en in zijn ongeduld sprak hij met stemverheffing.

De stilte duurde voort en de wereld leek zijn adem in te houden terwijl ze naar hem keek. 'Ik heb geen idee,' zei ze ten slotte. Ze maande hem met haar hand tot kalmte en haar ogen glansden door wat verdacht veel leek op niet vergoten tranen. 'Vergeet haar, zoon. Er zal voor het meisje O'Halloran worden gezorgd, en hoewel je vader een appeltje met je te schillen zal hebben, zul je je mans genoeg moeten tonen om hier doorheen te komen.' Terwijl ze nauwelijks waarneembaar met haar hoofd schudde, leek ze zich te vermannen. 'Ik hoop dat je hiervan leert, Henry, want een tweede kans krijg je niet.'

In zijn ongeduld en angst trok hij ruw aan de teugels. 'Hoe weet u dat allemaal?' Zijn nieuwsgierigheid moest bevredigd worden, ook al had hij haast om Maureen te vinden.

'Ik heb mijn spionnen,' antwoordde ze terwijl ze haar zelfbeheersing terugvond. 'Er ontgaat me maar heel weinig van alles wat hier voorvalt, Henry.'

'Dus u heeft het al die tijd geweten?'

Ze knikte kortaf. 'Ik hoopte dat je verstandig zou worden.' Haar stem klonk giftig. 'Iedere jongeman moet zijn wilde haren kwijt. Maar nu blijkt dat jij niet bij je volle verstand, of in het bezit van enige zelfbeheersing bent.' Ze gaf een ruk aan de teugels en reed weg.

Henry was een ogenblik verbijsterd door de felheid van zijn moeders antwoord. Hij had haar nog nooit woedend gezien, maar nu begreep hij waarom ze zo'n perfect contrast met sir Oswald vormde.

Hij stuurde zijn stampende paard bij het gezelschap vandaan en zag hoe lady Miriam een gesprek met zijn vader aanknoopte en hem handig wegdraaide zodat Henry buiten zijn gezichtsveld kwam.

'We hebben tenminste iemand aan onze kant,' mompelde hij. 'Maar voor hoe lang nog staat te bezien.' Moeder mocht dan een taaie zijn en heel goed kunnen manipuleren, zij was niet degene die over het geld ging – ze was niet bij machte om een einde te maken aan generaties van onverdraagzaamheid.

Het paard stond te trappelen om ervandoor te gaan en verzette zich toen Henry het bij de andere paarden vandaan haalde en door de boog naar de poort stuurde die toegang gaf tot de velden achter het huis. Na een blik over zijn schouder gaf hij het paard de vrije teugel en ze galoppeerden door de koude, heldere ochtend in de richting van de verlaten jachthut.

Diep in de bossen had de hut van takken en leem zich in de aarde genesteld en het dak leunde wankel tegen een knoestige boomstronk.

De stenen schoorsteen was afgebrokkeld, het luik voor het raam hing scheef en de deur zat nog maar aan één roestig scharnier vast. Om deze schuilplaats hing een doodse stilte en Henry kon zijn bonkende hart horen toen hij zijn paard tot stilstand bracht.

Hij sprong uit het zadel en riep haar naam. Er kwam geen antwoord en de angst smaakte zuur in zijn mond toen hij de deur aan de kant schoof om binnen te komen. Hij kwam net uit het zonlicht en zag nauwelijks iets in de diepe schaduwen in de hut. Hij riep nog een keer.

Stilte was zijn antwoord en het gevoel van verlatenheid drukte zwaar op hem.

Henry ging met zijn handen door zijn haar terwijl hij daar in het gevlekte zonlicht stond dat door de gaten in het dak scheen. Hij wrong zich langs de deur weer naar buiten en liep om de hut heen op zoek naar iets wat erop zou wijzen dat ze er eerder was geweest. Er was niets.

Hij greep de teugels, klom weer in het zadel en keerde zijn paard in de richting van het dorp. Angst won het van zijn verstand. Hij moest Maureen vinden. Hij moest zeker weten dat ze veilig was. Want 'moeilijkheden in het dorp' kon maar één ding betekenen. Ze waren erachter gekomen. En hij wist welke vreselijke straf Maureen moest hebben ondergaan.

Het dorp lag er opgefrist door de regen bij, de straatstenen glinsterden die zondagochtend in het vroege zonlicht. Het geluid van een enkele klok weerklonk uit de kleine stenen kerk die uitkeek over de baai en zeemeeuwen zweefden en doken boven de bedrieglijk kalme zee.

Henry liet zijn paard overgaan in stap toen hij door de enige straat in de richting van het huis van de O'Hallorans reed. Zijn hart ging tekeer terwijl mannen voor de hoeven van zijn paard op de grond spuugden en vrouwen hun kinderen binnenhielden tot hij voorbij was. De spanning was om te snijden. Die was te zien in hun ogen, in hun houding en was zelfs voelbaar in de lucht. Henry stak zijn kin in de lucht en keek strak voor zich uit, vastbesloten om niet te laten merken hoe slecht hij zich op zijn gemak voelde – hoe kwetsbaar. Maar hij voelde hoe de ogen hem volgden, in zijn rug prikten terwijl hij verder reed door de schijnbaar eindeloze straat naar het huisje dat uitkeek op de kade.

Koud zweet parelde op zijn voorhoofd en zijn handen gleden langs het leer van de teugels toen hij eindelijk zijn paard inhield voor het huisje en afsteeg. Hij keek links noch rechts terwijl hij over het smalle pad naar de deur liep en aanklopte. Hij stond daar, bijna als een militair in de houding, en wachtte tot er gereageerd werd op zijn klop. Maar zijn knieën knikten en het zweet liep langs zijn rug.

'Je krijgt die hoer nooit meer te zien,' schreeuwde een vrouw vanuit de toekijkende menigte.

Henry draaide zich om en keek ze aan, met zijn vuisten langs zijn lichaam gebald. 'Waar is ze?' wilde hij weten. Zijn stem klonk zelfs hem schril en jeugdig in de oren – en voor eens in zijn leven wou hij dat hij zijn vaders houding en autoriteit bezat.

Regan Donovan drong zich door de menigte naar voren; haar rode haar vlamde in het zonlicht terwijl ze daar brutaal voor hem stond met haar armen in de zij. 'Ze is weg,' zei ze botweg.

'Waarheen?' Henry's ongeduld hield gelijke tred met zijn groeiende angst.

De groene ogen namen hem onderzoekend op en gingen van zijn glimmende laarzen tot zijn verwaaide haar dat donker zag van het zweet. Regans tong ging snel over haar lippen en ze zwaaide haar haar achterover. 'Zo ver bij je vandaan als ze maar kan,' snauwde ze. 'Ga terug naar je mooie huis, Henry. Jou willen we hier ook niet.' Met die woorden draaide ze zich om en met een schrille lach haakte ze haar armen in die van twee andere meisjes en maakte aanstalten om weg te lopen.

Henry liet alle voorzichtigheid varen en liep achter haar aan. Er ging een golf van ongerust gemompel door de toeschouwers toen hij haar bij een arm pakte en ruw omdraaide zodat ze hem aan moest kijken. 'Waar is ze heen?' vroeg hij op dwingende toon. 'Wat hebben jullie krengen haar aangedaan?'

Haar ogen waren kil. Er lag niet langer een brutale uitdrukking op haar gezicht, alleen nog maar haat. Ze trok haar arm los uit zijn greep en schudde met een ruk van haar hoofd het haar uit haar gezicht. 'Dat zul je van mij niet te horen krijgen,' snauwde ze. Haar blik ging naar de anderen. 'En van niemand hier,' zei ze triomfantelijk.

Henry had haar op dat moment in haar arrogante gezicht willen slaan. Had haar wel bij haar nek willen pakken en door elkaar willen rammelen – maar ondanks zijn woede en frustratie wist hij dat zoiets hem niet zou helpen. Hij draaide zich vlug om, liep naar zijn paard en slingerde zich in het zadel. 'Deze dag zal je berouwen, Regan Donovan,' schreeuwde hij en hij gaf een ruk aan de teugels waardoor zijn paard begon te steigeren.

'Niet half zoveel als jij als je vader erachter komt wat Maureen en jij hebben uitgespookt,' klonk een stem uit de menigte.

Henry werd bijna verblind door woede toen hij zijn paard aanzette tot galop en zich een weg baande door de uiteenwijkende menigte. Het kon hem niet meer schelen of hij iemand verwondde. Voor het eerst van zijn leven deelde hij zijn vaders haat voor de Ieren.

2

Miriam dwong zichzelf terug naar het heden en toen ze op haar horloge keek, besefte ze dat ze de halve ochtend al had verspild. Ze klakte geïrriteerd met haar tong en zette de speeldoos terug in zijn geheime bergplaats in de keuken, plantte vervolgens met een gedecideerd gebaar haar hoed op haar hoofd, stampte de vervallen trap af en liep naar de stallen.

Bellbird Station had ooit duizenden stuks vee geteld, maar nu werden de weiden bevolkt door enkele van de beste volbloedpaarden van Australië. De verandering had in de loop der jaren geleidelijk zijn beslag gekregen en het hoogtepunt kwam toen een van haar hengsten de Melbourne Cup won. Nu kwamen kopers en fokkers van over de hele wereld en het zat haar vreselijk dwars dat het niet waarschijnlijk was dat ze er nog lang genoeg zou zijn om nóg een Cupwinnaar mee te maken.

Ze was buiten adem en smerig toen haar voorman haar een halfuur later aantrof terwijl ze bezig was de stallen uit te mesten. 'Ik geloof niet dat het de bedoeling is dat je dat doet,' zei hij lijzig.

Ze rechtte haar rug en keek hem woedend aan. Ze waren allebei op leeftijd, maar hij had de gewoonte haar te behandelen alsof ze hoogbejaard was. 'Vergeet niet wie hier de baas is, Frank, en bemoei je met je eigen zaken.'

Hij schuifelde ongemakkelijk met zijn voeten en zijn gezicht onder de brede rand van zijn bezwete Akubra stond ongelukkig. Hij was al vijftig jaar de voorman van Miriam, en zou zo langzamerhand wel aan haar maniertjes gewend moeten zijn, maar ze wist dat hij nooit had leren omgaan met haar blikken en op dit moment deed hij haar denken aan een stoute schooljongen die was betrapt terwijl hij in het fietsenhok stond te roken.

'Dat is niets voor een vrouw van jouw leeftijd,' zei hij zonder acht te slaan op de gevolgen die een dergelijke opmerking kon hebben.

'Leeftijd heeft er geen moer mee te maken,' hijgde ze en ze pakte een hamer en begon een van de stalboxen te repareren. 'Heb je niet iets nuttigers te doen dan hier rond te hangen en me aan mijn hoofd te zeuren?'

Hij bloosde en liep weg. Zijn schommelende gang was die van een man die het grootste deel van zijn leven op de rug van een paard had doorgebracht.

Miriam glimlachte wrang terwijl ze hem nakeek. Ze was blij dat hij genoeg om haar gaf om tegen haar in te gaan. Blij dat hij had besloten op Bellbird Station te blijven toen hij trouwde en een gezin stichtte. Dat er kinderen waren nadat Chloe naar Queensland was vertrokken, had de boel verlevendigd en ze had ze gemist toen ook zij waren vertrokken. Ze had gehoopt dat een van Franks nakomelingen zou blijven en zelf een gezin zou stichten. Maar dat was niet gebeurd. De binnenlanden lagen te geïsoleerd – waren te onherbergzaam voor deze nieuwe generatie Australiërs die niet konden wachten tot ze naar de neonlichten en het drukke gedoe van de stad konden vertrekken.

Het geluid van een naderende auto deed haar opschrikken uit haar sombere gedachten; ze draaide zich om en keek naar de met modder besmeurde pick-up die over de hobbels scheurde en met piepende remmen voor de veranda tot stilstand kwam. Ze besefte wat voor aanblik ze moest bieden en ook dat daar weinig aan te doen was, dus veegde ze haar handen aan haar broek af, zette haar hoed recht en ging op weg om haar bezoeker te begroeten. Het lag niet in de aard van Wilcox om op deze manier op het toneel te verschijnen – misschien had hij zijn tweede jeugd gevonden.

De deur van de pick-up ging open en Miriam voelde zich tamelijk ongemakkelijk toen ze een stap achteruit moest doen om de lange vreemdeling in het gezicht te kunnen kijken. Hij was best knap, maar veel te jong om de bezoeker te zijn die ze had verwacht. 'Kan ik u van dienst zijn?' vroeg ze.

'Jake Connor,' zei hij lijzig. 'Bent u mevrouw Strong?'

Miriam deed haar werkhandschoenen uit en schudde de uitgestoken hand. Ze keek weer naar hem op. Een handdruk verried veel en die van hem was droog en stevig, zonder dat hij er overdreven veel kracht in legde. 'En wat kan ik voor u doen, meneer Jake Connor?'

'Het gaat er eerder om wat ik voor ú kan doen,' zei hij met een glimlach.

Ze keek hem argwanend aan. Hij gedroeg zich zeker niet zoals Wilcox. En hij zag er evenmin uit als een vertegenwoordiger of een handelaar in veevoer. 'Is dat zo?'

Hij lachte, volkomen op zijn gemak en niet in het minst van zijn stuk gebracht door haar bruuske manier van doen. 'U hebt naar mijn kantoor gebeld. U wilde hulp bij het een of ander?'

Miriam richtte zich in haar volle lengte op – een volle één meter en vierenvijftig centimeter – en merkte tot haar ergernis dat ze het nog steeds tegen zijn middenrif had. 'Als ik een knul nodig had gehad om me te helpen had ik daar wel om gevraagd,' zei ze stijf. 'Ik vrees dat u een vergeefse reis hebt gemaakt, meneer Connor.'

Hij sloeg zijn armen over elkaar en leunde met zijn enkels over elkaar geslagen tegen de pick-up. Hij keek glimlachend op haar neer. 'Niet als u me een kop thee en een stuk van uw beroemde chocolade-cake aanbiedt.'

Miriam kneep haar ogen tot spleetjes. Hoe wist hij van haar cake af? Ze bekeek hem van top tot teen en bewonderde zijn durf, maar was tegelijkertijd geërgerd door de manier waarop hij moeiteloos haar botte afwijzing had omzeild. Ze zag dat zijn laarzen alle tekenen van veelvuldig gebruik vertoonden en hetzelfde kon worden gezegd van zijn leren broek en zijn hoed. Hij mocht dan jong zijn, en uit de stad, maar hij had de houding van een man die zich volkomen op zijn ge-mak voelde in het stof en de vliegen en de hitte van de outback. Hij intrigeerde haar, en dat was een feit. Brutaal ook, dacht ze terwijl ze van hem wegkeek.

'Je gaat wel een beetje ver, hè?' antwoordde ze.

'Helemaal niet,' zei hij rustig en zijn ogen fonkelden geamuseerd. 'Uw cake is beroemd in de hele paardenwereld – en ik zou het moeten weten. Mijn vader gaat al naar paardenveilingen sinds ik een broekie was en we gingen altijd als een speer naar de theetent van Bellbird.'

Ze kwam tot de conclusie dat ze deze jongeman wel mocht en dat het misschien wel leuk zou zijn om een beetje met hem te kletsen voor ze hem de deur uit gooide. Want het was belachelijk om te denken dat hij voldoende ervaring had om te doen wat voor haar nodig was. 'Kom dan maar binnen,' zei ze met enige tegenzin.

Hij deed de deur van de pick-up open en pakte zijn aktetas.

Miriams mond viel open toen ze de andere inzittende zag. 'Wat ter wereld...?'

'Mag ik u Eric voorstellen?' zei Jake grijnzend. 'De mooiste, eigenzinnigste en koppigste kat aan deze kant van de evenaar. Eric,' zei hij tegen de rode kater die onverstoorbaar op de passagiersstoel zat, 'dit is mevrouw Strong.'

De kat bekeek Miriam met een hooghartige blik en vond haar overduidelijk beneden zijn stand, want hij stak een poot in de lucht en begon zijn achterwerk te poetsen.

Miriam lachte. 'Dank je,' zei ze binnensmonds. 'Ook aangenaam.'

'Dat spijt me,' zei Jake terwijl hij het portier dichtdeed. 'Hij is altijd op zijn hoede bij vrouwen – dat is niet persoonlijk bedoeld.'

Miriam keek toe hoe de kat zijn wasbeurt afmaakte en zich tot een bal oprolde om te gaan slapen. 'Zoiets heb ik nog nooit gezien,' zei ze verbaasd. 'Is het wel veilig onder het rijden als hij niet in een kooi zit?'

Jake knikte. 'Veiliger dan hem alleen thuis te laten. Hij sloopt de boel als ik zonder hem met de pick-up wegga en trekt bij de buren in tot hij zover is dat hij weer met me wil praten. Mijn buurvrouw zou dat niet erg vinden, maar hij staat erop om in de hondenmand te slapen en gaat in de aanval als ze hem ergens anders proberen te leggen. Die arme Duitse herder van haar is doodsbenauwd voor hem.'

Miriam keek naar de kat die onverstoorbaar terugkeek. Het was net alsof hij wist dat ze het over hem hadden. 'Volgens mij is hij rijp voor de psychiater,' mompelde ze.

Jake nam zijn aktetas van de ene hand over in de andere; hij voelde zich duidelijk opgelaten. 'Mijn vrouw is met hem naar een kattengedragskundige geweest – dat werkte dus niet. Daarom heb ik na de scheiding het voogdijschap gekregen.'

Miriam glimlachte terwijl ze hem voorging de trap op naar de veranda. Ze begon deze jongeman zelfs nog meer te mogen. Wat jammer dat hij niet was wat ze nodig had. 'Tijd voor een hapje,' zei ze. 'Ga zitten, dan zet ik thee.'

Toen ze terugkwam met een volgeladen dienblad, sprong hij overeind en nam het van haar over. Voor ze een woord van protest kon laten horen, had hij al thee geschonken in de twee mokken van dik porselein die geschilferd waren door ouderdom en slordigheid en had hij voor hen allebei een flink stuk cake afgesneden.

Miriam zat in de oude rieten stoel en keek naar hem. Zijn handen zagen er weliswaar zacht uit, maar leken toch vaardig, de vingers waren lang en de nagels schoon, niet afgebeten en keurig geknipt. Haar blik ging naar zijn gezicht en ze zag dat hij haar bekeek. 'Wilcox had niet iemand moeten sturen die nog zo jong is,' zei ze botweg.

Hij at het laatste stukje van zijn cake en likte de restjes glazuur van zijn vingers. 'Ik was de enige die niets omhanden had,' zei hij rustig. 'Bovendien was ik in de buurt.'

Miriam wierp een blik op de pick-up. Eric zat nu op het dashboard en keek boos uit het raam terwijl zijn gestreepte staart heen en weer zwiepte van afschuw. 'Dat is een nummerbord uit Brisbane,' zei ze kortaf. 'Dat is niet echt in de buurt.'

'In Australië is niets in de buurt,' zei hij vriendelijk. 'We wonen allemaal zo ver uit elkaar, wat maken een paar honderd kilometer dan uit?' Hij zette zijn mok op tafel en boog zich naar haar toe. 'Ik zie er dan misschien wel veel te jong uit, maar ik ben verdomd goed in mijn vak en u zou niet zo snel moeten oordelen. Vertel me wat uw probleem is en dan zal ik mijn best doen om het op te lossen.'

Miriam trok een wenkbrauw op. 'Je lijkt nogal overtuigd van jezelf,' zei ze kortaf. 'Maar dit zijn familiezaken. Ik verwachtte Wilcox – en niet een of andere knul die nog niet droog is achter zijn oren.'

Hij leunde achterover in zijn stoel, blijkbaar niet in het minst beledigd door haar houding. Hij sloeg de ene gelaarsde voet over de ander, stak zijn handen diep in zijn zakken en bekeek haar nadenkend. 'Ik geloof niet dat ik dit ga winnen, hè?' zei hij met een twinkeling in zijn donkere ogen. 'Wilcox had me al voor u gewaarschuwd. Hij zei dat u trots en koppig bent.'

Miriam stak haar kin omhoog en probeerde streng te kijken. Ze genoot eerlijk gezegd van deze schermutseling, maar wilde dat niet laten merken. 'We zijn een trotse familie,' zei ze hooghartig. 'We zijn sterk omdat we dat moesten zijn – en als je lang genoeg meeloopt zul je merken dat vrouwen het sterkst van allemaal zijn.'

'Dat klopt maar al te goed,' zuchtte hij. Zijn bruine ogen lichtten op van pret terwijl hij naar de andere kant van de tafel keek. 'Gaat u me nog vertellen waarvoor u hulp nodig hebt, of bent u vastbesloten dat geheim te houden tot Geoff Wilcox tijd heeft?'

Miriam dacht aan Geoff Wilcox en hoe humorloos hij was, hoe droog en oninteressant. Hij was geweldig in zijn vak, maar het ontbrak hem aan persoonlijkheid en gevatheid. En daar kwam nog bij, dacht ze zuur, dat hij zeker geen schoonheidsprijs verdiende. Ze keek naar Jake Connor en wendde toen snel haar blik af. Het viel niet mee om zijn glimlach niet te beantwoorden. Hij deed haar te veel denken aan haar overleden echtgenoot, Edward – beide mannen wisten er weg mee – ogen die boekdelen spraken en een glimlach die een ijsberg nog zou ontdooien.

Ze raapte haar gedachten bij elkaar. Ze draaide om de zaken heen. 'Hoe weet ik dat je het aankunt?' wilde ze weten.

Zijn glimlach verdween geen moment en er lag een plagerige blik in zijn ogen. 'Ik heb tot nu toe geen klachten gehad,' zei hij lijzig.

Ja, dat zal wel, dacht ze boos. Ze keek hem lange tijd aan en kwam ernstig in de verleiding om hem een draai om zijn oren te geven voor zijn brutaliteit. Ze mocht dan oud zijn en over haar hoogtepunt, maar ze wist precies wat Jake Connor allemaal in zijn schild voerde.

Haar gedachten werden onderbroken door een doordringend gekrijs dat uit de pick-up kwam. 'Je kat is het daar blijkbaar niet helemaal mee eens,' zei ze opgewekt.

Jake hees zijn lange lichaam uit de stoel en rende de trap af naar de auto. Eric nam de tijd om uit de pick-up te klimmen en wandelde met zijn staart in de lucht de veranda op. Hij bekeek de omgeving met een scheve blik, keek langs zijn neus naar Miriam, koos een stoel met een kussen uit en sprong erin. Hij keek Miriam met zijn gele ogen aan en stelde zijn eisen.

Jake leek in verlegenheid gebracht. 'Neem me niet kwalijk. Hebt u misschien wat melk voor hem? Ik heb vergeten iets mee te nemen.'

Miriam deed haar uiterste best om niet in lachen uit te barsten terwijl ze wat melk op een schoteltje schonk en dat in de richting van de kat duwde.

Eric ging keurig rechtop aan tafel zitten, legde zijn voorpoten aan beide kanten van het schoteltje en begon te likken. 'Eet hij altijd aan tafel?' vroeg ze met nauwelijks verholen sarcasme.

'Meestal wel,' zei Jake met een rood gezicht. 'Hij vindt het beneden zijn waardigheid om op de grond te eten – net als op vogels jagen overigens.'

'Da's maar goed ook,' antwoordde Miriam. 'De jongen beginnen nog maar net uit te vliegen en ik heb geen zin in een massamoord in m'n voortuin.' Ze keek hem een lang ogenblik aan en de stilte werd alleen maar doorbroken door het lik, lik, lik van de kat.

'Ik heb gisteren iets gevonden,' begon ze aarzelend. 'Iets wat de zaken in deze familie zou kunnen beïnvloeden – en niet noodzakelijkerwijs ten goede.'

Hij ging overeind zitten, zijn interesse overduidelijk, en opnieuw werd ze getroffen door de gelijkenis met haar langgeleden overleden echtgenoot. Want Edward was ook dol geweest op mysterieuze zaken. 'Wat was het?' vroeg hij met een serieuze blik en zonder dat hij zijn blik van haar afwendde.

Ze keek weg en beet op haar lip. Als ze het hem vertelde, zou het geheim zijn prijsgegeven en dan zou ze daarmee moeten leven. Maar hoe kon ze blijven zwijgen? Het was al te veel jaren geleden dat de waarheid was verteld – het werd tijd hier voor eens en voor altijd een einde aan te maken.

Ze hield hem gevangen met haar blik. 'Ik zal het je laten zien, maar je moet me beloven dit voor jezelf te houden tot ik er absoluut zeker van ben dat ik hiermee verder wil.'

Jake knikte en Eric zat haar vanaf zijn kussen aan te kijken, met de melkdruppels nog in zijn snorharen.

Miriam kwam moeizaam overeind uit haar stoel en weerde Jakes aanbod om te helpen af. 'Ik ben misschien stram, maar ik ben niet hulpeloos,' snauwde ze met zo'n gebrek aan fatsoen dat ze onmiddellijk haar verontschuldigingen aanbood. 'Het komt omdat ik zo verdomde oud word, neem me alsjeblieft niet kwalijk,' zei ze nors.

Hij glimlachte naar haar en ging weer zitten terwijl Miriam naar binnen ging om de speeldoos te halen. Ze had die ochtend te veel gedaan en haar kniegewrichten klopten in koor met de enorme pijn die zich in haar rug begon te ontwikkelen. Ze schuifelde de keuken in en nam snel een paar van de pillen die haar dokter haar voor momenten als deze had voorgeschreven.

Toen ze terugkwam op de veranda stond Jake tegen de balustrade geleund, met één slanke heup opzij en zijn welgevormde achterwerk naar achteren gestoken en keek naar wat er op het erf gaande was. Vanuit haar positie vormde Jakes achterkant een aangename aanblik en Miriam moest haar blik losrukken zodat ze zich kon concentreren op de zaken waar het nu om ging. Er lag dan misschien sneeuw op het dak, dacht ze verrast, maar verdorie, er brandde nog steeds vuur in de haard.

'Alsjeblieft,' zei ze terwijl ze de speeldoos op de tafel tussen hen in zette. 'Dit is het bewijs dat mijn rechtmatige erfenis me ontnomen is.'

Ze keek hoe hij de sleutel omdraaide en het deksel opendeed. Zag hoe zijn ogen de dansende figuurtjes volgden en hoe er een verbaasde rimpel in zijn voorhoofd verscheen.

Toen de muziek stopte en de dansers bleven staan, trok Miriam voorzichtig de geheime lade open die al die jaren verborgen was gebleven en nu ernstig beschadigd was. 'Ik heb hem laten vallen,' verklaarde ze. 'Anders was ik er nooit achter gekomen dat hij bestond.'

Jakes ogen werden groot toen hij zag wat er in verborgen had gezeten en hij keek haar vragend aan voor hij z'n hand uitstak en het oppakte. 'Mijn god,' zei hij ademloos. Zijn donkere ogen zochten de hare. 'Hebt u enig idee wat dit is? Enig idee wat het waard is?'

Miriam was een beetje van haar stuk gebracht door het feit dat iemand die nog zo jong was helemaal begreep wat hij in zijn handen had. 'O ja,' zei ze zachtjes. 'Ik weet precies wat het is.'

Zijn gezicht gloeide van verwondering. 'Maar waar komt het vandaan?' vroeg hij met een stem waarin ontzag doorklonk. 'En waarom is het verborgen gehouden?'

'Dat is een lang verhaal,' zei ze en de schaduwen van het verleden schoven voor de warme zon. 'Ik hoop dat tegen de tijd dat ik klaar ben met mijn verhaal we allebei een beter idee hebben hoe ik mijn hachelijke situatie moet aanpakken.'

Fiona Wolff nam haar helm af, deed haar leren jack uit en stopte ze in de zijtassen van de Kawasaki. Ze ging met haar vingers door haar haar in een poging de klitten eruit te krijgen en bracht haastig lippenstift en mascara aan. Ze wierp een snelle blik in de achteruitkijkspiegel op het stuur en besloot dat het zo maar moest, want ze was al laat en haar vader, Leo, zou zo langzaam maar zeker al uit zijn vel springen.

De tentoonstelling van Leo's beeldhouwwerk werd gehouden in de belangrijkste galerie van Brisbane en terwijl Fiona de trap oprende en haar uitnodiging aan de portier liet zien, vroeg ze zich af of ze niet wat zorgvuldiger had moeten zijn bij de keuze van haar kleren. Het gezelschap bestond overduidelijk uit hooggeplaatsten en de kleding was verre van informeel. Ze voelde zich een beetje ongemakkelijk in haar rok, hoge, witte laarzen en een mouwloos truitje dat haar buik bloot liet.

Ze schudde de twijfel van zich af. Ze was comfortabel en koel gekleed, en dat was meer dan kon worden gezegd van de onverstandige dames die zich, ondanks het feit dat het ver boven de dertig graden was, hadden behangen met bont en diamanten.

Fiona nam een glas champagne aan van de ober en keek de zaal rond. Leo's beeldhouwwerk stak fantastisch af tegen de zwarte marmeren vloer en de verlichting versterkte de sensuele rondingen en fijne trekken van wat zijn familie zijn harem noemde. Want Leo beeldhouwde uitsluitend vrouwen. Ze waren zijn hartstocht en zijn ondergang. De reden dat mam en hij gescheiden waren.

Ze dwaalde met een prettig gevoel door de menigte, tevreden met het feit dat ze een tijdje onopgemerkt bleef terwijl zij opnieuw kennismaakte met zijn vrouwen. Dit hier was de koele albasten sierlijkheid van Charlotte, de donkere hooghartigheid van Naomi, de elfachtige seksualiteit van Sara. Daar waren de volslanke Roseanne en de moederfiguur Kim, en daar, in de hoek bij de fontein stond Beth. Mooie, tragische Beth, die er nooit in was geslaagd haar angst voor de werkelijkheid te overwinnen en de strijd met haar verslavingen had verloren, ondanks Leo's begeleiding.

Fiona slaakte een zucht. De hand van Leo was nooit zo trefzeker geweest als toen hij Beth maakte, want hij had haar kwetsbaarheid en de duistere demonen in haar ogen weergegeven terwijl ze vooroverboog om in de vijver te kijken. Hij had het bij het rechte eind gehad om haar voor eeuwig in het spiegelende water te laten zoeken naar iets wat niet meer was dan een glimp van haar verloren hoop. Maar toch was deze stoet van vrouwen een getuigenis van zijn ontrouw – de geschiedenis van een losbandige levensstijl die uiteindelijk zijn huwelijk kapot had gemaakt en in het begin had Fiona het moeilijk gevonden hem te vergeven.

Ze nam een slokje van de gekoelde champagne en trok een gezicht. Hij was te zuur naar haar smaak en bezorgde haar, zoals altijd, de hik. Ze zette haar glas in een vensterbank en hield zich verborgen achter de planten die speciaal voor deze gelegenheid door de mensen van de tentoonstelling waren binnengebracht. Haar vader was in de buurt en omdat het een halfjaar geleden was dat ze hem voor het laatst had gezien, wilde ze hem eerst een tijdje onopgemerkt gadeslaan.

Leo, prachtig uitgedost in een roodfluwelen smokingjasje stond te praten met een statige blondine die eruitzag alsof ze vanuit het oude Rome was ingevlogen. De lange, witte jurk was zo gedrapeerd dat hij een elegante, gebronsde schouder bloot liet en de plooien die haar prachtige figuur omgaven werden bij elkaar gehouden door een gouden koord om haar middel. Het goud werd herhaald in de band om haar bovenarm en de ketting om haar nek.

Fiona glimlachte terwijl ze tegen een muur geleund stond toe te kijken. Leo stond gewoon te kwijlen, maar deed zijn uiterste best dat niet te laten merken. Wie durfde er iets onder te verwedden dat hij zijn volgende model had gevonden, en zijn volgende maîtresse? Maar aan de andere kant, waarom zou hij niet? Haar vader was een knappe man. Met zijn zilvergrijze leeuwenmanen, zijn staalblauwe ogen en een figuur dat nog niet was bedorven door te veel drank en ongezond eten telde hij nog volop mee.

'Wat ben jij van plan dat je je zo verstopt?'

Fiona draaide zich om bij het horen van de stem en grijnsde. 'Hallo, mam. Ik wist niet dat je er ook was. Wordt er ook werk van jou geëxposeerd?'

Chloe wierp de bos donkerrood haar achterover en haar armbanden rinkelden aan haar pols. Haar groene ogen gingen langs Fiona en bleven op Leo rusten. 'Mijn schilderijen worden volgende maand tentoongesteld. Ik ben hier alleen maar omdat iemand een oogje in het zeil moet houden voor die ouwe stommeling,' zei ze zachtjes. 'Als je even niet oplet, trapt hij de verkeerde op de tenen.'

'Heb je het over die blonde?'

Chloe knikte. 'Getrouwd uiteraard – met Brendt.'

Fiona begreep het ogenblikkelijk. Brendt kwam uit een rijke en invloedrijke familie met een vinger in de politieke pap en een andere vinger aan de pols van de aandelenmarkten. Toen zijn grootvader was overleden had Brendt het familiekapitaal gespreid en gestoken in rederijen en onroerend goed aan de ene kant en in media en mijnondernemingen aan de andere kant en er werd van hem gezegd dat hij net zo meedogenloos was als de oude man. Het gerucht ging dat hij de stalen vuist was in de fluwelen handschoen die de minister van Financiën van Australië de goede kant op duwde.

'Dan kun je hem maar beter gaan redden, voor hij haar uitgebeend en opgediend naar zijn kamer laat sturen.'

Chloe lachte zachtjes en haar ogen stonden dromerig toen ze een arm om Fiona's schouder sloeg. 'Geweldig om je weer te zien. Ik had niet gedacht dat je op tijd terug zou zijn voor Mims verjaardag, laat staan hiervoor.'

Fiona glimlachte bij het horen van de naam die haar familie gebruikte voor haar grootmoeder. Miriam was er zelf mee begonnen toen ze klein was en haar tong geen raad wist met haar eigen naam. Hij was blijven hangen en het gebruik werd voortgezet door de volgende generaties. 'Ik had het niet willen missen,' zei ze vol overtuiging. 'Mijn zomers op Bellbird zijn me dierbaar. Bovendien was ik klaar met die reportage in Brazilië en ik moest wel naar huis om de rolletjes fatsoenlijk te laten ontwikkelen.'

Chloes blik dwaalde af en ging de zaal rond. 'Ik hoop dat *National Geographic* je genoeg betaalt,' zei ze. 'Ik zie je bijna nooit meer.'

Fiona zag dat haar tenen onder de smaragdgroene kaftan uitpiepten en realiseerde zich dat haar moeder weer vergeten had schoenen aan te trekken, maar omdat ze gewend was aan haar dromerige houding, besteedde ze er verder geen aandacht aan. Chloe kon zich als kunstenaar veroorloven excentriek te zijn – dat kwam haar reputatie zelfs ten goede. 'Het wordt tijd dat je pap gaat redden,' bracht ze haar in herinnering.

'Schatten', riep hij uit en hij spreidde zijn armen om hen te begroeten. 'Kom hier en kus me, voor ik bezwijk.'

Fiona giechelde terwijl ze hem op de wang kuste en tegen zijn borst werd gedrukt in een klemmende omhelzing. Ze was gewend aan zijn theatrale manier van doen – dat had waarschijnlijk iets te maken met zijn weinig conventionele voorouders. 'Hoi, pap.'

'Leo, schat,' zei hij in haar oor. 'Pap klinkt zo oud. Ik kan al deze mensen toch niet teleurstellen en ze laten weten hoe aftands ik in werkelijkheid ben.' Zijn glimlach was in tegenspraak met de vermaning en hij kuste haar op haar voorhoofd. 'Je ruikt verrukkelijk,' mompelde hij. 'Wat heb je in je haar?'

'Braziliaanse shampoo,' giechelde ze. Zijn opmerking was typerend voor hem en dat was precies waarom mam en zij hem uiteindelijk alles konden vergeven. Want hoewel haar zus Louise hem beschouwde als een vieze oude man, beseften ze dat hij echt van vrouwen hield. Hij genoot ervan om naar ze te kijken, genoot ervan boodschappen voor ze te doen, genoot ervan om naar hun geroddel te luisteren. Maar het meest van alles hield hij van hun geur, van hun zachtheid, zelfs van het feit dat ze plotseling hun klauwen konden uitslaan als ze in de aanval gingen. Het was dit aangeboren begrip van de vrouw in al haar verschijningen dat hem tot zo'n geweldig kunstenaar maakte.

Fiona deed een stap achteruit terwijl Chloe werd omhelsd en gekust. Ze vormden een aantrekkelijk paar met Chloes enorme bos haar die zo scherp afstak tegen zijn zilvergrijze dos en haar golvende rondingen die zo perfect tegen hem aan pasten.

'Waar zijn je zus en die vreselijke man van haar?' Leo liet zijn blik door de zaal rondgaan.

'In de bar, vermoed ik,' antwoordde Chloe afwezig terwijl ze een glas champagne pakte en de zaal rondkeek. 'Ralph is een collega uit het bankwezen tegen het lijf gelopen.'

Ze sprak het fonetisch uit, net als ze allemaal achter zijn rug om deden. 'Rafe' klonk veel te snel voor zo'n slome zak.

'Hij praat natuurlijk weer over zaken,' mopperde Leo. 'Heeft de man dan geen hart? Ik werk me een slag in de rondte om deze tentoonstelling voor elkaar te krijgen en hij geeft er de voorkeur aan over bankzaken te praten.' Hij snoof en zette zijn glas met een klap op een tafel in zijn nabijheid. 'Ik ga hem daar vandaan slepen.'

53

Fiona hield hem tegen door haar hand op zijn arm te leggen. Leo was nu eenmaal niet de meest tactische figuur als het op zijn schoonzoon aankwam. 'Ik ga ze wel halen,' zei ze vastbesloten. 'Jij moet hier blijven en lief zijn voor je publiek.' Ze boog zich naar hem voorover en zei met gedempte stem: 'Maar laat die blondine met rust – ze is getrouwd met Shamrock Holdings.'

Hij streek zijn haar achterover en trok een gezicht. 'Hou maar op,' antwoordde hij. 'Ga je zus nu maar halen, dan trekken we nog een fles champagne open. De galerie betaalt.'

Fiona zag hoe Chloe haar arm door de zijne stak en hij haar door de pratende menigte leidde. Het had geen zin te wensen dat de zaken tussen haar ouders zouden veranderen, want ze leken nu gelukkiger, betrokkener, tevredener met elkaar. De scheiding was niet bruut geweest en had zelfs geresulteerd in vriendschap en een beter begrip voor elkaars behoeften. Eerlijk gezegd, dacht ze terwijl ze de kamer uitliep en het atrium overstak, zagen ze elkaar nu vaker dan vroeger ooit het geval was geweest.

De bar bestond uit staal en glas en werd hel verlicht door de zon die door het dak naar binnen scheen. Schilderijen met uitbundige kleuren hingen aan de muur en om de lage tafels stonden zachte leren banken en stoelen voor degenen die aan een borrel toe waren nadat ze de prijs van Leo's werk hadden gezien.

Fiona zag haar zus meteen en was geschokt toen ze zag hoe bleek en mager ze was. Die zwarte jurk flatteert niet erg, dacht ze terwijl ze door de ruimte naar de andere kant liep. En wat dat jongensachtige kapsel aanging – dat benadrukte alleen maar de uitstekende jukbenderen en de donkere kringen onder haar ogen.

Fiona toverde een warme glimlach op haar gezicht en liep naar de tafel. Ralph was voortdurend aan het woord en hield de aandacht gevangen van een zwierige man in een opvallende jas en een duur uitziend pak. 'Daar zijn jullie,' zei ze opgewekt. 'Leo vraagt naar jullie.'

Louise maakte aanstalten uit haar stoel overeind te komen, keek even naar Ralph, en ging weer zitten. 'Je ziet toch dat Rafe bezig is, Fiona. Leo zal even moeten wachten,' siste ze.

Fiona trok haar wenkbrauwen op. Ze had de bezorgde blik, de aarzelende, bijna opgejaagde uitdrukking in haar zusters ogen gezien.

'Maar dat hoeft jou toch niet tegen te houden?' drong ze aan. 'Kom op, Louise. Pap maakt nog een fles champagne open.'

Louise keek zenuwachtig naar Ralph die haar negeerde terwijl hij opstond en zijn collega de hand schudde. Toen de man eenmaal buiten gehoorsafstand was, wendde hij zich met een giftige blik tot Fiona. 'Ik zou het zeer op prijs stellen als je voortaan geen belangrijke besprekingen meer onderbreekt,' snauwde hij. 'En ik zou het ook waarderen als je Louise niet zou willen aanmoedigen om te drinken. Ze is op dieet.'

Fiona keek omlaag naar haar zus. 'Dieet? Wat voor dieet?' vroeg ze op de man af. 'Je bent al mager genoeg.'

'Ze is al meer dan twaalf kilo kwijt,' kwam Ralph tussenbeide. 'Minstens twee maten kleiner. Ik vind dat ze er geweldig uitziet.' Hij nam Fiona's figuur met een ijzige blik in zich op en zijn laatdunkende blik maakte zijn gedachten voor iedereen duidelijk.

Fiona had nooit problemen gehad met haar gewicht – ze vond het niet erg een paar kilo zwaarder te zijn dan eigenlijk zou moeten – en ze was al langgeleden tot de conclusie gekomen dat ze nooit een bonenstaak zou zijn en had zich daar blijmoedig bij neergelegd. Ze keek naar Louise en ze besefte dat het geen enkele zin had hun te vertellen wat ze vond – dat Louise er half verhongerd uitzag. 'En wat vind jij ervan dat je zoveel gewicht kwijt bent?' vroeg ze vriendelijk.

'Geweldig.' Louise glimlachte gemaakt terwijl ze ging staan en haar best deed om de kreukels in haar korte zwarte jurk glad te strijken. 'Je zou het ook eens moeten proberen. Het is voornamelijk veganistisch, geen vet, geen granen en geen melkproducten. Uiteraard moet je ook thee, koffie en drank laten staan, maar de kilo's vliegen eraf.'

Fiona keek haar met open mond aan. Natuurlijk vlogen de kilo's eraf als je jezelf uithongerde, dacht ze boos. 'Ik heb mijn biefstuk het liefst bijna rauw, mijn bier ijskoud en ik ben dol op een flinke klodder slagroom op mijn aardbeien – het leven is al moeilijk genoeg zonder ook nog eens het slachtoffer te worden van de eetgrillen van de jaren zestig.' Ze haalde een pakje sigaretten tevoorschijn en stak er een op, alleen maar om Ralph te laten zien dat hij haar niet kon koeioneren zoals hij haar zus deed.

Hij staarde woedend naar de sigaret en wapperde met zijn hand om de rook te verdrijven voor hij zijn aandacht op Louise richtte. 'Ik zei toch dat die zou kreuken,' mopperde hij. 'Je had die Mary Quant aan moeten doen die ik uit Londen heb laten komen.'

Louise plukte opnieuw aan haar jurk. 'Die gaan er wel uit als ik in beweging ben,' zei ze nerveus. 'Bovendien, die jurk die jij hebt gekocht zat te strak. Dat zou niet netjes zijn geweest.'

'Ik geloof dat ik heus wel weet wat netjes is en wat niet,' mompelde hij terwijl hij haar bij de arm nam. 'En als je jezelf niet had volgestopt met al die chocola, dan had hij ook niet te strak gezeten.'

'Het waren maar twee kleine chocolaatjes, Rafe,' protesteerde ze zachtjes. 'Ik vond dat ik wel een beloning had verdiend omdat ik zo braaf was geweest.'

'De kost gaat voor de baat uit,' verklaarde hij luchtig en hij manoeuvreerde haar de bar uit. 'Jij wilde afvallen en ik probeer je alleen maar te helpen – maar als jij met alle geweld wilt smokkelen met je dieet, dan kun je alleen maar jezelf verwijten dat je kleren niet passen.'

Fiona realiseerde zich dat haar mond openstond en deed hem haastig dicht. Ralph was altijd al erg overtuigd geweest van zichzelf, maar hij begon nu een dwingeland te worden.

Arme Louise, dacht ze terwijl ze haar sigaret oprookte en in een asbak uitdrukte. Waarom ging ze verdorie niet bij hem weg? Ze hebben geen kinderen en dat belachelijk protserige huis bij de rivier zou een vermogen opbrengen – in ieder geval genoeg om iets te kopen dat geschikter voor Louise was om in te wonen. En wat dat dieet betrof? Ze tuitte haar lippen. Het was al erg genoeg wanneer Louise op de veganistische toer ging, maar dit was ronduit belachelijk. Dringt dan niet tot haar door hoe vreselijk ze eruitziet – en hoeveel schade ze zichzelf toebrengt?

'Daar gaat de wandelende osteoporose,' zei Fiona binnensmonds terwijl ze achter hen aan de bar uit liep. 'Leveraandoening, vitaminegebrek en een huid als papier die nog veel makkelijker kreukt dan die verdomde jurk. Ik moet eens ernstig met Louise praten.'

Maar ze kwam er al snel achter dat het niet tot de mogelijkheden behoorde om Louise alleen te spreken te krijgen. Ralph liet haar niet van zijn zijde wijken terwijl hij de zaal rondging, voor toekomstige zaken met zijn handelsbank netwerkte en nauwelijks aandacht besteedde aan de familie van Louise. Ze vertrokken een uur later met de belofte dat ze elkaar aan het eind van de week op Bellbird Station zouden treffen.

Leo zag ze weggaan. 'Wat heeft die vreselijke man met mijn mooie dochter uitgespookt?' jammerde hij. 'Ik heb geprobeerd met haar te praten, maar het dringt niet tot haar door hoe hij is – ze begrijpt maar niet waarom ik me zorgen maak.'

'Mim neemt hem wel voor haar rekening,' zei Chloe terwijl ze de lange paarse mantel over haar smaragdgroene zijden kaftan trok. 'Zij is een fervent aanhangster van drie maaltijden per dag en verder geen flauwekul. Ralph zal er een hele kluif aan krijgen als hij zich ermee probeert te bemoeien.'

Ze keerde zich naar Fiona en omwikkelde haar in een wolk van Chanel No 5 en een vleugje terpentine. 'Tot ziens op Bellbird, schat. En wees voorzichtig op die motor.'

'Je moeder is de mooiste vrouw van de wereld,' verzuchtte Leo terwijl ze daar samen in de deuropening stonden en haar naar haar auto zagen zweven voor ze er met piepende banden in een wolk van uitlaatgassen vandoor ging. 'Maar ik wou dat ze geen auto reed – ze kan zich ongeveer net zo lang concentreren als een kind van drie en ze heeft absoluut geen richtingsgevoel.'

Miriam hield haar mond en de echo's van het verleden weergalmden in de ingevallen stilte.

Jake keek over de tafel naar de geduchte vrouw tegenover hem. Miriam Strong deed, ondanks haar broze voorkomen, haar naam eer aan. Want onder dat breekbare uiterlijk zat een kern van staal en vastberadenheid die haar respect had opgeleverd in de hele renwereld. Maar er was iets in haar ogen wat hem vertelde dat niet alles in orde was, en hij vroeg zich af of de ontdekking van de inhoud van het geheime vakje van de speeldoos niet slechts een deel was van wat haar dwarszat.

Jake staarde in de verte; het rumoer op het erf was slechts achtergrondgeluid voor zijn gedachten terwijl hij zijn handen diep in zijn zakken stopte en achteroverleunde in zijn stoel. Hij had geen idee waar deze geschiedenis heen ging, maar hij was geboeid door haar verhaal en herinnerde zich hoe zijn zussen en hij aan hun grootmoeders lippen hingen wanneer zij vertelde over haar leven als pionier.

Hij wierp een blik op zijn horloge en realiseerde zich dat de dag snel ten einde liep en hij nog een onderkomen voor de nacht moest zien te vinden.

'Moet je ergens naartoe?' Miriams stem deed hem opschrikken uit zijn gedachten.

Jake glimlachte. Er ontging de oude dame niet veel, dat was een ding dat zeker was.

'Ik zat me net af te vragen waar het dichtstbijzijnde pension is,' zei hij.

Ze maakte een nonchalant gebaar met haar hand. 'Je kunt hier blijven slapen. Er is tot het einde van de week een kamer vrij.' Ze keek hem aan met haar kraaloogjes. 'De familie komt vanwege mijn verjaardag. Allemaal onzin, als je het mij vraagt. Verspilling van benzine.'

Maar Jake kon zien dat ze zich ondanks die woorden erop verheugde hen allemaal te zien. De bruuske manier van doen was meer om haar werkelijke gevoelens te verbergen. 'Als u het zeker weet...' mompelde hij.

'Anders zou ik het niet aanbieden,' was haar antwoord.

Jake grijnsde, boog zich voorover en liet zijn ellebogen op zijn knieën rusten. 'Ik hoef voorlopig nog niet terug naar kantoor, dus graag. Lekker om weer eens buiten de stad te zijn.'

'Als je zo'n slimme jongen bent, waarom kun je dan zomaar wegblijven van kantoor als je daar zin in hebt?' Miriam keek hem doordringend aan.

'Ik ben vennoot en heb wat vakantie tegoed. Daarom heb ik vrijwillig aangeboden om hierheen te komen.'

Ze hield haar hoofd schuin terwijl ze hem onderzoekend opnam en Jake opnieuw deed denken aan een vogel. 'Je komt van het platteland, hè?' vroeg ze.

Hij knikte. 'Mijn vader heeft land in de buurt van Ballarat. Mijn oudere zus woont daar nog steeds met haar man.'

'Waarom ben je daar weggegaan?'

Hij haalde zijn schouders op. 'Ik vond het leven op het platteland te benauwend. Maar dat weerhoudt me er niet van zo vaak als ik maar kan naar huis te gaan.' Hij besloot van onderwerp te veranderen. 'U begrijpt toch dat wat u van plan bent kan neerkomen op financiële zelfmoord, hè?' Hij sprak zachtjes, in de hoop dat zijn woorden minder hard zouden aankomen.

'Ik was al bang dat je dat zou zeggen,' antwoordde ze. Haar blik ging naar de speeldoos. Het deksel was dicht, de dansers bewegingloos, de muziek stil. 'Maar ik dacht dat als ik jou het verhaal vertelde dat misschien wat licht kon werpen op zaken die tot dusver niet verklaard zijn.'

Ze boog zich voorover en legde haar knokige handen gevouwen op tafel. 'Wijsheid achteraf kan iets moois zijn, meneer Connor. Wanneer de passie is verdwenen, zijn we in staat de dingen veel helderder te zien.' Ze moest glimlachen om zijn verwarring. 'Ik hoop dat het uiteindelijk allemaal op zijn plaats zal vallen,' mompelde ze.

Hij had geen idee waar ze het over had, maar besloot dat het geen kwaad kon haar verder te laten gaan met haar verhaal. 'Nou, heeft Henry Maureen nog gevonden?'

Miriams ogen raakten omfloerst bij de herinnering en Jake vroeg zich af wiens stem ze hoorde. Want het was net alsof ze luisterde naar een verhaal dat werd verteld – alsof een geliefde persoon naast haar was komen zitten en haar terugvoerde naar het verleden.

3

Miriam kon zijn stem heel duidelijk horen, zijn aanwezigheid voelen. Het was alsof de ontdekking van de geheime lade zijn geest had vrijgemaakt en ze ontleende daar kracht aan – want dit was haar vaders deel van het verhaal – zijn erfenis.

'Henry wist dat Maureen niet ver weg kon zijn, zelfs al was ze de hele nacht verder getrokken.' Miriam slaakte een zucht. 'Hij zat op zijn paard bij de viersprong, nog steeds gefrustreerd en beschaamd na de confrontatie met Regan. Hij wist niet wat hij moest doen. Maureen was, hoe je het ook bekeek, verdwenen. Ze was niet naar hun ontmoetingsplek gegaan en ze had ook geen boodschap achtergelaten in de boomstronk.'

Miriam blikte in het verleden en hoorde zijn stem; zelfs na al die tijd klonk die nog zo helder. 'Toen begon hij zich af te vragen of ze wel ooit echt van hem had gehouden. Vroeg zich af of hij wel genoeg van haar hield om haar op te sporen. Want als hij dat deed, was er geen weg meer terug. Dan zou hij zijn keuze hebben gemaakt en zou er weinig kans zijn op verlossing.'

Maureen had beschutting gezocht in de verlaten hut en lag onrustig te slapen toen haar moeder haar kwam zoeken. 'Wakker worden,' beval ze. 'Je kunt hier niet blijven.'

'Ik lig op Henry te wachten,' antwoordde Maureen.

'Hij komt niet,' snauwde Bridie. 'Sta op en kom mee. En schiet een beetje op, ik heb niet veel tijd.'

'Hij komt wel,' hield ze vol. 'Hij heeft het beloofd.'

'Hoor je wel wat je zelf zegt?' Bridie had haar handen op haar heupen gezet en haar gezicht straalde verachting uit. 'Die man moet je nu niet meer – en zijn familie ook niet. Je kunt maar beter weggaan voor er nog meer ellende komt.'

Maureen voelde de kilte van berusting, ondanks het feit dat ze diep vanbinnen hoopte dat zou blijken dat Bridie het bij het verkeerde eind had. 'Ik moet hem spreken,' zei ze dringend. 'Ik moet het uit zijn eigen mond horen voor ik wegga.'

Bridie pakte het bundeltje kleren en propte het haar dochter in de armen. 'Je zult niks te horen krijgen dat je wilt horen,' zei ze duister. 'Laat mij nu eens een keer bepalen wat het beste voor je is.'

Maureen aarzelde en werd ruw in haar rug geduwd. 'Ik heb niet de hele nacht. Je vader wordt zo wakker en ik moet terug. Schiet op, meid!'

Maureen volgde Bridie met tegenzin de koude, stille nacht in. De volle maan verlichtte hun pad terwijl ze zich een weg baanden door het bos en aan de andere kant van de heuvel tevoorschijn kwamen, een flink eind van het dorp. 'Hoe heb je me gevonden?' vroeg ze aarzelend terwijl ze zich achter haar moeder aan haastte.

'Ik weet meer dan je denkt,' mompelde ze.

'Waar gaan we heen?' Maureen klauterde over een omgevallen boom en bleef met haar jurk haken. Ze was onhandig van vermoeidheid en nog duizelig van de aanval eerder op de avond.

'Een plek die ik ken en waar niemand je zal komen zoeken,' antwoordde Bridie op een kille toon die geen tegenspraak duldde en ze liep verder in een vastberaden tempo dat nauwelijks was bij te houden.

Maureens gedachten tolden in het rond. Als ze wegging zonder Henry nog te spreken, zou ze nooit weten of hij haar bedrogen had. Aan de andere kant, als ze haar moeder trotseerde was niet te zeggen welke vernederingen haar nog ten deel zouden vallen. Ze liepen bijna een uur lang in stilte verder tot ze bij een klein, stenen onderkomen kwamen dat bijna schuilging tussen de rotsen waarmee de steile heuvel bedekt was.

'Wat is dit voor een plek?'

'Herdershut,' antwoordde Bridie. 'Je blijft hier tot ik terugkom.' Bridie duwde Maureen door de deur naar binnen en gaf haar een pakketje met kaas en brood.

Maureen keek naar haar moeder en probeerde haar gedachten te lezen, probeerde te begrijpen wat ze wilde met al die geheimzinnig-doenerij. 'Waar ga je heen?' vroeg ze. 'Waarom doe je dit allemaal?'

Bridies trekken verzachtten zich voor het eerst die avond. 'Je bent mijn dochter,' zei ze eenvoudig. 'Ondanks alle schande die je over ons hebt gebracht, kan ik je niet zomaar in de steek laten.' Ze kneep Maureen even in de arm en draaide zich om. 'Blijf hier. Ik kom snel terug.'

Maureen zag hoe ze zich een weg zocht de heuvel af en uit het zicht verdween. Ze liet zich op de aarden vloer zakken en leunde tegen de verweerde, stenen muur. Vermoeidheid, angst en verdriet deden zich in de stilte voelen en ze had nog maar een paar happen van het voed-sel genomen of ze viel in slaap.

De zon stond hoog aan de hemel toen Bridie terugkeerde. Ze keek Maureen aan en ging zachtjes met haar hand over de blauwe plekken op haar kaak. 'Het is tijd om te gaan,' zei ze zachtjes. 'Hier. Neem dit. Daarmee kun je een plekje in de postkoets en de overtocht betalen en dit is het adres van het nonnenklooster dat voor je zal zorgen als het zover is.'

Maureen keek naar de kleine leren beurs die Bridie haar in han-den had gestopt. Ze voelde het gewicht, hoorde het gerinkel en wist wat het was. De tranen, die ze zo lang had weten binnen te houden, stroomden over haar wangen.

'Stil, mijn *acushla*, mijn *mavourneen*,' zei Bridie zachtjes terwijl ze haar armen om Maureen heen sloeg. 'Hij is die tranen niet waard.'

De twee vrouwen stonden daar in de kale, kleine stenen hut en bevestigden en verstevigden de banden van hun verwantschap en erf-goed terwijl de zon zich voortbewoog langs de hemel en donkere wol-ken de dag begonnen te overschaduwen. Toen gingen ze uit elkaar. Bridie liep naar het kleine vissersdorp, terug naar een leven dat werd beheerst door onverdraagzaamheid en een gewelddadige echtgenoot. Maureen trok verder en verder weg van alles wat ze ooit had gekend naar een onzekere en angstaanjagende toekomst.

Er voerden maar twee wegen het dorp uit. De ene liep naar het vol-gende dorpje aan de kust en de andere naar het oosten, naar Dublin. Zijn liefde voor Maureen was te sterk om haar zomaar uit zijn leven te laten verdwijnen. Hij moest haar vinden. Hij moest weten of ze zijn liefde beantwoordde. Met deze beslissing nam Henry de teugels in zijn hand en zette met zijn hakken zijn paard aan tot galop.

Een paar uur later besefte hij dat het onbegonnen werk was. Zijn paard snoof en zijn grote longen piepten als een versleten orgel toen ze boven op een heuvel tot stilstand kwamen. Rechtopstaand in de stijgbeugels keek Henry in het rond. Heuvels en dalen vol uitbundig groen strekten zich voor hem uit onder een hemel vol voortjagende wolken. Nergens was een stofwolk te zien die de komst van een rijtuig aankondigde, nergens een eenzame figuur die over de zandweg voortsjokte. Het enige geluid kwam van de wind in het gras en het briesen van het paard. Somber gestemd draaide hij om en ging op weg naar Beecham Hall.

'Zo, dus je hebt besloten om maar weer naar huis te komen.' De stem van sir Oswald klonk gevaarlijk kalm toen Henry de kamer binnenkwam. 'Ik weet alles van dat meisje van O'Halloran, dus bespaar me je leugens.'

Henry voelde een steek van opgetogenheid vermengd met angst. 'Heeft u haar gezien? Waar is ze?'

'Ik heb overal voor gezorgd,' antwoordde sir Oswald. 'Je hoeft je nergens zorgen over te maken.'

'Maar ik maak me wel zorgen over haar, vader,' flapte hij eruit. 'Ik hou van haar.'

'Doe niet zo belachelijk,' bulderde sir Oswald. 'Ze is een Ierse slet die denkt je te kunnen strikken door zwanger te worden.'

Henry verbleekte. 'Zwanger?' Hij ging met zijn tong over zijn lippen en zijn hart ging tekeer terwijl hij daar tegenover de indrukwekkende verschijning van zijn vader stond. Door de schok van die mededeling raakten zijn gedachten in een stroomversnelling. Waarom had Maureen hem dat niet verteld? Hoe had ze zoiets geheim kunnen houden?

Sir Oswald schonk zichzelf een stevige whisky in en keek zijn jongste zoon over de rand van zijn glas aan. 'Haar jammerende moeder was hier eerder vandaag, zoals gebruikelijk met een blauw oog, en smeekte me haar te helpen om haar dochter uit deze ellende te krijgen die jullie samen hebben veroorzaakt.'

'Hoe lang geleden was dat?' In zijn opgetogenheid verloor Henry alle voorzichtigheid voor zijn vaders reactie uit het oog.

Sir Oswald zette zijn glas met een klap op een kleine bijzettafel en legde zijn handen op zijn rug. 'Ongeveer tien minuten nadat jij er stiekem vandoor ging,' bulderde hij. 'Dat stomme mens onderbrak de jacht en ik moest hier terugkomen om jouw ellende op te lossen.'

'U hoeft helemaal niets op te lossen,' snauwde Henry. 'Als Maureen mijn kind draagt, dan zullen we zo snel mogelijk trouwen.'

'Over mijn lijk,' brulde sir Oswald. 'Ze wordt naar Engeland gestuurd en de baby wordt geadopteerd.'

Bij het geluid van de snik die op deze mededeling volgde draaiden ze zich om. Emma kwam overeind uit haar stoel en er stonden rode vlekken van woede op haar doorgaans bleke gezicht. 'Hoe kunt u zo wreed zijn?' siste ze. 'Dit is Henry's kind. Uw kleinkind. Dat kunt u niet zomaar weggeven.'

'Ga zitten, vrouw,' bulderde sir Oswald. 'Dit zijn helemaal jouw zaken niet.'

Tot ieders stomme verbazing weigerde Emma hem te gehoorzamen. 'Dat is het wel,' antwoordde ze. 'U wilde een erfgenaam, net als Thomas, maar het wordt zo langzamerhand wel duidelijk dat ik niet in staat ben daar voor te zorgen. Deze baby is de oplossing,' ging ze dapper verder. 'Er zal het bloed van Beecham-Fford door de aderen stromen en Thomas en ik vinden wel een discrete manier om het te adopteren.'

'Thomas,' brulde sir Oswald. 'Houd je vrouw in toom. En als ze haar mond niet kan houden – zorg dan dat ze verdwijnt.'

De moed scheen Emma in de schoenen te zakken toen ze zich weer in de stoel liet vallen en haar hoofd liet hangen. Maar haar uitbarsting had Henry gesterkt in zijn voornemen en hoewel hij Maureen nog steeds moest zien te vinden, was hij niet van plan zijn vader over zich te laten lopen – zeker niet nu zijn kind in het geding was.

'Het is mijn kind en dat wordt niet geadopteerd,' zei hij koud. 'En ik ben van plan met Maureen te trouwen. En niets van wat jullie zeggen, kan mij van mening doen veranderen.'

'De macht van het geld, jongen,' grauwde zijn vader. 'Ik durf te wedden dat ze nu al halverwege Engeland is, met mijn goud op zak en jou al helemaal vergeten.'

Henry keek zijn vader woedend aan. Hij had nog nooit in zijn korte leven iemand zo veracht en hij hoopte dat ook nooit meer mee te maken. 'Ik zal haar vinden – ze gaat nergens heen zonder mij.'

'Henry,' kwam lady Miriam tussenbeide op een toon die geen tegenspraak duldde. 'Ik heb bewondering voor je overduidelijke toewijding aan dit meisje en voor je eervolle voornemen haar te steunen. Maar je moet je door haar uiterlijke schoonheid niet laten afleiden van de plicht die je ten opzichte van onze familie hebt.'

Henry deed zijn mond open om te antwoorden, maar werd door haar vlammende blik tot zwijgen gebracht.

'Besef je wel wat een schandaal als dit zou betekenen voor de politieke carrière van Thomas – voor je vaders positie in de wereld van de handel?' Ze ging staan en haar lange rijkleed ruiste om haar enkels terwijl ze langzaam in zijn richting liep.

'Wil je dat onze goede naam te grabbel wordt gegooid – dat onze reputatie onderwerp wordt van roddel en achterklap – onze status wordt bespot?' Ze beantwoordde haar eigen vragen met een hoofdschudden. 'Rijkdom brengt verplichtingen met zich mee ten opzichte van de minder fortuinlijken. Dit meisje is niet alleen katholiek, ze komt ook uit de arbeidersklasse. Anders dan jij kent ze haar plaats en zal ze haar lot accepteren.'

Haar hand lag vriendelijk op zijn arm terwijl ze hem aankeek. 'Ik smeek je er nog eens over na te denken, Henry. We moeten allemaal op een gegeven moment offers brengen en ik twijfel er niet aan of dit meisje zal binnenkort trouwen en nog meer dan genoeg baby's krijgen om haar bezig te houden. Je weet hoe die katholieken zijn.'

Henry schudde haar hand van zich af, verbijsterd door haar gebrek aan medeleven. 'Er hoeft helemaal geen schandaal van te komen,' zei hij hees. 'Maureen en ik gaan trouwen en als alle opwinding een beetje is geluwd, kunnen we weer naar huis komen.'

'Naïeve dwaas,' barstte sir Oswald uit. 'Gebruik je verstand, jongen. Als je nu weggaat kun je alle hulp van mij wel vergeten – van iedereen in deze familie.' Zijn woedende blik omvatte iedereen in de kamer. 'Het idee alleen al dat je die Ierse hoer onder mijn dak wilt halen – laat staan haar gebroed,' snoof hij. 'Het is waarschijnlijk niet eens van jou.'

Er viel een geladen stilte terwijl Henry tegenover zijn vader stond. 'Misschien ben ik wel naïef, maar mijn geweten en mijn hart staan niet toe dat ik haar en ons kind in de steek laat,' zei hij met een vastberadenheid die in tegenspraak was met zijn heftig bonkende hart en zijn droge mond. 'Als u mij de rug wilt toekeren, het zij zo.'

Sir Oswald was rood aangelopen en zijn ogen fonkelden vol afkeer terwijl hij zijn jongste zoon bekeek. Toen draaide hij zich om en liep naar de deur. 'Je bent niet langer welkom in dit huis,' zei hij kil terwijl hij de deur uit liep.

Henry deed een stap in zijn richting. Het ongeloof bracht een zure smaak in zijn mond. Zelfs in zijn somberste momenten had hij niet gedacht dat zijn vader zijn dreigement ten uitvoer zou brengen. 'Vader,' smeekte hij. 'Doe...'

'Alleen een zoon heeft het recht me zo aan te spreken,' onderbrak sir Oswald. 'Dat privilege heb je verloren.'

Henry zag hoe hij de deur sloot en luisterde naar het geluid van de zich verwijderende voetstappen. Tranen vertroebelden zijn blik en hij had een brok in zijn keel die hem dreigde te verstikken toen hij zich omdraaide en naar de anderen keek.

Thomas had zijn hand om de elleboog van Emma terwijl hij haar hielp opstaan uit de stoel en de kamer uit leidde. De blik van machteloos medelijden die ze hem in het voorbijgaan toewierp werd Henry bijna te veel.

Lady Miriam bleef lange tijd staan met uiteenlopende gevoelens zichtbaar in haar ogen. 'O, Henry,' zei ten slotte ademloos. 'Wat heb je gedaan?'

Zijn pijn benam hem de adem. 'Zal hij me ooit vergeven?'

Ze schudde haar hoofd en depte haar ogen met een lapje kant. 'Ik hoop dat ze het waard is, m'n jongen.' Haar kus op zijn wang was warm en hij kon haar geliefde rozenwater ruiken toen ze hem omhelsde.

Henry was vastbesloten zijn moeder niet te laten merken hoeveel pijn hij leed en toen ze iets in zijn handen stopte, kon hij door de onvergoten tranen nauwelijks zien wat het was.

'Het is niet veel, maar het is een begin voor het geval je haar vindt,' zei ze met een zucht. 'Misschien dat je vader wat milder wordt als je ver genoeg weg gaat – maar verwacht niet al te veel van hem. Hij is uit het soort hout gesneden dat zich niet gemakkelijk laat buigen. Hij zal nooit een katholiek in de familie accepteren.'

Ze kuste hem nog een keer en Henry klampte zich aan haar vast in het besef dat dit waarschijnlijk de laatste keer was dat hij haar ooit nog zou zien.

Toen ze zich eindelijk van hem losmaakte, was ze dicht bij een totale instorting. 'Vaarwel, zoon,' zei ze door haar tranen heen. 'Ga met God.'

Maureen had een paar uur eerder afscheid genomen van haar moeder en nu begon de avond te vallen terwijl ze door de heuvels naar de halte van de postkoets liep waar ze een plaats kon boeken voor de lange reis naar Dublin.

Alles aan haar deed pijn, maar dat was niets vergeleken met de pijn in haar hart. Ze liet haar huis en alles wat bekend was achter, haar reputatie was naar de maan en de zilverlingen van Beecham-Fford rinkelden in haar zak. Ze was dom geweest om te geloven dat Henry van haar hield. Dom dat ze had gedacht dat hij haar terzijde zou staan in moeilijke tijden.

Ze bereikte de top van de heuvel en bleef even staan om op adem te komen. Ze keek om zich heen en realiseerde zich dat ze het dorp, of de bomen waarachter Beecham Hall schuilging, niet meer kon zien. De stilte benauwde haar en ze werd zich ervan bewust hoe nietig en onbetekenend zij was tegen de achtergrond van dit uitgestrekte, lege, groene landschap. Met een diepe zucht pakte ze haar bundel weer op en begon, met haar rokken opgetild zodat ze niet nat van de dauw zouden worden, aan de afdaling naar de lichtjes in de verte die aangaven waar de halte van de postkoets was.

Haar gedachten tolden door haar hoofd terwijl ze met haar toestand in het reine probeerde te komen. Ze had de afgelopen paar uur de baby in haar buik voelen bewegen – de baby was echter geworden, en daarom dierbaarder. Haar voeten stapten door het taaie, overvloedige gras van het land van Kerry dat van haar voorouders was gestolen en ze zwoer een eed. De Engelsen konden alles stelen wat aan de Ieren toebehoorde, maar haar baby zouden ze niet krijgen.

Ze hoorde het geluid van galopperende paardenhoeven en het geratel van wielen en stapte vermoeid van het karrenspoor in de met gras begroeide greppel om ze voorbij te laten. Haar hersenen waren vermoeid, haar oogleden zwaar van slaapgebrek terwijl ze de kap van haar mantel over haar gezicht trok en zich afwendde van het stof dat werd opgeworpen door de wielen en de trappelende hoeven.

'Maureen? Maureen!'

Ze keek geschrokken op. Ze was verdoofd van ongeloof toen Henry uit het rijtuigje klom en haar in zijn armen nam.

'Godzijdank dat ik je heb gevonden en dat je veilig en wel bent,' zei hij buiten adem. 'Waarom ben je weggelopen? Waarom heb je me niet over het kind verteld?'

Ze stond bewegingloos in zijn omhelzing voor ze zich er uit losmaakte. Haar hele houding vormde een ijzig schild tussen hen. 'Wat doe je hier?'

Hij fronste zijn voorhoofd, de verwarring bleek duidelijk uit de blik in zijn ogen en de aarzelende manier waarop hij probeerde haar weer in zijn armen te nemen. 'Ik ben je de hele dag al aan het zoeken,' stamelde hij. 'Ik werd bijna gek van ongerustheid. Ik was bang dat ik je nooit op tijd zou vinden.'

Maureen keek hem onderzoekend aan; haar liefde voor deze man dwong haar hem te geloven. Maar ze wist dat ze sterk moest blijven. Want had ze per slot van rekening niet zijn bloedgeld in haar zak? 'En waarom was je me dan wel aan het zoeken? Onze zaken zijn afgehandeld.' Ze nam de beurs in haar hand en schudde die voor zijn gezicht heen en weer.

'Maureen,' begon hij, maar hij werd gestuit door de scherpte in haar stem.

'Is dit wat ik waard ben, Henry? Een handjevol zilver?' Ze zag zijn verwarring, zag hoe het schaamrood naar zijn kaken steeg, en ze kwam in de verleiding om de munten voor zijn voeten op de grond te gooien. Maar hoe vreselijk ze het ook vond om zijn geld te houden, ze had geen andere middelen van bestaan en het zou niet meer dan een leeg gebaar zijn.

Hij likte zijn lippen. 'Je bent me dierbaarder dan al het zilver in de wereld,' stotterde hij. Hij schraapte zijn keel. 'Wat is er met je gebeurd, Maureen? Waarom doe je zo na alles wat we voor elkaar hebben betekend? Dat geld had niets met mij te maken. Mijn vader...'

Maureen greep de capuchon van haar mantel en sloeg die met een ruk achterover. 'Dit is de prijs die ik heb moeten betalen voor mijn liefde voor jou,' zei ze toonloos. 'Wat nu, Henry?'

Ze zag de afschuw in zijn ogen terwijl hij naar haar toegetakelde hoofd keek en naar de plukjes haar, de schaafwonden en blauwe plekken in haar hals en gezicht. Haar vastberadenheid wankelde toen ze de tranen in zijn ogen zag branden, maar ze wist dat één moment van zwakte haar ondergang zou betekenen. 'En hoe moet het met ons kind? Moet dat soms ook voor een handvol zilver worden verkocht?'

Henry knielde aan haar voeten zonder acht te slaan op de onrustige paarden, de heen en weer rollende wielen van het rijtuig of het stof dat zijn broek bevuilde.

'Jullie zijn alle twee meer waard dan wat dan ook,' riep hij vervuld van een diepe ernst. 'Kostbaarder dan elk juweel. Ik sterf liever dan je kwijt te raken.'

Maureen begon te beven en of dat nu kwam door de emotie of door de kou wist ze niet. Maar haar kin bleef vastberaden ondanks het verlangen om hem in haar armen te nemen. 'Mooi gesproken, Henry. Dus jij gaat met me mee naar de overkant? Je laat je familie, je geld, alles, achter je?'

Henry sloeg zijn armen om haar heupen en legde zijn wang tegen de lichte welving van haar buik. Toen hij sprak waren zijn woorden zacht, vervuld van liefde en pijn.

' "Kom, leef met mij en wees mijn lief, en laat ons alle geneugten beleven, die heuvels en valleien, dalen en velden, ons samen kunnen geven." ' Hij hief zijn blonde hoofd en keek haar diep in de ogen terwijl hij het citaat afmaakte: ' "Daar zal ik je een bed van rozen maken, en duizend geurige boeketten, een bloementooi en schoon gewaad, afgezet met myrteranken." '

Maureens tranen stroomden over haar wangen terwijl ze zich langzaam op haar knieën liet zakken en zich overgaf aan zijn omhelzing. 'Dat is prachtig,' fluisterde ze. 'Ik wou dat ik zo met woorden om kon gaan.'

Hij kuste haar tranen weg, voorzichtig vanwege de blauwe plekken en de schrammen. 'Ik heb die woorden niet bedacht – ik wou dat dat zo was. Maar ze zeggen precies wat ik op dit speciale moment voel.' Hij nam haar gezicht in zijn handen, duwde haar kin omhoog, zodat ze verdronk in zijn ogen. 'Het gedicht heet "De hartstochtelijke herder aan zijn geliefde" van Marlowe. Ik wou dat ik het helemaal kende,' zei hij met een lachje. 'Maar ik beloof dat ik het je ooit zal voorlezen.'

Toen klampte Maureen zich aan hem vast, ging helemaal op in zijn omhelzing en putte kracht en moed uit de warmte van zijn liefde. Maar toen ze zich eindelijk van elkaar losmaakten en hij haar in het rijtuig hielp, zag ze iets wat haar de rillingen over de rug deed lopen.

Een grote zwarte kraai beloerde hen vanuit een boom in de nabijheid en de gele ogen keken koud en onheilspellend. Maureens Keltische instincten waarschuwden haar dat dit een boodschapper was die aankondigde dat hun, waar ze ook heen gingen, donkere tijden te wachten stonden. Een onheilsprofeet die hen zou laten boeten voor hun zondige samenzijn.

Miriam maakte zich los van die donkere dagen en knipperde met haar ogen tegen het zonlicht. 'Ze namen de boot naar Engeland,' zei ze zachtjes. 'Ze dachten dat het het begin zou zijn van een heerlijke, nieuwe toekomst, maar geen van beiden was voorbereid op wat hun te wachten stond.'

Jake mocht nog zo geboeid zijn door het verhaal, hij zag wel de donkere kringen van vermoeidheid onder haar ogen. 'U bent moe,' zei hij zachtjes. 'Misschien moeten we de rest van het verhaal maar tot een andere keer bewaren?'

Ze keek hem bedachtzaam aan en schudde toen haar hoofd. 'Tijd is de enige luxe die ik me niet kan veroorloven,' antwoordde ze. 'Ik ben een oude vrouw, meneer Connor, en het verhaal van mijn vader is te lang onverteld gebleven. Als ik de kans wil benutten om te bewijzen hoe hij is bedrogen – en ongetwijfeld is vermoord vanwege dat ding in de speeldoos – dan is er geen tijd meer te verliezen.'

'Vermoord?' Jakes ogen waren groot van verbazing. 'U hebt het nog helemaal niet over moord gehad.'

'Dat weet ik,' zei ze bitter. 'Ik wil liever niet geloven dat dat is gebeurd – maar hoe meer ik erover nadenk, hoe zekerder ik ervan ben dat Kate gelijk had.'

'Kate?' Hij keek opnieuw niet-begrijpend. 'Bedoelt u Kate Kelly?' Hij ging rechtop in zijn stoel zitten en liet zijn adem ontsnappen. 'Wat heeft zij in hemelsnaam met dit alles te maken?'

Miriam keek uit over het erf. Frank was bezig met het afrijden en de paarden liepen rondjes terwijl hun vacht in het late middaglicht glansde en ze hun hoofd trots en prachtig geheven hielden. Een gevoel van trots deed haar glimlachen en ze voelde zich onmiddellijk beter. 'Daar kom je nog wel achter,' zei ze binnensmonds.

Jake pakte zijn tas uit de pick-up en legde die in een van de logeerkamers. Het was een mooie kamer. De vloer glansde in de middagzon die door het raam dat uitkeek op de omheinde weiden naar binnen scheen. De kamer bevatte nog steeds herinneringen aan Miriams dochter en hij nam de gelegenheid te baat om haar een beetje te leren kennen.

Een rij poppen staarde hem aan vanaf een plank aan de muur en hun onheilspellende, glazen ogen gaven hem het gevoel dat hij een indringer was. De afbeeldingen aan de muur waren reproducties van wereldberoemde schilderijen en hij herkende de *Waterlelies* van Monet, en *Zonnebloemen* van Van Gogh en *De Balletles* van Degas. De boeken gingen over hetzelfde onderwerp – werken over grote schilders, biografieën en één dik boek over de geschiedenis van de kunst in de middeleeuwen.

Hij keek verbaasd om zich heen. Hij had verwacht in de kamer van een gerespecteerd paardenfokker linten van behendigheidswedstrijden en bekers en foto's van haar liefste paarden aan te treffen, maar er was niets dat betrekking had op de ruitersport. Dat sprak op zich boekdelen. Miriams dochter deelde haar passie niet.

Hij glimlachte wrang terwijl hij een schoon overhemd uit zijn tas pakte. Hij meende misschien wel iets gemeen te hebben met Chloe, want ook hij was een kind uit de binnenlanden dat niet zijn ouders passie voor de strijd tegen de elementen had gedeeld.

Het leven op een afgelegen boerderij moest wel de moeilijkste manier zijn om in het bestaan te voorzien en hoewel hij de schone, frisse lucht, de open vlaktes en de grootsheid van de outback miste, wist hij ook hoe benauwend het kon zijn. Altijd maar dezelfde gezichten, dezelfde roddels, de eindeloze reeks dansfeesten en picknicks bij de paardenrennen waar de zoons en dochters van de schapenfokkers hun toekomstige partners troffen zodat ze weer van voren af aan konden beginnen. Hij voelde dat Chloe er net zo over had gedacht en was ontsnapt. Het zou interessant zijn om haar te ontmoeten.

Miriam was in de keuken bezig dikke plakken schapenvlees af te snijden en op borden te leggen. Eric had de lege houtmand in beslag genomen en volgde iedere beweging die zij maakte met een sliert kwijl aan zijn kin die als de slinger van een klok heen en weer ging.

'Kan ik helpen?' vroeg Jake aarzelend terwijl hij een blik kattenvoer openmaakte dat hij uit zijn tas had gepakt. Hij was nooit erg veel waard geweest in de keuken en zijn ex-vrouw had hem verboden zich in de hunne te vertonen. Tegenwoordig at hij meestal afhaalmaaltijden of eenpersoonsmaaltijden uit de supermarkt die na tien minuten in de magnetron klaar waren.

'Er valt niet veel te doen,' antwoordde Miriam. 'Koud schapenvlees, aardappelpuree en bietjes in het zuur vereisen niet bepaald veel denkwerk.' Ze veegde haar handen af aan haar broek en wierp een blik op de kat. 'Ik geloof dat hij op meer rekent dan alleen blikvoer,' zei ze met een zekere scherpte. 'Je verwent dat beest, weet je. Hij zou hier nog geen vijf minuten overleven met die valse katten die hier rondlopen.'

Eric snuffelde aan het kattenvoer en stak zijn neus in de lucht. Hij ging keurig naast Miriams voeten zitten met zijn staart om zijn poten geslagen en keek haar met een gele blik vastberaden aan.

Jake schuifelde met zijn voeten terwijl Miriam toegaf en wat stukjes schapenvlees op het schoteltje legde. 'Hij is uitstekend gezelschap,' mompelde hij. 'Iets warms en levends dat je aan het einde van de dag thuis opwacht.'

Miriam keek hem onderzoekend aan. 'Hoe lang ben je al gescheiden?'

'Vijf jaar,' antwoordde hij terwijl ze aan de schoongeschrobde tafel gingen zitten en hij zichzelf aardappelpuree opschepte.

'Tijd dat je iemand anders vindt,' zei Miriam. 'Het is niet goed voor je om te lang alleen te zijn. Dan wen je jezelf bepaalde manieren aan – word je egoïstisch.' Ze keek hem over de tafel aan. 'Ik weet waar ik over praat. Ik ben het grootste deel van mijn leven alleen geweest.'

Jake knikte. 'Het is waarschijnlijk al te laat,' mompelde hij met een mond vol vlees en aardappelpuree. 'Welke vrouw bij haar volle verstand zou met Eric willen samenleven?'

Miriam keek eens naar de kat. Hij zat nu aan tafel met één begerig oog op het eten gericht. 'Als je hem eens wat manieren bijbracht en hem er aan herinnerde dat hij een kat is en geen mens, dan zou je misschien een vrouw kunnen vinden die jullie alle twee in huis wil nemen.' De glimlach waarmee ze zijn grijns beantwoordde was warm. 'Hoe oud ben je eigenlijk?'

Jake begon een beetje te wennen aan het feit dat zij impertinente vragen stelde en besloot het spelletje mee te spelen. 'Tweeëndertig,' antwoordde hij. 'En hoe oud bent u?'

'Oud genoeg om te weten dat ik je dat maar beter niet kan vertellen,' antwoordde ze.

Ze aten vrijwel in stilte verder en nadat de borden aan de kant waren geschoven hield Miriam haar hoofd schuin, keek hem belangstellend aan, en vroeg: 'Hou je van paarden?'

Jake voelde zich een beetje uit zijn evenwicht gebracht. Hij had er geen hekel aan en huurde er wel eens een voor een tochtje in de weekends. Maar hij werd er verder niet warm of koud van. 'Ik kijk er graag naar,' antwoordde hij. 'En ik vind het heerlijk om met pa naar de rennen te gaan als we daar tijd voor hebben.'

'Kom mee dan, dan geef ik je een rondleiding.'

Ze gingen van tafel, trokken hun laarzen aan en staken het erf over. De paarden waren terug van hun avondrit en de mannen waren druk doende ze droog te wrijven en klaar te maken voor de nacht. Miriam nam hem mee door het uitgestrekte stallencomplex en wees ondertussen de merries aan waarmee werd gefokt en die kampioenen hadden voortgebracht en vertelde hem de geschiedenis van elk paard op het terrein.

Jake was onder de indruk. Het erf lag er als om door een ringetje te halen bij, het tuig glansde en het stro was schoon. En wat de paarden betrof – zelfs hij kon zien hoe geweldig ze waren. Wat zou zijn vader het fantastisch hebben gevonden om dit allemaal te zien, dacht hij een beetje treurig. Hij zou Miriam uren bezig hebben kunnen houden met roddels over trainingen, rennen en jockeys – daar hield hij zich z'n hele leven al mee bezig en hij wist waarschijnlijk net zoveel van Miriams bedrijfstak als zij zelf.

Miriam was aan het einde van de rij boxen gekomen en leunde over een onderdeur. 'Dit is Pagan,' zei ze trots. 'Zijn bloedlijn gaat helemaal terug tot aan Archer.'

Ze moest hebben gezien dat het hem helemaal niets zei en legde het uit: 'Archer was het eerste paard dat de Melbourne Cup won,' zei ze. 'Dat was in 1861. Zijn eigenaar liep zevenhonderdvijftig kilometer met hem van Nowra, hier in New South Wales, helemaal naar Melbourne in Victoria en nog won hij de race.'

Ze aaide de lange kastanjebruine neus. 'Deze ouwe dondersteen heeft de Cup nooit gewonnen, maar hij is wel kampioen geweest en hij heeft een paar goede renpaarden verwekt.'

Jake zag de Shetlandpony die achter het enorme lijf van de hengst schuilging. 'Wat doet die pony hier?'

'Die houdt die ouwe knaap gezelschap. Ze gaan overal met z'n tweeën naartoe en als Snapper bij hem weg wordt gehaald, wordt hij zo humeurig dat niemand van ons bij hem in de buurt kan komen.'

'Snapper?' Jake bekeek de kleine dikke pony eens goed en glimlachte. Hij leek zo weggelopen uit een stripverhaal, met zijn lange, blonde manen en staart en zijn slordige bruine vacht.

'Hou je hand maar eens ergens bij hem in de buurt, dan kom je er wel achter waarom hij zo heet. Ze zien er misschien wel lief uit, maar het zijn gemene donders als ze uit hun humeur zijn.' Ze deed de bovenste helft van de deur dicht en knipte het licht uit. 'Hij heeft mij ook een paar keer te pakken gehad,' mopperde ze. 'Als Pagan hem niet nodig had als gezelschap, zou ik hem verkopen.'

Nadat Miriam hem aan Frank en een paar van de stalknechten had voorgesteld, liepen ze terug naar de boerderij. Ze zette een pot thee en ze gingen weer aan de keukentafel zitten. Eric lag weer languit in de mand voor het openhaardhout en Miriam boog zich voorover om hem te aaien.

'Dat zou ik niet doen,' waarschuwde Jake. 'Hij bijt.'

Miriam knikte en ging zitten. 'Nog een Snapper,' zei ze en ze glimlachte. 'Het lijkt erop dat we dezelfde voorkeuren hebben wat dieren betreft, meneer Connor.'

'Wilt u me alstublieft Jake noemen?'

Ze keek hem langdurig aan. 'Mijn familie noemt me Mim,' zei ze ten slotte. 'Wat mij betreft doe jij dat ook, aangezien je al mijn geheimen te horen krijgt.'

Ze boog zich naar hem toe en haar ogen leken heel erg groen in het licht van de kerosinelamp. 'Wat ik je de komende paar dagen ga vertellen, blijft tussen ons. Afgesproken? Ik zal het mijn familie vertellen wanneer ik daar aan toe ben – en geen minuut eerder. Beloof je dat?'

Jake knikte instemmend, maar vroeg zich tegelijkertijd af hoe Mim dat voor elkaar wilde krijgen. Een in het oog lopende strijd zoals deze beloofde te worden, kon nooit geheim worden gehouden, en haar familie moest worden voorbereid op alle beroering die onvermijdelijk zou ontstaan.

Ze leek gerustgesteld en knikte. Vervolgens ging ze na een paar minuten stilzwijgen, verder met haar verhaal. 'Henry en Maureen trouwden en vestigden zich in Londen. Ze huurden een paar kamers boven een winkel in Fulham en Henry probeerde werk te vinden. Maureen werd als eerste ergens aangenomen en zij zorgde met haar werk in een wasserij voor een dak boven hun hoofd.'

Miriam slaakte een zucht. 'Mijn arme vader was ten einde raad. Hij had geen schijn van kans, begrijp je. Zijn accent en zijn duidelijk hoge afkomst maakten mensen terughoudend om hem aan te nemen. Zijn zogenaamde vrienden van de universiteit meden hem toen zij zijn nieuwe vrouw eenmaal hadden ontmoet en die klootzak van een vader van hem had hen ook nog eens de voet dwars gezet door hem zwart te maken bij degenen die hem een baan in hun fabrieken zouden kunnen bezorgen. Dit had uiteraard gevolgen voor zijn schilderen. Hij had de meeste schilderijen meegenomen uit het huis in Ierland, maar kon geen kopers vinden en nu, nu hij werd vernederd door zijn jonge, zwangere vrouw, omdat zij de kost moest verdienen, was het slecht met hem gesteld.'

'Hoe zat het met het geld dat zijn moeder hem had gegeven?' vroeg Jake zachtjes. 'Dat was toch zeker wel genoeg om ze op de been te helpen?'

Miriam knikte. 'Het was meer dan vierhonderd pond – in die tijd een vermogen. Maar hij wist dat ze het zich niet konden veroorloven daar steeds iets van af te knabbelen. Uiteindelijk betekende dat geld de enige manier om te ontsnappen.'

Jake fronste zijn wenkbrauwen. 'Ontsnappen? Maar ze waren toch al weg uit Ierland? Ze hadden dat geld toch kunnen gebruiken om een zaak te kopen – of een huis – dan waren ze toch keurig onder de pannen geweest?'

Miriam schudde haar hoofd. 'Zo werkte het niet, Jake,' zei ze verdrietig. 'In die tijd werd een man met Henry's achtergrond bij elke stap dwarsgezeten als hij onder de verdrukking van het klassensysteem uit wilde komen. De hogere kringen verstootten hem, de burgerlijke middenklasse was afkeurend en de arbeiders verachtten en wantrouwden hem. Het was niet zoals nu, dat alles maar kan en de waarde van een man wordt bepaald door wat hij weet te bereiken en niet door de klasse waarin hij geboren is.'

'Wat deden ze toen?'

Miriam leunde achterover in haar stoel en sloeg haar armen over elkaar. 'Henry besloot te emigreren,' zei ze verdrietig. 'Hij gebruikte het geld dat zijn moeder hem had gegeven voor de overtocht naar Australië.' Ze hield haar blik op het tafelblad gericht. 'Helaas waren hij en Maureen niet de enige mensen aan boord die een nieuw leven wilden beginnen.'

De kade bruiste van lawaai en bedrijvigheid. Wagens met een topzware lading werden over de klinkers voortgetrokken door sjokkende trekpaarden en de stank van mest en ongewassen lichamen werd verdrongen door de doordringende geur van zout water en de specerijen die op een nabijgelegen schip werden uitgeladen.

Meeuwen krijsten en beschreven cirkels in de lucht terwijl dragers zwetend de zware koffers en kisten van de eersteklaspassagiers de loopplank op droegen. Te midden van die herrie liepen zakkenrollers en hoeren met een scherpe blik voor onverwachte mogelijkheden, terwijl rijtuigen de kade op reden en hun passagiers uitlaadden. Het geschreeuw van marskramers en zeelieden vermengde zich met het gestamp van de paardenhoeven en het zachte gemurmel van de passagiers die stonden te wachten tot ze aan boord konden van het stoomschip *Swallow*.

Ze torende hoog boven de kade uit, zachtjes deinend op het ritme van de golven en haar drie masten en twee schoorstenen staken hoog in de lucht. Haar stalen huid schuurde tegen de stootkussens van touw aan de kade terwijl ze aan de trossen trok die haar in bedwang hielden. De tuigage klapperde door de wind tegen de houten masten en rook steeg langzaam op uit de schoorstenen. De *Swallow* was tien jaar daarvoor in Glasgow gebouwd, mat ruim achtduizend ton, werd voortgestuwd door een enkele schroef en kon negentien knopen halen. Ze had op haar vier dekken accommodatie voor bijna vijftienhonderd passagiers.

Henry sloeg zijn arm om Maureens uitdijende middel en trok haar tegen zich aan terwijl ze naar het grote schip keken en naar de drukke menigte die hen omringde. Hij wou dat zij zich net zo kon verheugen op het avontuur dat voor hen lag, maar hij wist dat ze onder haar beheerste uiterlijk leed aan een vreselijk verlangen naar huis en naar Ierland. Er was geen antwoord gekomen op haar gekrabbelde brief die hij haar had helpen schrijven, geen teken dat een van de beide families hun de schande had vergeven die ze over hen hadden gebracht.

'’t Is wel verschrikkelijk groot,' zei ze ademloos. 'Weet je zeker dat het veilig is?'

Henry moest glimlachen om haar kinderlijkheid. 'Ze heeft de oversteek al verschillende keren gemaakt zonder dat er iets fout is gegaan. Al die mensen zouden niet aan boord stappen als ze dachten dat het niet veilig was.'

Maureen leek niet erg overtuigd terwijl ze keek hoe de kratten en hutkoffers in het ruim werden geladen en de stoet van goedgeklede eersteklaspassagiers de valreep op liep. Ze leek naast hem ineen te krimpen toen de deftige accenten van het bovendek klonken. 'Wij zitten toch niet daarboven, hè?'

Hij schudde zijn hoofd terwijl hij dacht aan de cruise die hij nog maar een jaar geleden met zijn ouders had gemaakt. 'Wij reizen derde klas,' zei hij met spijt in zijn stem. 'Het geld blijft niet eeuwig duren en we moeten zoveel mogelijk zien over te houden voor als we eenmaal in Australië zijn.'

Maureen friemelde aan de linten van haar nieuwe hoed en sloeg de bontkraag van de jas op waarmee Henry haar die ochtend had verrast. Haar haar was nog steeds erg kort en hoewel het aan het uitgroeien was tot een prachtige bos zwarte krullen, wist Henry dat ze zich in het openbaar nog steeds erg kwetsbaar voelde.

Hij keek naar haar terwijl ze het komen en gaan van de mensen om haar heen gadesloeg en zag haar opfleuren wanneer ze de zangerige tongval van het Iers herkende. 'Misschien valt het allemaal wel mee,' zei ze met geforceerde opgewektheid. 'Er zullen tenminste mensen van mijn eigen volk zijn om mee te praten.'

Henry keek naar de troep Ieren en hun vrouwen die beladen met kinderen en plunjezakken de loopplank van de derde klas op stommelden. Deze reis zou heel anders worden, realiseerde hij zich. Hij behoorde niet langer tot de elite, maar was deel van het gewone volk. Maar hij had op voorhand geweten dat een huwelijk met Maureen alles zou veranderen en hij had geen spijt van zijn beslissing. Het leven stond op het punt een stuk interessanter te worden. Hij kon de verschrikkingen van Londen achter zich laten en de zes maanden die het zou kosten om Australië te bereiken benutten om hun toekomst uit te stippelen.

'Laten we aan boord gaan,' zei hij, terwijl hij de opwinding in zijn buik voelde.

Geen van tweeën zag de roerloze figuur die tegen een stapel wolbalen stond geleund. Als dat wel het geval was geweest, zouden ze zich misschien hebben verbaasd over de vreemde intensiteit in de ogen van die toeschouwer en een akelig voorgevoel hebben gekregen.

Kate trok aan het nauwsluitende jasje en zette haar hoed recht. De nieuwe rok en blouse waren betaald van haar laatste loon en haar laarzen waren glimmend gepoetst. Ze klemde de tas met haar aardse bezittingen tegen zich aan en deed haar best kalm te blijven. Maar dat viel niet mee. De geluiden en taferelen op deze Londense kade versterkten alleen maar het gevoel dat dit het begin was van een nieuw leven in een nieuwe wereld en ze kon nauwelijks stil blijven staan.

'Weet je zeker dat dit is wat je wilt, Kate?'

Ze keek op in het vriendelijke gezicht en knikte. 'Ja, eerwaarde,' zei ze zachtjes.

'We zullen je missen,' zei hij treurig. 'Je bent een harde werker, zeker weten.'

Kate dacht aan de uren dat ze vloeren had geschrobd in die tochtige, koude pastorie, aan het bereiden van de maaltijden voor de zes priesters en de onwelkome aandacht die ze van een van hen had gekregen. Ze huiverde toen ze eraan dacht hoe bang ze was geweest toen hij plotseling naast haar bed was opgedoken. Hoe afschuwelijk het was geweest toen hij probeerde bij haar te kruipen – haar probeerde aan te raken op plekken die geen priester ooit hoort aan te raken.

Het was haar gelukt hem te schoppen, hard – precies op de plaats waar dat het meeste pijn deed en sindsdien had ze 's nachts haar deur gebarricadeerd. Maar hij had er een gewoonte van gemaakt haar overdag overal te volgen. Dan dook hij plotseling op wanneer zij in de veronderstelling leefde dat ze alleen was.

Omdat ze wist dat ze toch niet zou worden geloofd, had ze haar mond gehouden en was begonnen plannen te maken voor haar ontsnapping. Toen pater Pat haar vertelde dat hij naar het zuiden zou reizen op weg naar een conferentie in Rome, besefte ze dat dit haar kans was.

Op de lange reis naar het zuiden had ze hem deelgenoot gemaakt van haar dromen over verre kusten en de kans om werkelijk iets van haar leven te maken en hij had haar verrast met zijn enthousiaste reactie en zijn zoektocht naar een nieuwe baan voor haar had al snel resultaat gehad. Haar overtocht was betaald door meneer Reed, een weduwnaar die terugkeerde naar Australië, die haar in dienst had genomen om hem te helpen met zijn twee kleine kinderen. Nu stond ze hier te wachten om aan boord te gaan van de SS *Swallow*.

'Dank u wel dat u me die baan hebt bezorgd, eerwaarde,' zei ze met een glimlach. 'Ik weet niet hoe ik u ooit kan terugbetalen.'

Er lag een ernstige uitdrukking op zijn gezicht. 'Ik denk dat je het wel hebt verdiend om een nieuwe start te maken, Kate,' zei hij zachtjes. 'Deze laatste twee maanden kunnen niet gemakkelijk voor je zijn geweest.'

Haar ogen werden groot toen de volle betekenis van zijn woorden tot haar doordrong. 'Als u het wist, waarom hebt u dan niet...?'

'Er zijn regels en voorschriften waarvan we moeten laten zien dat we ze gehoorzamen, Kate. Maar wees ervan verzekerd dat de Kerk de zaken recht zal zetten.' Hij rechtte zijn rug en glimlachte. 'Ik zal ervoor zorgen dat jouw brieven bij de pastoor van je familie komen, zodat hij ze kan voorlezen en ik hoop dat, als je je daar eenmaal thuis voelt, je verdergaat met leren. Je hebt een goed verstand en ik denk dat we op een dag allemaal erg trots op je zullen zijn.'

Kate bloosde en boog haar hoofd. Ze had het lezen en schrijven snel opgepikt toen pater Pat haar eenmaal was gaan onderwijzen en er leken geen woorden te bestaan om hem te bedanken voor alles wat ze dankzij zijn hulp had bereikt. 'Het was heel vriendelijk van u om zoveel tijd aan me te besteden,' mompelde ze.

'Het was me een genoegen, Kate.' Hij keek over haar hoofd en zwaaide. 'Het lijkt tijd om afscheid te nemen,' zei hij opgewekt. 'Ik zie meneer Reed bij de valreep op je staan wachten.'

Kate maakte een kniebuiging. De mengeling van angst en opwinding was sterk en nadat hij haar zijn zegen had gegeven, zocht ze haar weg door de mensenmassa en liep in de richting van de loopplank naar de eerste klas.

De wetenschap dat ze alles wat ze kende achter zich liet maakte haar verdrietig, want ze wist dat ze haar familie waarschijnlijk nooit meer zou zien. En toch, ze kon niet voorbijgaan aan het feit dat er nieuwe horizonten voor haar openlagen en er lag iets veerkrachtigs in haar tred waarmee ze naar de lange, gebronsde man toe liep die haar nieuwe werkgever was.

Patrick Dempster had kans gezien uit handen van de politie te blijven en had na zijn terugkeer naar Londen genoeg bij elkaar geschraapt om de overtocht op de SS *Swallow* te boeken. Nu, terwijl hij op de kade stond en de bedwelmende geuren opsnoof en luisterde naar de geluiden om zich heen, trappelde hij van ongeduld om aan zijn nieuwe leven te beginnen. Want hij wist dat dit zijn laatste kans was en hij kon bijna niet wachten om te zien hoe het er aan de andere kant van de wereld aan toe ging.

Hij had de verhalen gehoord over goud en edelstenen die voor iedereen die de moed had ernaar te zoeken voor het oprapen lagen. Hij had horen vertellen over stukken land die zich verder uitstrekten dan een mens kon kijken en die voor een appel en een ei te koop waren. Die heerlijke nieuwe wereld was een geschenk uit de hemel voor mannen als hij. Mannen die niet gebonden waren en gewend waren aan ontberingen. Mannen die leefden van wat ze bij elkaar wisten te scharrelen en geen uitdaging uit de weg gingen.

De opwinding bezorgde hem vlinders in zijn buik terwijl hij over de hoofden van de rumoerige menigte naar de hoog oprijzende masten en schoorstenen van de oceaanstomer keek. Het zou al snel tijd zijn om aan boord te gaan, maar hij wilde dit gevoel van verwachting nog zo lang mogelijk vasthouden. Hij wilde de opwinding voelen groeien tot hij zich nauwelijks nog kon inhouden. De ervaring had hem geleerd dat het allemaal nog mooier en fijner zou zijn als hij tot het laatste moment wachtte om dit avontuur volledig tot zijn recht te laten komen.

Hij zag een paar balen wol die waren uitgeladen en lagen opgestapeld in afwachting van het moment dat ze zouden worden opgehaald en hij leunde er tegenaan. Zijn nieuwsgierige blik ging over de menigte om hem heen en bleef rusten op een jong stel. Ze zeiden hem niets, maar zijn instinct vertelde hem dat er iets niet klopte en zijn belangstelling was gewekt.

Patrick spuugde het strootje uit waarop hij had staan kauwen en nam ze vanonder de rand van zijn hoed op. De vrouw leek slecht op haar gemak, friemelde de hele tijd aan haar hoed en hing zenuwachtig aan de arm van de man. Hij daarentegen leek volkomen rustig en het was duidelijk dat hij zijn best deed haar te kalmeren. Maar er klopte iets niet in wat hij zag en Patrick fronste zijn voorhoofd terwijl hij probeerde te bedenken wat dat was.

Hij bekeek hen aandachtig en kneep zijn ogen tot spleetjes tegen het felle zonlicht dat in de ruiten van de loodsen weerkaatste. Er was nauwelijks twijfel mogelijk dat de man een heer was. Dat sprak uit de houding van zijn schouders en de arrogante kin en toen ze langs hem liepen, ving hij de ronde klinkers op die getuigden van een dure Engelse opvoeding en zag hij een glimp van een gouden horlogeketting. Maar de vrouw fascineerde hem het meest, want ze mocht dan modieus gekleed gaan, haar accent was puur Kerry.

Patrick pakte zijn tas en liep achter hen aan. Wat moest een meisje uit Kerry met zo'n man? Ze was geen bediende, dat was duidelijk te zien aan de manier waarop ze zich aan hem vastklampte. Misschien zijn maîtresse dan en was dit hun laatste samenzijn voor zijn vertrek?

Patrick trok een gezicht en schudde zijn hoofd. Wat maakte het ook uit. De man zou eersteklas reizen en hij zou hem nooit meer zien, en het meisje zou teruggaan naar de steeg waarin hij haar gevonden had.

Hij hees zijn tas op zijn schouder, bande het vreemde koppel uit zijn gedachten en begon te fluiten. Het was een mooie dag en hij was vastbesloten te genieten van het gevoel van de straatstenen onder zijn voeten, want het zou ongeveer een halfjaar duren voor hij weer voet aan land zou zetten.

Plotseling zag hij vanuit zijn ooghoeken een snelle beweging in de menigte en zijn instinct, gescherpt door jaren van straatleven, zei hem dat er rottigheid op komst was. Voor hij nog een stap had kunnen doen, doken twee jongens op uit de mensenmassa en Patrick herkende het patroon onmiddellijk.

De eerste knaap rende in volle vaart tegen de man op die Patrick had gadegeslagen en ontdeed hem onder het aanbieden van zijn welgemeende verontschuldigingen en met een handigheid die een goochelaar niet zou hebben misstaan van zijn gouden horloge en ketting. Die werden razendsnel doorgegeven aan de tweede jongen die weer opging in de massa.

Patrick was zijn scherpe blik voor belangrijke kansen nog niet kwijt en hij liet de tas van zijn schouder glijden en liep achter de jongen aan. Het terugbrengen van een dergelijk horloge zou vast een flinke beloning opleveren en het zou zeker geen kwaad kunnen aan boord zo'n rijke beschermheer te hebben.

Er kwamen geen alarmkreten van de kade terwijl Patrick zijn weg zocht door de mensenmenigte en de vuile, groene pet in het oog hield. Het slachtoffer had ongetwijfeld nog niet eens gemerkt dat zijn horloge weg was.

Hij zag de jongen achter een paard en wagen duiken en de schaduw opzoeken van wat eruitzag als een verlaten pakhuis. Patrick verborg zijn tas achter een stapel manden vol kippen en glipte de duisternis in – hij moest beide handen vrij hebben voor het geval het op een vechtpartij uitliep. Hij volgde het geluid van de ademhaling van de jongen en het geschuifel van diens laarzen op de afbrokkelende stenen vloer.

De knaap gilde het uit van angst en pijn toen Patrick hem bij de nek greep en tegen de muur duwde. 'Geef op,' gromde hij.

'Ik weet niet waar je het over hebt,' hijgde de jongen terwijl hij schopte en probeerde los te komen.

'Het horloge en de ketting.' Patrick zweette. Zijn tijd en geduld raakten op en het maatje van de jongen kon elk ogenblik opduiken. 'Waar zijn ze?' Hij kneep een beetje harder.

'In m'n zak,' piepte de jongen.

Patrick hield hem tegen de muur gedrukt terwijl hij met zijn andere hand de vettige broekzakken doorzocht. De jongens hadden het druk gehad, dacht hij met een grimmig lachje. Hij haalde verschillende portefeuilles tevoorschijn, een armband en een horlogeketting, een paar zakdoekjes van fijn linnen en het horloge. Hij liet zijn greep wat verslappen, maar hield een hand tegen de borst van de jongen gedrukt terwijl hij de buit inspecteerde.

'Dit zooitje kun je houden,' zei hij. 'Ik neem het horloge en het geld.'

'Je kunt niet...'

'O, jawel, dat kan ik wel,' grauwde Patrick en hij gaf de jongen een zet. 'Donder nou maar op en ga ergens anders stelen.'

Hij keek hoe de jongen door de duisternis naar de achterkant van het gebouw strompelde. Hij hoorde hem enkele treden opklimmen en wegrennen. Hij werd herinnerd aan zijn eigen jeugd, aan de keren dat hij dezelfde truc had uitgehaald en zijn buit werd ingepikt door grotere en sterkere jongens tot hij groot genoeg was om terug te vechten.

Patrick stak het geld in zijn zak en haalde, met het horloge in de hand, zijn tas weer op en liep terug naar het schip.

Het stel was naast de valreep blijven staan en keek omhoog naar het schip. Het drong tot Patrick door dat ze nog niets hadden gemerkt van de diefstal en hij kwam even in de verleiding zijn mond te houden. Maar toen dacht hij aan de beloning die hij ongetwijfeld zou krijgen en stapte naar voren.

'Neemt u me niet kwalijk, sir. Ik geloof dat dit van u is.' Zijn stem klonk zo onderdanig als hij maar kon. 'Ik zag dat een kleine zakkenroller ermee vandoor ging en ik ben erachteraan gegaan.'

De hand van de man vloog naar zijn vestzak en alle kleur verdween uit zijn gezicht. 'Lieve hemel,' zei hij naar adem snakkend. 'Ik heb er helemaal niks van gemerkt.'

Patrick gluurde naar de vrouw die hem achterdochtig aankeek en hij keek gauw de andere kant op en overhandigde het horloge. 'Zo vlug als water, dat zijn ze, zeker weten. Je moet ogen in je achterhoofd hebben om ze te betrappen.'

'Dank u, meneer...?'

'Patrick Dempster, sir, tot uw dienst.' Hij probeerde niet te laten merken hoe erg zijn eigen kruiperigheid hem tegenstond, maar als dat een beetje extra geld opleverde, kon hij er wel mee leven.

'Henry Beecham. En dit is mijn vrouw Maureen.' Hij aarzelde terwijl zijn vingers vruchteloos in de zakken van zijn vest zochten. 'Ik schaam me te moeten zeggen dat ik op het moment zonder kleingeld zit,' verklaarde hij met een rood aangelopen gezicht. 'Maar geloof me alstublieft als ik zeg dat ik u vreselijk dankbaar ben – en dat ik bewondering heb voor uw eerlijkheid.'

Patrick keek hem aan en zijn gedachten gingen her en der terwijl hij deze nieuwe informatie in zich opnam. Die gierige zakkenwasser zou hem geen cent geven. Wat wou hij dat hij dat verdomde horloge had gehouden. Daar had hij een goede prijs voor kunnen krijgen.

Toen bekoelde zijn woede; hij keek van het meisje naar de man en toen drong tot hem door wat het was dat hij eerder had gevoeld, maar waar hij niet de vinger op had kunnen leggen. Dit was een emigrant. Verstoten door zijn familie vanwege dat Ierse meisje aan zijn zijde. Hij ontspande zich. Hier moest hij zorgvuldig mee omgaan. Want de man mocht dan wel geen geld op zak hebben, de rijken gaven hun onhandelbare zonen altijd genoeg mee om comfortabel van te leven. 'Vertrekt u vandaag, sir, of bent u hier om iemand weg te brengen?' vroeg hij.

Henry klopte zijn vrouw op de hand en glimlachte haar toe. 'Ja, we vertrekken vandaag, meneer Dempster.' Hij keek Patrick aan. 'U ook?'

Patrick knikte. 'Maar ik denk niet dat we elkaar nog zullen zien, want ik verblijf op het tussendek.' Hij tikte aan zijn pet en gluurde weer naar Henry's vrouw. Ze stond hem nog steeds te bestuderen en het wantrouwen bleek duidelijk uit haar blik – en hij wist dat zijn toneelstukje haar geen ogenblik voor de gek had gehouden.

'Ik wens u en uw vrouw het allerbeste,' voegde hij eraan toe terwijl hij aanstalten maakte om weg te gaan.

Henry's stem hield hem tegen. 'Mijn vrouw en ik zouden het op prijs stellen als u met ons zou willen eten, meneer Dempster.' Hij keek Patrick uitdagend aan. 'Het ziet ernaar uit dat we onder dezelfde omstandigheden reizen.'

Patrick zag de blik van afschuw op het gezicht van de vrouw en hield zijn blik omlaag gericht terwijl hij het aanbod aannam en de twee mannen elkaar de hand schudden.

Hij wierp opnieuw een waakzame blik op de vrouw van Beecham terwijl hij zich bukte om zijn tas te pakken. Hij zou het heel zorgvuldig moeten aanpakken, wilde hij haar vertrouwen winnen. Het meisje was duidelijk bijdehand en hij had het vermoeden dat als hij er niet in slaagde haar aan zijn kant te krijgen, zijn nog onvolgroeide plan gedoemd was te mislukken.

Maar wat een goed plan, dacht hij terwijl hij achter hen aan de loopplank naar de derdeklasse opliep. Want Beecham stond al bij hem in het krijt en het idee dat eerder bij hem was opgekomen begon vorm te krijgen. Hij had zes maanden om dat plan te vervolmaken en dan zou hij het Beecham voorleggen. Die kon dan niet anders dan ermee instemmen. Daar zou hij wel voor zorgen.

4

Fiona klom uit het zwembad en sloeg de handdoek om haar middel. De zon was bezig onder te gaan en de nacht beloofde een welkome verkoeling na de hitte van de dag. Ze droogde haar haar terwijl ze het veiligheidshek achter zich dichtdeed en blootsvoets naar haar appartement op de begane grond liep. Er lag nog steeds wat achterstallige administratie op haar te wachten na haar lange afwezigheid en ze wilde haar portfolio met foto's nog een laatste keer controleren voor ze die afleverde bij de redactie van het tijdschrift.

Het twee verdiepingen tellende appartementencomplex lag op een heuvel en keek uit op de rivier en het centrum van Brisbane. Er waren, behalve een gemeenschappelijk zwembad en een fitnessruimte, een paar bubbelbaden en een kinderdagverblijf, en Fiona kreeg voortdurend te horen hoeveel geluk ze had gehad dat ze de kans had gekregen het appartement te kopen voordat de prijzen de pan uit waren gerezen. Het complex lag namelijk ver genoeg verwijderd van de drukke snelweg om het verkeer niet te horen dat er vanaf 's morgens voor zonsopgang tot laat in de avond gebruik van maakte en lag toch dicht genoeg bij de rivier om een van de watertaxi's naar het centrum te nemen. De appartementen waren dan ook populair bij zakenmensen.

Ze liep de woonkamer in en deed de deur achter zich dicht. Het was fijn om weer thuis te zijn, haar eigen plek en bekende dingen om zich heen te hebben na al die tijd kamperend te hebben doorgebracht in de vochtige regenwouden van Brazilië. Het was een opluchting te kunnen doen waar ze zin in had en niet achter een man aan te hoeven rennen.

Ze glimlachte teder toen ze aan Barney dacht. Hij was een goeie vent, grappig, makkelijk om mee te praten – maar een ramp als het op een relatie aankwam. Ze wisten allebei dat zijn baan als verslaggever inhield dat hij een groot deel van de tijd op reis was en dat haar baan net zoveel tijd in beslag nam – maar Barney vergat altijd haar te vertellen dat hij op reportage moest en ze was de tel kwijtgeraakt van het aantal keren dat ze hem thuis had verwacht en vervolgens een paar dagen later een telefoontje kreeg uit de binnenlanden van Mongolië of een soortgelijke afgelegen plek. Na twee jaar was zijn voorraad smoezen uitgeput, net als haar geduld, en toen hij een keer niet kwam opdagen voor een speciaal weekend dat ze hadden gepland, had ze zijn koffers gepakt en die naar de redactie van zijn krant gebracht en ze op zijn bureau gedumpt.

Fiona verdrong haar gedachten aan Barney en nam haar huis in ogenschouw. De witte plavuizen waren koel aan haar voeten, de woonkamer was groot en vierkant en had aan één kant een kleine keuken. Ze had met opzet voor een witleren bankstel en witte muren gekozen en het geheel opgefleurd met uitbundige kleden en kussens. Ze had graag planten in huis gehaald, maar die zouden alleen maar doodgaan tijdens haar lange perioden van afwezigheid, dus dat had geen zin.

Ze hield niet erg van versieringen en franje en had daarom maar een paar familiekiekjes op de twee lage salontafels staan en haar boeken stonden keurig op een rij op de boekenplank. Een paar van haar eigen foto's hingen aan de muur, naast de ingelijste onderscheiding die ze vorig jaar had gekregen voor een serie foto's van aboriginalkinderen in het binnenland.

Haar slaapkamer keek uit op een klein terras, dat op zijn beurt weer uitzicht bood op het zwembad. De kamerhoge ramen namen het grootste deel van een van de muren in beslag en ragfijne gordijnen van mousseline hielden de zon buiten. De badkamer was alleen bereikbaar via de slaapkamer, maar verderop in de gang was een tweede slaapkamer en nog een badkamer.

Ze trok haar natte bikini uit, liet zich op het tweepersoons bed vallen en ging verder met het drogen van haar haar. Als ze vanavond al haar werk afkreeg, kon ze morgenochtend vroeg al naar Bellbird vertrekken en zou ze Mim een tijdje voor zichzelf hebben. Het was al een eeuwigheid geleden dat ze eens lekker hadden kunnen roddelen, en ze verheugde zich al een tijdje op wat zij haar Bellbirdzomer noemde – de twee weken dat de familie bij elkaar kwam op de boerderij in de outback.

Fiona trok een gezicht toen ze zich realiseerde dat haar haar een eigen leven was gaan leiden. Wat zou ze er niet voor overhebben om glad, glanzend haar te hebben dat niet iedere keer dat het nat werd in de klit schoot. En het had ook nog niet eens die prachtige koperkleur van mams haar, maar was gewoon modderbruin. Ze gooide de borstel aan de kant en keek naar haar spiegelbeeld. De Braziliaanse zon had haar sproeten weer tevoorschijn getoverd en hoewel haar bruine huid het blauw van haar ogen sprankelend helder deed uitkomen, wou ze dat ze niet Leo's nogal aristocratische neus had geërfd.

Ze draaide zich om, trok een spijkerbroek en een T-shirt aan en ging in de koelkast op zoek naar iets te eten. Met een pastasalade voor zich en een glas koude wijn bij de hand, pakte ze de telefoon en probeerde opnieuw haar zus te bereiken. Maar haar pogingen liepen stuk op de antwoorddienst, en ze gaf het op.

Louise wachtte tot Rafe de voordeur openmaakte en deed haar best er ontspannen uit te zien. Rafe was de hele avond afstandelijk geweest en ze waren in stilte naar huis gereden. Dat was geen goed teken. Als Rafe in zo'n bui was, kon het dagen duren voor hij iets tegen haar zei en ze had zoals gewoonlijk geen idee wat ze verkeerd had gedaan.

Haar gedachten tolden door haar hoofd terwijl ze over de marmeren vloer naar de keuken liep. Had ze iets gezegd of gedaan wat hem uit z'n humeur had gebracht? Misschien vond hij het niet leuk dat ze zo lang met die theaterdirecteur had staan praten – maar Ed was zo interessant dat ze de tijd had vergeten – en het was Rafes voorstel geweest dat zij de financieel directeur zou bezighouden terwijl hij met iemand van een andere firma ging praten.

Ze rommelde met de waterketel en liet hem bijna uit haar handen vallen toen ze hem vulde. Die langdurige stiltes maakten haar zenuwachtig en hoe langer ze duurden, hoe nerveuzer ze werd. 'Koffie?' vroeg ze toen ze zijn voetstappen hoorde naderen.

Hij graaide een pak sinaasappelsap uit de koelkast, sloeg de deur dicht en liep terwijl hij haar een kille blik toewierp de keuken uit.

Louise leunde tegen het koude, witte aanrecht en omklemde de rand. 'Doe dat nou niet, Rafe,' zei ze in de stilte. 'Vertel me dan tenminste wat het is dat ik gedaan zou hebben.'

Er kwam geen antwoord, alleen zijn zware voetstappen die op de blanke, dennenhouten treden van de trap weerklonken.

Louise draaide zich om en staarde uit het raam. Door het licht was het onmogelijk om de tuin te zien, of de hemel, en ze werd aangestaard door haar eigen spiegelbeeld. De weerspiegeling van een vreemde. Een magere, bleke vreemdeling die zich vastklampte aan het aanrecht alsof haar leven ervan afhing.

'Ik haat dit,' mompelde ze. 'Ik pik dit niet langer.' Met die dappere woorden nog nagalmend in haar oren ging ze de keuken uit en liep de trap op.

Het huis was enorm. Het stond op tweeënhalve hectare grond op een toplocatie aan de rivier, had vijf slaapkamers met badkamer, drie salons en een spelletjeskamer. Dat werd allemaal keurig netjes gehouden door twee werksters die twee keer in de week kwamen. In de tuin was een zwembad en een bubbelbad en ook daarvoor kwam hulp van buiten. Op momenten zoals dit vervloekte Louise het huis en had ze het gevoel dat ze was gestrand in een chique hotel – dit had nooit als een thuis aangevoeld, maar meer als een modelwoning. Misschien was alles anders geweest als ze kinderen hadden gehad, maar Rafe had uitgelegd hoe slecht dat in hun manier van leven paste en Louise had zich er met tegenzin bij neergelegd dat hij waarschijnlijk gelijk had.

Ze liep over de overloop en aarzelde even voor ze de deur naar hun slaapkamer opendeed. Rafe was nergens te zien, maar ze hoorde het water van de douche stromen. Ze kleedde zich vlug uit, glipte in haar nachthemd en sloeg een badjas om zich heen. Ze zat aan haar make-uptafel toen Rafe de kamer binnenkwam.

'Ik wou dat je wat tegen me zei,' zei ze met gemaakte luchtigheid terwijl ze haar make-up van haar gezicht haalde. 'Als jij me niet vertelt wat eraan scheelt, hoe kan ik het dan rechtzetten?' Haar hart ging tekeer en haar mond was droog, maar ze bleef vastberaden zitten waar ze zat en ging verder met haar avondritueel.

Ze keek naar Rafe in de spiegel terwijl hij zijn kleren voor de volgende dag klaarlegde. Zijn gezicht stond strak en zijn mond was een dunne streep van afkeuring. Ze draaide zich om op haar krukje en vouwde haar handen stevig samen in haar schoot terwijl hij haar aankeek.

'Ik weet wat je uitspookt, Louise,' zei hij koud.

'Ik spook helemaal niets uit,' antwoordde ze. Maar ze kreeg een kleur en haar handen beefden en friemelden aan de ceintuur van haar badjas terwijl zijn doordringende blik geen ogenblik van haar gezicht week. Waarom zorgt hij er altijd voor dat ik me schuldig voel terwijl er niets is om me schuldig over te voelen? Ze deed een vastberaden poging kalm en zelfverzekerd te lijken.

'Je gezicht verraadt je,' snauwde hij. 'Ik ben niet achterlijk, Louise. Ik weet dat je een verhouding hebt met die man met wie je vanavond stond te praten.'

Haar ogen werden groot en alle kleur verdween uit haar gezicht. 'Doe niet zo belachelijk.' De woorden waren er uit voor ze het wist en ze beet op haar lip. 'Ik had hem tot vanavond nog nooit eerder gezien,' mompelde ze.

'Belachelijk?' zei hij ijzig. 'Ik? Belachelijk? Ik denk dat je maar eens naar je eigen gedrag moet kijken voor je mij daarvan beschuldigt, Louise. Heb je enig idee hoe gênant het is om je vrouw te zien flirten met elke Jan, Piet en Klaas die ze ontmoet? Hoe misselijkmakend het is om te zien hoe een vrouw van middelbare leeftijd zichzelf voor gek zet met mannen die maar half zo oud zijn?'

'Dat heb ik niet gedaan,' zei ze naar adem snakkend. Maar ze voelde een spoortje schuld en vroeg zich af of ze misschien toch met Ed had staan flirten zonder het te beseffen. Hij was knap en het was leuk om met hem te praten en hij had haar aan het lachen gemaakt en dat voelde goed.

Rafe deed de deur van de slaapkamer open. 'We gaan trouwens niet naar Mim. Ik heb een vergadering.' Hij deed de deur hard achter zich dicht, alsof hij wilde benadrukken dat wat hem betrof hun gesprek voorbij was.

Louise zat op haar kruk en staarde naar de deur. Ze was bijna verstijfd door de schok en toch spookten er allerlei dingen door haar hoofd die ze tegen hem had willen zeggen. Maar ze wist dat die nooit zouden worden uitgesproken want, nu ze er goed over nadacht, misschien had ze zich vanavond wel een beetje flirterig gedragen. Ze had lang met Ed staan praten en Rafe was altijd al jaloers geweest. Ze had moeten weten hoe hij zou reageren.

'Stom, stom, stom,' zei ze binnensmonds terwijl ze haar badjas op de kruk liet vallen en in bed stapte. De lakens waren pas gestreken en voelden koud en glad aan tegen haar huid. Ze nestelde zich in de kussens en ging in gedachten die verontrustende scène van daarnet nog eens na.

Rafe was een goede echtgenoot en ze had geen idee hoe ze zonder hem verder zou moeten. Hij had haar geleerd hoe ze zich moest kleden en hoe ze zich in de hogere kringen moest gedragen. Hij had haar geschoold in het beleefd converseren en in de werking van het bankwezen en had haar een huis en een stijl van leven bezorgd waar andere vrouwen een moord voor zouden doen. Hij was gul met zijn geld, vroeg haar nooit iets als zij geld wilde om iets te kopen en hij steunde haar geweldig met haar dieet en zei voortdurend tegen haar dat ze er geweldig uitzag. Hoe vaak had hij niet tegen haar gezegd dat zijn jaloezie alleen maar zijn manier was om te laten merken hoeveel hij van haar hield? Ze had zich stom gedragen.

Maar toch was het wreed van hem om de jaarlijkse trip naar Bellbird af te zeggen, want hij wist hoe ze zich daarop had verheugd. Toen de eerste hete traan over haar wang biggelde, draaide ze haar gezicht in het kussen. Als ze beter haar best deed om hem tevreden te stellen, zou hij misschien van gedachten veranderen en haar vergeven. Want ze wilde hem niet kwijt, daarvoor hield ze te veel van hem.

Miriam zei Jake welterusten en deed de deur van haar slaapkamer dicht. De pijn kwam weer op en ze keek ernaar uit om onder de lakens te kruipen en de pillen hun werk te laten doen. Haar werkkleren hingen over een stoel en ze besloot dat ze nog wel een dagje meekonden; ze kon niet de energie opbrengen om de koperen boiler aan te steken.

Ze zette de speeldoos op het dressoir en draaide de sleutel om. Het vrolijke walsje vulde de kamer terwijl zij haar lange katoenen nachthemd aantrok en in bed klom.

Het was een vreemde dag geweest, peinsde ze, terwijl ze naar de kleine dansende figuurtjes keek en wachtte tot de pijnstillers in haar bloed waren opgenomen. Maar het was aangenaam om Jake als gezelschap te hebben, zelfs al was ze het er niet mee eens dat Eric op zijn bed sliep. Verdomde kat, dacht ze met een glimlach. Die weet wel wat hij wil.

Ze nestelde zich in de kussens en liet haar gedachten onder invloed van de muziek tot rust komen en toen de medicijnen de pijn begonnen te verlichten merkte ze dat ze haar gedachten op het volgende deel van haar verhaal kon richten. Want ze moest het allemaal goed vertellen, wilde Jake begrijpen hoeveel dit allemaal voor haar betekende.

Ze deed haar ogen dicht en zakte zachtjes weg, in slaap gewiegd door de ritmische bewegingen van een spookachtig schip dat langzaam zijn weg zocht over de oceaan.

Maureen klampte zich aan de verschansing vast en draaide haar gezicht in de wind. Het was lekker om aan dek te zijn na de bedompte en nogal stinkende lucht in hun verblijven benedendeks. Misschien dat de koude, zilte windvlagen de scherpe kantjes zouden wegnemen van haar misselijkheid waar ze nu al zo lang last van had en die er niet beter op was geworden door het stampen en slingeren van het schip.

Ze begreep maar niet waarom ze zo ziek was, want ze was vaak genoeg met haar oom mee geweest op zijn vissersschip en dan genoot ze juist van de toppen en dalen van de enorme golven op de Atlantische Oceaan. Haar vingers lagen beschermend op de groeiende ronding van haar buik en ze glimlachte. Ze was nog nooit eerder zwanger geweest. Misschien was dat het antwoord?

Ze haalde diep adem en probeerde de knagende twijfel te negeren terwijl ze over de uitgestrekte, grijze oceaan keek. Alle vrouwen hadden last van ochtendmisselijkheid, zei ze bij zichzelf. Die van haar was gewoon wat heviger vanwege de reis. De pijn die ze voelde was vermoedelijk een erfenis van het pak slaag dat ze in Ierland had gekregen en hoewel het daardoor soms lastig was in slaap te komen, had ze toch het gevoel dat het vandaag misschien iets beter ging. De baby binnen in haar leek beweeglijk genoeg, zoals hij de hele tijd schopte en draaide. Het vervelende gevoel zou ongetwijfeld binnenkort over zijn, net zoals de blauwe plekken waren verdwenen, en ze maakte zich nodeloos zorgen.

Maureen keek over haar schouder naar Henry. Zijn blonde haar glansde in het zwakke zonlicht en wapperde in de wind terwijl hij op een stoel zat en zich concentreerde op een schets van een van de passagiers. Het was fijn dat hij iets had om zich mee bezig te houden, dacht ze. En het was nog fijner dat hij er nog goed voor betaald werd ook. Het nieuws was als een lopend vuurtje rondgegaan en er was een lange wachtlijst van mensen die hun portret wilden hebben als herinnering aan deze gedenkwaardige reis.

Ze keek naar zijn hand die het potlood zo vast over het roomblanke papier bewoog, naar zijn hoofd dat over zijn werkstuk was gebogen en naar zijn ogen die schitterden van concentratie. Hij was zo getalenteerd, zo wanhopig vastbesloten zijn naam te vestigen en te bewijzen dat zijn vader het bij het verkeerde eind had. Waren de zaken maar anders gelopen. Hadden ze maar in Londen kunnen blijven en een geldschieter kunnen vinden.

Toen ze zich weer omdraaide om over de reling te kijken, voelde ze een scherpe pijnscheut. Ze slaakte onwillekeurig een kreet en probeerde die te onderdrukken door hard op haar lip te bijten. Ze was vastbesloten Henry niets te laten merken van haar ongemak en sloeg haar armen om haar middel en wachtte tot het overging. Haar vingers gingen zachtjes over de welving van haar ribben, want ze wist dat daar de bron van de pijn lag – herinnerde zich de zware trap met de laars die er de oorzaak van was. Ze hadden in ieder geval niet de baby vermoord, dacht ze terwijl ze haar ogen dichtdeed en de kreun die haar dreigde te ontsnappen inslikte.

'Gaat het?' Ze schrok bij het horen van Henry's stem.

Ze leunde tegen hem aan terwijl hij op het hellende dek achter haar stond en schonk hem een vluchtige, geruststellende glimlach. 'Alleen maar een beetje misselijk,' zei ze luchtig. 'Ik denk dat ik maar even ga liggen.'

'Wil je dat ik met je mee kom? Ik ben hier bijna mee klaar.' Zijn blauwe ogen keken bezorgd op haar neer.

Ze schudde haar hoofd. 'Nee, nee,' zei ze vlug. 'Ik ben liever even alleen en bovendien lig ik voor je het weet al te slapen.' Ze kuste hem op zijn wang. Ze proefde het zout van het buiswater, voelde de kilte van de wind en wist dat ze niet helemaal eerlijk tegen hem was. Maar ze troostte zichzelf met de gedachte dat ze er al bijna vijf maanden in slaagde haar ongemak voor hem verborgen te houden en bovendien had het geen enkele zin dat hij zich zorgen maakte aangezien hij toch niets kon doen.

Maureen hield zich stevig aan de houten leuning vast terwijl ze de smalle trap naar de slaapzalen van de derdeklas af ging. Ze hoorde een baby huilen en de klanken van een viool die tussen het geroezemoes van stemmen doorzweefden. Er was geen twijfel mogelijk, dacht ze terwijl ze haar weg zocht naar hun met gordijnen afgeschoten slaapplaats, Ieren wisten overal het beste van te maken.

Afgezien van de zware gordijnen die ze 's avonds dicht konden doen, boden de lange rijen stapelbedden maar weinig privacy. Maureen en Henry hadden een plekje in het gedeelte voor getrouwde stellen en meer in de richting van het voorschip was het deel voor de vrouwen. De mannen en jongens waren ingekwartierd in het achterschip en daar kwam het meeste lawaai vandaan. De maaltijden werden gebruikt op banken aan lange tafels op schragen die waren opgesteld tussen de twee secties. Dit deel was het middelpunt geworden waar mensen bij elkaar kwamen om te kletsen en boerenwijsheden uit te wisselen terwijl ze hun violen en trommels bespeelden en Ierse liederen zongen.

Ze trok haar hoofd in om het niet tegen het bovenbed te stoten en liet zich op de hobbelige matras zakken. De pijn zakte enigszins, maar ze was er een beetje misselijk en licht van in haar hoofd geworden. Ze wikkelde de ruwe deken om haar schouders, ging liggen en trok haar knieën op. Als ze maar kon slapen, dan zou ze zich misschien wel beter gaan voelen. Ze was zo moe – zo ontzettend moe dat alles haar enorme inspanning kostte.

Kate haastte zich de trappen af; haar gezicht zag rood van het tempo waarmee ze van de hutten van de eersteklasse naar de derdeklasse ging. Haar haar was verwaaid en haar wangen tintelden terwijl ze met een sprongetje de laatste twee treden nam en in de richting van Maureens kooi liep. Ze had maar een uur voor de kinderen haar weer nodig zouden hebben en ze wilde even kijken of haar vriendin zich wat beter voelde.

'Hé, Kate. Kom op, dans met ons, meid.'

Ze glimlachte bij het horen van de bekende stem en riep terug: 'Ik heb wel iets beters te doen dan met jou dansen, Seamus Dooley.'

'Ach, liefje,' riep hij met gemaakte droefheid vanuit de diepten van het achterschip. 'Je breekt mijn hart, echt waar.'

Die opmerking werd begroet met gejoel en gefluit van zijn kornuiten.

Kate glimlachte en liep met snelle pas verder. Seamus Dooley had wel lef, dat stond vast, maar ondanks zijn knappe donkere uiterlijk en zijn radde tong, was ze niet van plan zich met hem in te laten. Hij keek te veel naar de vrouwen en de manier waarop hij met ze omging zou hem vroeg of laat in de problemen brengen en daar wilde ze niets mee te maken hebben. Want wat had het voor zin om naar de andere kant van de wereld te reizen als ze zich in de armen liet vallen van de eerste de beste knappe man die ze tegenkwam.

In de verblijven van de getrouwde stellen was het rustiger, want de meeste passagiers hadden beseft dat het prettiger was om overdag aan dek te zijn. Kate ging langzamer lopen en haar voetstappen maakten nauwelijks geluid toen ze naar Maureens gordijn toeliep en haar hoofd er omheen stak.

Maureen knipperde met haar ogen en glimlachte. 'Wat doe jij hier, Kate?' mompelde ze. 'Ik dacht dat je op de kleintjes moest letten?'

'Het is lunchtijd,' zei ze terwijl ze op de rand van het matras ging zitten. Ze was nogal ingenomen met zichzelf dat ze eraan had gedacht het geen warm eten te noemen, want de rijkelui aten 's avonds warm. 'Meneer Reed vindt het prettig als de meisjes bij hem in de eetzaal zijn.'

Maureen vertrok haar gezicht toen ze op haar elleboog leunde. Ze probeerde het te verbergen door te geeuwen. 'Ik moet in slaap zijn gevallen,' zei ze zachtjes.

Kate liet zich niet voor de gek houden. Ze zag hoe bleek Maureen was, hoe ze ondanks het ochtendslaapje nog steeds donkere kringen onder haar ogen had. 'Heb je erg veel pijn?' vroeg ze vriendelijk.

'O, dat stelt niks voor,' zei Maureen schouderophalend. 'Maar ik zal blij zijn als ik m'n voeten eindelijk weer eens ergens neer kan zetten waar ik niet alle kanten op word geslingerd.'

'Vind je niet dat Henry het moet weten?' hield Kate aan.

'Nee!' Het antwoord klonk snauwerig. 'Hij heeft al genoeg om zich zorgen over te maken. Bemoei je er niet mee, Kate.'

Kate keek haar vriendin aan en wou dat ze iets kon zeggen om haar ervan te overtuigen dat ze naar de dokter moest. Want die voortdurende misselijkheid klopte niet en dat gold ook voor de scherpe steken in haar zij. Maar ze mocht Maureens vertrouwen niet beschamen en het toch aan Henry vertellen.

'Het spijt me, Kate,' mompelde Maureen. 'Ik wilde niet zo lelijk doen.' Ze glimlachte flauwtjes. 'Je bent een goede vriendin voor ons allebei en ik geloof niet dat je beseft hoe erg ik dat waardeer.'

Kate klopte op haar hand en glimlachte. 'Je hoeft je niet te verontschuldigen,' zei ze luchtig. 'Zorg jij nu maar dat je weer op krachten komt.'

Maureen ging achterover liggen en sloot haar ogen en Kate bleef haar hand vasthouden tot ze er zeker van was dat ze weer in slaap was gevallen.

Ze hadden elkaar kort na het vertrek van de SS *Swallow* uit Londen ontmoet. Kate had zich de verblijven van de derdeklas binnen gehaast nadat ze meneer Reed had geholpen de kinderen in te stoppen, en was tegen Henry en Maureen aangebotst toen het schip plotseling in de toenemende deining overhelde. Kate had gezien hoe onbeholpen Henry voor Maureen probeerde te zorgen en had die taak op zich genomen. Dat was het begin van een bloeiende vriendschap en Kate was de vertrouwelinge van hen beiden geworden.

Maureen had haar verteld over hun vlucht uit Ierland en de reden waarom ze deze reis ondernamen. Henry had haar zijn hoop en dromen toevertrouwd om ondanks zijn vader ooit een beroemde kunstenaar te worden. Kate bewonderde hun moed en hoopte dat ze op een dag ook een man als Henry zou ontmoeten die van haar zou houden en haar zou beschermen en alles in het werk zou stellen om haar te behouden.

Ze stond op van de matras van paardenhaar en stopte Maureens hand onder de dekens voor ze het gordijn dichttrok. Ze was langer beneden gebleven dan ze van plan was geweest en zou zich vreselijk moeten haasten als ze terug wilde zijn op het bovendek voor ze werd gemist.

Kate rende door de nauwe gang. Toen ze haar rokken optilde en de trap oprende zag ze de gestalte die boven haar uittorende niet. Ze rende pardoes tegen hem aan en stuiterde terug van zijn brede borst als de bal van een kind.

Ze slaakte een kreet van schrik terwijl ze met zwaaiende armen op de bovenste tree balanceerde en haar evenwicht probeerde te bewaren. Sterke handen grepen haar om haar middel en trokken haar in veiligheid. Ze kwamen allebei op het dek terecht.

'Dank u,' hijgde ze terwijl ze haar rokken gladstreek en het haar uit haar ogen veegde.

'Graag gedaan,' was het antwoord en hij greep haar bij haar pols en trok haar overeind.

Kate keek op en verstijfde. Het was een gezicht dat ze eerder had gezien. Een gezicht dat ze nooit zou kunnen vergeten. 'Ik, ik...' begon ze.

'Doe geen moeite,' zei hij opgewekt. 'Patrick Dempster is de naam, maar mijn vrienden noemen me Paddy.' Hij stak zijn hand uit. 'Aangenaam kennis met u te maken.'

Ze putte moed uit het feit dat ze wist dat hij haar nooit eerder had gezien en niet wist wat zij had gezien – maar de schok hem weer te zien en het besef dat ze nog minstens twee maanden samen zouden reizen, maakten haar sprakeloos. 'Kate,' stamelde ze. 'Ik moet gaan. Ik ben al te laat.'

Ze pakte de zoom van haar rok en begon te rennen. Ze wilde afstand tussen hen. Ze moest het gevoel van zijn handen van zich afwassen in de schone, snijdende zoute wind.

Maar ontsnappen was een illusie, want ze hoorde hem achter haar roepen.

'Tot ziens, Kate.'

5

Fiona had niet zo best geslapen en ze dacht dat dat kwam door jet-lag. Maar terwijl ze de motortassen aan het inpakken was voor de ophanden zijnde reis, realiseerde ze zich dat haar zorgen om Louise er ook mee te maken hadden. Ze had eerder geprobeerd te bellen en had weer die verdomde antwoorddienst aan de lijn gekregen.

Ze beet op haar lip en keek op haar horloge. Ze had niet veel tijd meer. De tocht naar Bellbird nam minstens anderhalve dag in beslag, maar als ze opschoot kon ze het spitsuur nog net voor zijn en binnen een halfuur bij Louise zijn. Ze had een besluit genomen, sloot haar appartement af, zette haar valhelm op en reed de motor langs de beveiligingshekken de weg op. Binnen enkele minuten reed ze over de snelweg in de richting van Story Bridge.

De zon was nog maar net boven de horizon toen ze voor de indrukwekkende poort tot stilstand kwam en de motor stationair liet draaien terwijl zij haar vinger op het knopje van de intercom gedrukt hield.

'Wie is daar?' vroeg een vervormde stem ongeduldig.

'Ik ben het, Fiona. Laat me erin, Louise.'

Het bleef lang stil en toen klonk de zoemer van het veiligheidsslot en zwaaide de poort langzaam open. Fiona manoeuvreerde de motor ertussendoor en reed de met grind bedekte oprijlaan op.

Het huis was indrukwekkend en opzichtig, met wit pleisterwerk en elegante balkons, en ademde aan alle kanten geld. Het gazon was zo glad als een biljartlaken, de bomen en struiken keurig gesnoeid en het witte zeil dat boven het zwembad hing leek in de ochtendzon wel licht te geven.

Fiona zette de motor uit en klapte met haar voet de standaard uit. Ze zwaaide een been over het zadel en deed haar helm af. Terwijl ze haar haar uitschudde, liep ze de witte marmeren trap op naar het door zuilen omgeven bordes.

'Wat is in hemelsnaam de bedoeling? Wat is er aan de hand dat je hier zo vroeg bent?' Louise was gekleed in haar ochtendjas.

Fiona liep langs haar heen de enorme hal binnen. Haar laarzen galmden op het marmer. 'Waar is Ralph?' vroeg ze kortaf.

Louise keek even beduusd. 'Die is al naar de stad. Moest je hem ergens voor hebben?'

'Nee.' Fiona liep de keuken in en ging aan de eetbar zitten. Ze hielp zichzelf aan koffie uit het koffiezetapparaat en deed er suiker en melk in. 'Ik ben hier omdat ik jou wilde spreken,' zei ze ten slotte. 'Ik wilde alleen niet dat Ralph zich ermee bemoeit.'

Louise sloeg haar armen om zich heen en haar gezicht stond strak en boos. 'Jij hebt wel lef, zeg,' zei ze scherp. 'Je komt hier op een onmogelijk tijdstip binnenstormen en het eerste wat je doet is Ralph beledigen.' Ze ging aan de andere kant van de eetbar staan en keek woedend. 'Ik hoop dat dit belangrijk is, Fiona.'

Fiona realiseerde zich dat ze de zaken, zoals gewoonlijk, helemaal verkeerd had aangepakt. Ze had er niet meer aan gedacht hoe prikkelbaar haar zus 's morgens vroeg was en was zonder daar rekening mee te houden meteen van wal gestoken. 'Ik heb verschillende berichten bij je antwoorddienst achtergelaten. Als je me niet wilt zien, had je terug moeten bellen.'

'We waren pas na middernacht terug van de cocktailparty. Ik was van plan je later vanochtend te bellen.' Louise keek defensief en de lange, dunne vingers plukten nerveus aan de mouw van haar kamerjas.

Fiona keek haar lange tijd aan. Ze kende Louise te goed en ze durfde er heel wat onder te verwedden dat ze had gehuild. Haar voornemen om het over haar belachelijke dieet te hebben verdween. Als Louise toch al opgewonden was, zou dat alleen maar tot ruzie leiden. Maar het was wel de reden dat ze was gekomen en haar geweten stond haar niet toe dat nu te laten rusten. Ruzie of niet, Louise moest onder ogen zien hoe gevaarlijk ze bezig was.

'Waarom gaan we niet even ontbijten?' stelde ze voor. 'We zouden naar dat tentje bij de rivier kunnen gaan. Weet je nog, die baconsandwiches die ze daar hebben? En de warme chocolademelk met marshmallow? Daar was je vroeger dol op.'

Louise schudde heftig met haar hoofd. 'Je weet dat ik op dieet ben,' zei ze boos. 'Je bent toch zeker niet dat hele eind gekomen om het over ontbijt te hebben?'

'Eigenlijk wel, ja,' antwoordde Fiona terwijl ze haar koffiekopje op de bar zette. 'Ik maak me zorgen dat je niet goed voor jezelf zorgt,' zei ze rustig.

'Je bent alleen maar jaloers omdat ik flink ben afgevallen,' antwoordde Louise.

Fiona negeerde haar. 'Vind je niet dat het nu ver genoeg gegaan is?' vroeg ze vriendelijk. 'Als je nog meer afvalt, blijft er niets meer van je over.'

'Hier hoef ik niet naar te luisteren,' snauwde Louise. 'Jij bent de laatste die ik om advies zou vragen over diëten en voeding. Als je niks anders te zeggen hebt, kun je net zo goed vertrekken.'

Fiona kwam van haar kruk af en greep haar verbijsterde zus bij een arm en sleurde haar mee naar de garderobe op de begane grond. 'Trek uit,' snauwde ze en ze sjorde aan de kamerjas.

Louise worstelde om zich te bevrijden, maar Fiona was te snel. Ze trok de kamerjas los en moest een kreet van afschuw onderdrukken toen ze zag wat daaronder verborgen had gezeten. Louises ribben staken uit als het wrak van een oud oorlogsschip, de heupbeenderen priemden naar voren onder de dunne band van haar kanten slip en ze had zo goed als geen borsten.

'Wat doe je jezelf toch aan?' fluisterde ze geschrokken. 'Louise,' zei ze met overslaande stem terwijl ze haar zus dwong in de spiegel te kijken. 'Kijk dan verdomme toch eens naar jezelf!'

Louise staarde naar haar spiegelbeeld en trok de kamerjas over haar magere schouders. Ze trok de ceintuur strak om haar middel en streek haar korte haar achterover. 'Als je m'n zus niet was, zou ik je laten arresteren wegens aanranding,' zei ze kil. 'Waarom bemoei je je niet met je eigen zaken?'

'Maar dit kan toch niet zijn wat je wilt?' zei Fiona naar adem snakkend. 'Je bent jezelf letterlijk aan het doodhongeren.' Ze zag de schrik in haar zusters blik en begreep dat ze eindelijk tot haar doordrong.

'Wat is er toch, liefje,' zei ze zachtjes terwijl ze haar armen om haar heen sloeg. 'Waarom doe je dit toch?'

Louise verstijfde in de omhelzing, ze hield haar armen strak langs haar lichaam en stak haar kin opstandig naar voren. 'Het zijn m'n hormonen,' zei ze stijf. 'Ik eet wanneer ik daar zin in heb, maar ik kom gewoon niet aan.'

Fiona maakte zich los, gekwetst door deze overduidelijke leugen. 'Het komt omdat je ongelukkig bent,' zei ze vastbesloten. 'Je bent de controle over alles kwijt, behalve over wat je in je mond stopt.' Ze kreunde van afschuw. 'Word nou toch verstandig, Louise. Dit is een gevaarlijk spelletje waar je mee bezig bent.'

'Ben je bijna uitgepraat?' Louise's ogen spuwden vuur.

'Nee,' zei Fiona. 'Ik blijf er over doorgaan tot jij je verstand krijgt. Misschien zal de waarheid tot je doordringen als Mim eenmaal heeft gezien wat je jezelf aandoet.'

Louise duwde haar opzij en liep langs haar heen de hal in. 'We kunnen niet naar Mims verjaardag,' zei ze opstandig. 'Rafe heeft een belangrijke vergadering die het hele weekend duurt.'

Fiona gaf het niet zo gemakkelijk op. 'Dat hoeft jou toch niet te weerhouden,' zei ze kortaf. 'Je kunt met mij meerijden.'

'Dat had je gedroomd,' zei Louise en ze trok een gezicht. 'Jij bent levensgevaarlijk op die machine. En bovendien,' voegde ze er met een vastberaden blik aan toe, 'Rafe heeft me hier nodig om te helpen bij de ontvangst van de gasten. Ik heb geen tijd om naar Mim te gaan.'

'Gelul!' Het kon Fiona nu niets meer schelen en ze liet haar gevoelens de vrije loop. 'Die verdomde echtgenoot van jou is een klootzak. Zie je dan niet dat hij de vergadering opzettelijk heeft belegd, zodat jij niet naar Mim kunt? Dringt dan niet tot je door dat hij je zo onderdrukt en gemanipuleerd heeft dat je van voren niet meer weet dat je van achteren leeft?'

Louise drukte zich tegen de muur toen Fiona een stap in haar richting deed en haar toeblafte: 'Word wakker, Louise. Hij heeft je hier in deze marmeren tombe begraven en je afgezonderd van de rest van de wereld. Het eerste wat hij heeft gedaan is je acteerwerk afkraken, waardoor je dat hebt opgegeven. Vervolgens kreeg hij een hekel aan al je vrienden en ontzegde hun de toegang tot je huis. En nu is je familie aan de beurt.' Ze was buiten adem en stond te hijgen. 'Wie is de volgende, Louise? Is er nog iemand over?'

Louises gezicht was doodsbleek. 'Hoe durf je,' siste ze. 'Wat weet jij er verdomme van? Jij bent nooit getrouwd geweest. Het is jou nog nooit gelukt om een man langer dan vijf minuten bij je te houden. Je vliegt maar van hot naar her zonder je om iemand te bekommeren – en al helemaal niet om je familie. Wat geeft jou het recht om hier een beetje gewichtig te komen lopen doen? Dat gewicht is trouwens overduidelijk.'

Fiona's handen jeukten om haar in haar dwaze gezicht te slaan, maar ze hield zich in. 'Je bent nooit een sekreet geweest, dus begin daar nu niet ineens mee,' waarschuwde ze. 'Dit gaat niet over jou en mij, of zelfs maar over jou en de familie. Dit gaat over respect voor jezelf. Over voldoende eigenwaarde om tegen die zak in opstand te komen en weg te lopen.'

Haar stem was rustig terwijl ze naar de deur liep. 'Je hoeft niet in zijn schaduw te staan, Louise. Je bent slim en lief en prima in staat om zonder hem te leven.'

'Waarom zou ik? We zijn niet allemaal zoals jij en leven niet allemaal als een zigeunerin die van man verandert als ze daar zin in heeft. Ik ben in ieder geval geen slet.'

Fiona boog haar hoofd en staarde naar de marmeren vloer. Ze had al haar wilskracht nodig om de verleiding te weerstaan om die stomme trut in haar nekvel te pakken en haar eens goed door elkaar te rammelen. 'De familie verwacht je op Bellbird,' zei ze stijf. 'Als je niet komt opdagen, zal ik ervoor zorgen dat ze weten waarom niet.'

Ze keek naar haar zus die trillend tegen de muur stond. 'Ik geef Ralph geen schijn van kans als Leo hem eenmaal te pakken krijgt, dus ik zou het maar snel oplossen als ik jou was.'

'Eruit!' schreeuwde Louise en haar stem ging omhoog tot een doordringend gekrijs. 'Eruit, eruit, eruit!'

Net op het moment dat een kristallen vaas vlak langs haar hoofd zeilde en op het bordes aan diggelen viel, sloeg Fiona de deur achter zich dicht. Ze rende de trap af, zette snel de helm op haar hoofd en startte met een hoop gebrul de motor. Het grind spoot vanonder het achterwiel terwijl ze over de oprijlaan scheurde en de weg op reed.

Ze zou er koste wat kost voor zorgen dat Louise haar fout inzag, zwoer ze. En als dat betekende dat ze zelf met Ralph moest afrekenen, dan zou ze een manier zien te vinden.

Jake had een verwarde droom. Hij was aan boord van een zeilschip op weg naar Australië, maar hij dacht dat hij het aanhoudende geluid van een rinkelende telefoon hoorde. Het klopte niet. Hij worstelde zich omhoog door de lagen duisternis naar het daglicht en keek recht in de gele ogen van Eric.

De kat lag op zijn schouder en het zware geluid van zijn gespin trilde door de deken, terwijl hij met zijn klauwen piano speelde op de wol zonder zijn doordringende blik ook maar even af te wenden.

'Ga eraf,' zei Jake moeizaam terwijl hij met de kat en de dekens worstelde en uit bed klom. Hij liep de kamer uit en stapte de keuken binnen. Mim was nergens te zien en de telefoon bleef maar rinkelen.

'Hallo,' zei hij aarzelend.

'Wie is daar?' wilde een vrouwenstem aan de andere kant van de lijn weten.

'Jake Connor,' zei hij geeuwend en hij krabde aan zijn borst. 'Wie ben jij?'

'Waar is Mim?'

Jake fronste zijn voorhoofd en boog zich voorover om uit het raam te kunnen kijken. Hij kon maar een stukje van het erf en een hoek van de omheinde weide zien. 'Nergens te zien,' mompelde hij. 'Waarschijnlijk in de stallen.'

'Verdorie.' Er klonk een geërgerde zucht die werd gevolgd door een lange stilte.

Jake stond daar maar en zijn blote voeten werden koud op de stenen vloer en zijn pyjamabroek zakte af. Hij hees hem op. 'Kan ik een boodschap overbrengen?' vroeg hij toen de stilte ongemakkelijk werd.

'Wie ben jij eigenlijk? Wat moet je in Mims keuken?'

Jake had er genoeg van. 'Ik ben hier op bezoek,' zei hij kortaf. 'Maar laten we ter zake komen, want het is hier koud en ik ben nog niet aangekleed. Wie ben je en wat wil je?'

Er klonk zacht gegiechel aan de andere kant van de lijn. 'Sorry,' zei ze. 'Je zult me wel erg brutaal vinden. Ik ben Fiona – zegt je dat iets?'

Het drong tot Jake door dat ze probeerde uit te vinden hoeveel hij van de familie wist. Hij wreef met een afwezig gebaar over zijn borst en grinnikte. 'Jij bent Mims jongste kleinkind. Dochter van Chloe.'

'Dat klopt. Kun je een boodschap onthouden?'

Hij trok een wenkbrauw op. Wie dacht Fiona dat ze voor zich had – een idioot, of een schooljongen? 'Als ik een goeie dag heb kan ik het meeste wel onthouden,' zei hij quasi-ernstig. 'Maar als het volle maan is wordt het allemaal een beetje wazig.'

Daar was die giechel weer en Jake kwam tot de conclusie dat hij het geluid van haar lach prettig vond, ook al was zij ongetwijfeld de meest irritante persoon met wie hij die ochtend had gesproken. Het klonk diep en sexy, met een tikkeltje ondeugendheid dat zijn nieuws-gierigheid wekte.

'Wil je tegen Mim zeggen dat Louise en Ralph misschien toch niet op haar verjaardagsfeest komen?' Ze wachtte even. 'Dat moet genoeg zijn om ervoor te zorgen dat ze de telefoon pakt en zorgt dat hij als de donder daarheen komt,' voegde ze er bitter aan toe.

Jake hees zijn pyjamabroek nog eens op. 'Je gaat me zeker niet vertellen waar dit allemaal over gaat?'

'Dat klopt. Dat vertel ik niet,' antwoordde ze. Er viel even een stilte. 'Zeg tegen Mim dat ik onderweg ben en dat ik waarschijnlijk morgen in de loop van de dag op Bellbird aankom – waarschijnlijk vroeg in de avond.'

Dat was pas nieuws dat zijn dag opvrolijkte. Het leek hem interes-sant om deze nogal onstuimige, achterdochtige vrouw te ontmoeten. 'Uitstekend,' zei hij opgewekt. 'Tot later, dan.'

'Hoe lang blijf je eigenlijk?' Ze klonk op haar hoede.

'Zo lang als nodig is,' zei hij, in de wetenschap dat hij irritant bezig was, maar hij wilde wraak nemen.

'Wat heeft dat nou weer te betekenen?' zei ze kortaf. 'Wie ben jij in vredesnaam en waarom logeer je bij Mim? Wat is daar allemaal aan de hand?'

'Dat vertel ik je niet,' zei hij monter, en er welde een lach in hem op.

De verbinding werd plotseling verbroken toen de hoorn aan de andere kant met een klap op de haak werd gesmeten, en Jake daar halfnaakt en grijnzend bleef staan.

Miriam was bijna twee uur in de stallen bezig geweest en was moe. Ze liep het erf af en wandelde langzaam door het hoge gras naar haar favoriete boom en ging op de houten bank zitten die Edward in het eerste jaar van hun huwelijk had getimmerd. Hij was verweerd door de elementen en er zat geen verf meer op, maar het was een rustig plekje in de schaduw en ze had tijd nodig om weer kracht op te doen en na te denken.

Ze had een rusteloze nacht achter de rug. Beelden uit het verleden hadden zich zo sterk gemanifesteerd dat ze hun aanwezigheid nog steeds kon voelen, nu ze wakker was. Ze glimlachte ondanks haar vermoeidheid. De geestkracht van degenen die haar dromen en herinneringen bevolkten leefde nog voort en ze kon Kates bruisende, opgewekte energie en haar vaders vastberadenheid om datgene te doen wat juist was bijna voor zich zien. De zon leek iets van zijn kracht te verliezen toen ze zich Patricks duistere aanwezigheid herinnerde en ze huiverde.

'Gaat het, Mim?' klonk de zachte stem.

Ze keek op. Ze was niet opgeschrokken door zijn komst, ook al had ze hem niet horen aankomen, maar was eerder dankbaar dat hij op het goede moment gekomen was.

'Geesten,' zei ze vermoeid. 'Ze laten ons nooit echt met rust, hè?'

Jake gaf geen antwoord, maar ging alleen maar naast haar op de bank zitten en strekte zijn lange benen. Hij duwde zijn hoed in zijn ogen en stopte zijn handen in de zakken van zijn leren broek terwijl ze dit plezierige moment in de zinderende hitte deelden.

In de aanwezigheid van deze stille man voelde Miriam haar krachten terugkeren. Hij is dan misschien wel jong, dacht ze, maar hij straalt een rust uit die voortkomt uit tevredenheid. Ze had hem graag naar zijn vrouw willen vragen, naar de scheiding, maar ze wist dat dat te opdringerig zou zijn. Toch vroeg ze zich af hoe het kwam dat zo'n man een slecht huwelijk had gehad – misschien was het een kwestie van stille wateren die diepe gronden hebben – misschien had ze nog maar één kant van Jake Connor gezien.

Ze zat naast hem in de schaduw van de peperboom en luisterde naar het gezoem van de bijen. Het geluid van het erf bij de stallen werd door de wind meegevoerd en af en toe klonk het gekras van een kraai tussen het gebabbel van de parkieten door. Wat haar betrof was

Bellbird Station de plek die het dichtst bij het paradijs kwam en ze hoopte dat wanneer het moment zou komen dat ze eindelijk achter het mysterie van het leven na de dood kwam, dat op een plek als deze zou gebeuren.

Jake schraapte zijn keel, ging overeind zitten en zette zijn hoed recht. 'Er is vanmorgen een telefoontje voor je gekomen,' zei hij zachtjes. 'Van Fiona.'

Ze voelde iets van paniek. 'Je gaat me toch niet vertellen dat ze weer op pad moest, hè?' zei ze scherp. 'Ze heeft beloofd dat ze zou komen.'

Jake schudde zijn hoofd. 'Louise en Ralph zijn degenen die niet komen.' Hij dacht dat hij teleurstelling in haar ogen zag. 'Het spijt me, maar dat is alles wat Fiona heeft gezegd.'

Miriam stond op en zette kordaat haar hoed weer op haar hoofd. 'Jij hoeft je niet te verontschuldigen,' zei ze kortaf. Ze keek hem onderzoekend aan. 'Wat voor excuus heeft hij nou weer bedacht?'

Jake haalde zijn schouders op. 'Dat heeft Fiona niet gezegd.'

Hij torende hoog boven haar uit terwijl ze terugliepen naar de boerderij. Ze keek naar hem op. 'Wat is er zo leuk?' vroeg ze toen ze de glimlach zag die om zijn mondhoeken speelde.

'Fiona zei dat je boos zou zijn,' zei hij lijzig.

'Daar heeft ze gelijk in,' antwoordde Miriam terwijl ze stampend de treden op liep en de hordeur met een klap opensloeg. 'Maak jezelf nuttig, dan zal ik dit varkentje even wassen. De waterketel staat daar.'

Miriam belde naar het kantoor van Ralph, sprak met zijn secretaresse en wachtte. 'Ralph,' zei ze voor hij haar had kunnen begroeten. 'Ik hoop dat Louise en jij naar Bellbird komen zoals was afgesproken.'

'Ik zit hier helaas vast,' antwoordde hij, zonder dat er ook maar enige spijt in zijn stem doorklonk. 'Het blijkt dat we toch niet kunnen komen.'

'Dat is jammer,' zei Miriam met hetzelfde gebrek aan spijt. 'Ik hoopte dat je me zou kunnen adviseren over een aardig buitenkansje waar ik tegenaan ben gelopen. Maar het geeft niet, ik bel Baxter wel.'

Ze wachtte. William Baxter was de algemeen directeur van de naaste concurrent van Ralph en de twee mannen konden elkaars bloed wel drinken.

'Misschien dat ik de zaken nog kan omgooien,' zei hij met gespeelde nonchalance. 'Maar dat kan wel even duren.' Er volgde een pauze waarin wat geritsel van papieren te horen was. 'Kun je die meevaller niet via de telefoon met me bespreken?'

'Eigenlijk niet,' zei ze kalm. 'Ik had gehoopt dit in de familie te kunnen houden, maar als je niet kunt...' Ze maakte haar zin niet af, in de wetenschap dat hij geen weerstand zou kunnen bieden.

'Ik zal zien wat ik kan doen,' zei hij kortaf. 'Maar ik ben een drukbezet man en ik kan je niets beloven tot ik mijn mensen heb gesproken.'

Miriam legde de hoorn op de haak. 'Opgeblazen kwast,' zei ze terwijl ze de mok thee van Jake aannam en zich op de keukenstoel liet vallen.

'Het is dus niet gelukt?' Jake stond tegen de kast geleund met een dampende mok thee in zijn hand.

Miriam lachte en er verscheen een kuiltje in haar wang. 'Wil je wedden?' Ze ging met haar vingers door haar dikke, grijzende haar. 'Die komt heus wel. Als hij denkt dat er wat te verdienen valt komt hij snel genoeg in actie.'

Jake verschoof zijn slanke heup in een wat comfortabeler positie tegen de gehavende keukenkast. 'Fiona zei dat ze morgen in de loop van de dag aankomt. Waarschijnlijk laat in de middag,' zei hij, bijna als een gedachte achteraf. 'Ik zal er maar vandoor gaan, dan kan jij je aan je familiefestiviteiten wijden.'

Ze verborg haar vreugde over Fiona's ophanden zijnde komst met haar gebruikelijke bruuskheid. 'Geen sprake van,' zei ze op een toon die geen tegenspraak duldde. 'Ik ben nog niet klaar met het verhaal over mijn ouders. En je moet alles weten voor we ook maar enigszins de zaken op een rijtje kunnen krijgen.'

'Dat is misschien nog niet zo eenvoudig,' antwoordde Jake. 'Het geheugen kan je parten spelen en we kunnen ergens volledig van overtuigd zijn terwijl we het helemaal bij het verkeerde eind hebben.' Hij keek met een ernstig gezicht op haar neer. 'Ik zou er niet al te veel mijn hoop op vestigen, Mim. Het zou wel eens op niets kunnen uitdraaien.'

Ze keek hem ernstig aan, vastbesloten niet te laten merken hoe zijn pessimistische kijk haar beïnvloedde. 'Dus je gelooft dat ik geen schijn van kans heb?'

'Niet echt, nee,' bekende hij. 'Niet na wat je me tot dusver hebt verteld.'

'Dan wordt het tijd dat ik je het volgende stuk van het verhaal vertel en dan zullen we wel zien hoe je er dan tegenaan kijkt.'

Ze hees zich overeind en pakte de pot met pillen van het schap naast het fornuis. Ze nam er twee in met een flinke slok water en veegde haar mond af met de rug van haar hand. Ze zag hem kijken en trok een gezicht. 'Ik heb een beetje hoofdpijn, maar dat komt wel goed.'

Hij liep achter haar aan de hal in en door de deur naar de zitkamer. Het was een gezellige kamer, één waarin de tijd had stilgestaan. De kamer liep over de hele lengte van het huis en had vensters die uitzicht boden op zowel de voortuin als de omheinde wei achter. De fauteuils waren diep en bekleed met chintz, de gordijnen waren van hetzelfde verbleekte materiaal. Dik tapijt bedekte het grootste deel van de houten vloer en het samenraapsel van ouderwetse, zware meubelen glom van toegewijde zorg. De aandacht werd onmiddellijk getrokken door de stenen schoorsteen en het schilderij dat boven de haard hing.

Miriam bleef staan en zag hoe Jake de kamer doorliep en stilhield voor het schilderij. Het was altijd interessant om te zien hoe mensen reageerden.

'Heeft je vader dit geschilderd?' vroeg hij, terwijl hij de vrijwel onleesbare handtekening probeerde te ontcijferen.

'Ja, dit is zijn laatste.'

'Ik ben geen kenner,' mompelde hij. 'Maar de kwaliteit van het werk is verbazingwekkend. De manier waarop hij het licht heeft getroffen, de houding van de figuren – het is geweldig.' Hij draaide zich om en keek haar aan. 'Dit soort schilderijen is echt erg gewild. Als het zou worden schoongemaakt, zou je er een vermogen voor kunnen krijgen. Ik hoop dat het verzekerd is?'

'Het is niet te koop,' zei ze kortaf terwijl ze zich in een van de fauteuils liet zakken. 'Maar het is wel verzekerd.' Ze slaakte een zucht. 'Maar als het ooit zou worden gestolen, of zelfs maar beschadigd – geen geld ter wereld zou het verlies goed kunnen maken. Het is zo'n beetje het enige wat ik nog van hem heb.'

Jake leunde tegen de schoorsteenmantel en sloeg zijn armen over elkaar. 'Hoe zit het met zijn andere schilderijen? Hij moet toch een aardige verzameling hebben gehad toen hij stierf?'

Miriam staarde naar het schilderij en de herinneringen drongen zich op bij het zien van het maar al te bekende tafereel. 'Die moesten worden verkocht,' zei ze plotseling.

'Waarom?' drong hij aan.

'Alles op zijn tijd,' zei ze diepbedroefd. 'Maar om te begrijpen waarom dat ene schilderij zoveel voor me betekent, moet je het verhaal erachter kennen – en weten welke prijs er is betaald om het te behouden.'

Voor het eerst in zijn leven had Paddy Dempster het gevoel dat hij ergens bij hoorde en hij had niet de behoefte gevoeld om zijn medereizigers te bestelen of op te lichten. Zijn vriendschap met Henry Beecham was gedurende de vier maanden opgebloeid en hij ontdekte tot zijn eigen verrassing dat hij de man ondanks zijn afkomst wel mocht. Maureen was uiteraard een heel ander verhaal. Ze was te scherp, wist te veel, en hoewel hij zijn uiterste best had gedaan om ervoor te zorgen dat ze hem mocht, moest hij zich tevredenstellen met haar koele beleefdheid. Maar Henry was degene die ertoe deed. Het was Henry die uiteindelijk met zijn plan zou meedoen en hem zou helpen een fortuin te vergaren.

Paddy had het naar zijn zin in de bekrompen ruimte in het achterschip en de camaraderie die onder de ongetrouwde mannen was ontstaan. Er waren vrouwen ook – jong, ongetrouwd en eropuit een man te strikken voor ze de kust van Australië zouden bereiken. Maar Paddy had alleen maar oog voor Kate.

Hij zat op zijn gebruikelijke plek aan dek, rookte een pijp en keek hoe Henry zat te schetsen toen hij Kate zijn richting uit zag komen. Henry moest de waakzaamheid in hem hebben gezien, de opvallend onopvallende manier waarop hij zijn kraag goed deed, want hij hield even op met werken en keek hoe Kate over het dek naderbij kwam. 'Ik zie dat onze Kate je heeft betoverd, Paddy,' zei hij gniffelend. 'Ik zou maar uitkijken, een man heeft zijn handen vol aan haar en ik geef je eerlijk gezegd niet veel kans.'

Paddy klopte zorgvuldig de as uit zijn pijp en gooide die overboord. 'Ze is wel een lot uit de loterij,' zei hij zachtjes terwijl hij bewonderend keek naar de manier waarop haar rok om haar heupen viel. 'Een man zou wel gek zijn als hij geen poging waagde.'

'Ik zal een goed woordje voor je doen,' mompelde Henry en knipoogde. 'Maar ik zou er maar niet al te veel op hopen dat die daar voor je charmes bezwijkt. Daar is ze te verstandig voor.'

Kate bloosde toen ze Paddy's blik zag en richtte haar aandacht vlug op Henry. 'Ik heb een paar minuten voor mezelf,' zei ze. 'Ik had gehoopt even met Maureen te kunnen praten, maar ik kan haar niet vinden.'

'Ze kan niet ver weg zijn,' antwoordde Henry en hij liet zijn blik over het dek vol mensen en over de kooien voor de dieren gaan waar de koeien en geiten en kippen werden gehouden. 'Waarom ga je niet even zitten, dan kun je even met Paddy praten? Maureen zal zo wel komen en het wordt tijd dat Paddy en jij elkaar eens beter leren kennen.'

Paddy zag de aarzeling en de ongemakkelijke blik die Kate in zijn richting wierp en voelde een spoor van twijfel. Het leek wel of ze bang voor hem was. Toch had hij niets gedaan om haar angst in te boezemen; hij had zich discreet op afstand gehouden wanneer ze toevallig alleen waren en was altijd beleefd geweest. Hij verschoof op de smalle bank. 'Kom Kate,' zei hij zachtjes. 'Ik zal je niet bijten.'

Kate streek haar rokken glad en ging op het uiterste puntje van de houten bank zitten. 'Ik kan niet lang blijven, de kinderen worden zo wakker uit hun middagslaapje.'

Paddy zag hoe gespannen ze was en dat ze zo ver mogelijk bij hem vandaan was gaan zitten en vroeg zich af waarom dat was. Hij was opgetogen geweest toen hij erachter kwam dat ze bevriend was met Henry en had gehoopt daar zijn voordeel mee te doen. Maar ondanks Henry's joviale pogingen gedurende de afgelopen maanden om hen bij elkaar te brengen, leek Kate vastbesloten afstand te houden.

Nadat ze stijfjes een paar woorden hadden gewisseld, bleven ze ongemakkelijk zwijgend zitten, terwijl Henry verderging met het portret van een nogal strenge douairière waar hij aan bezig was. Paddy ademde Kates geur in en keek bewonderend naar de kleur die ze in de hete zon had opgedaan en naar haar borsten die tegen het dunne katoenen lijfje drukten. Hij bevochtigde zijn lippen terwijl hij keek hoe een zweetdruppel langs haar hals naar beneden liep en in het decolleté verdween dat net zichtbaar was in dat strakke lijfje.

Ze was er klaar voor en hij voelde een prikkeling diep vanbinnen en zijn blik ging van de slanke hals naar de sensuele mond en de donkere ogen. Kate Kelly mocht dan het toonbeeld van minachting lijken, en een echte dame, maar in zijn verbeelding zag hij haar onder zich liggen, met een wilde haardos, haar benen om hem heen geslagen en haar mond open van genot terwijl hij in haar drong.

Ze draaide zich om en staarde hem aan. Het was alsof ze zijn gedachten kon lezen. 'Ik moet ervandoor,' zei ze en ze stond op. 'Zeg maar tegen Maureen dat ik haar vanavond nog wel zie.'

Paddy keek hoe haar heupen bewogen onder het dunne katoen en wist dat hij niet langer kon wachten. Kate Kelly moest worden getemd – en hij was de juiste man om dat te doen.

Ze waren klaar met eten en Maureen wachtte tot Paddy van tafel ging om met de overige mannen mee te doen aan hun luidruchtige kaartspel. Ze reikte over de tafel en pakte Henry's hand. 'Ik wou dat je hem niet zo aanmoedigde,' zei ze.

Henry's blauwe ogen werden groot. 'Hij is een goeie vent,' antwoordde hij. 'Hij heeft me een paar dingen geleerd ook. We zouden er niet half zo comfortabel bij zitten als Paddy ons die extra dekens en die melk en groenten niet had bezorgd.'

Maureen huiverde en trok haar omslagdoek steviger om haar schouders. De nachten waren bitter koud, ondanks de ondraaglijke hitte van overdag, en ze voelde zich ongemakkelijk door Paddy's voortdurende aanwezigheid. 'Ik vertrouw hem niet,' verklaarde ze. 'En Kate ook niet.'

Henry klopte geruststellend op haar hand. 'Meisje toch,' zei hij zachtjes. 'Paddy is dan misschien wel een beetje vrijpostig en onbeschaafd, maar hij heeft een goed hart. Hij bedoelt het niet kwaad en ik geniet van zijn gezelschap.'

Maureen wist dat het tijd was om haar zorgen kenbaar te maken. 'Ik heb vaker zulk soort mannen meegemaakt,' zei ze en haar stem klonk schril. Ze deed een zichtbare poging om haar stem te dempen, maar haar toon bleef even dringend. 'Hij is geen echte vriend, Henry. Hij blijft bij ons omdat hij denkt dat hij beter kan worden van ons.'

Henry's blauwe ogen keken haar vragend aan. 'Ik heb niets dat Paddy zou willen hebben,' zei hij rustig. 'We hebben nauwelijks geld en al helemaal geen waardevolle dingen. Ik geloof dat je verbeelding met je op de loop gaat.' Toen glimlachte hij en nam haar hand weer in de zijne. 'Ik ben nu een grote jongen, mijn liefste. Ik kan heel goed voor ons zorgen, dus breek jij je mooie hoofdje maar niet over Paddy.'

Maureen had hem wel kunnen slaan. Ze trok vinnig haar hand terug en stond op. 'Je moet me niet kleineren, Henry,' siste ze. 'Ik heb dan misschien niet zo'n opvoeding als jij gehad, of jouw ervaring, maar in sommige dingen ben je een sufferd. Geef dan tenminste toe dat ik kan zien of iemand van mijn eigen soort kwaad in de zin heeft.'

'Ik wil er niets meer over horen, Maureen,' zei hij stijf. 'Paddy had op de kade gemakkelijk mijn horloge in zijn zak kunnen steken en hij heeft er niet één keer op gezinspeeld dat hij een beloning wil of iets anders dan mijn vriendschap. Het onderwerp is gesloten.'

Maureen liep van tafel, terwijl de woede binnen in haar groeide en de tranen van boosheid haar verblindden toen ze terugliep naar hun kooi. Ze hield zielsveel van Henry, maar mijn god, wat was hij een dwaas. Waarom had hij niet in de gaten wat zij wél zag? Het teruggeven van het horloge was een slimme zet geweest – zijn voortdurende aanwezigheid, zijn hulpvaardige adviezen en de extra melk en de dekens waren allemaal onderdeel van zijn plan. Maar Maureen moest toegeven dat ze geen idee had wat dat plan inhield. Ze wist alleen maar dat Paddy Dempster beslist iets onbetrouwbaars had en hoe eerder het schip zou aanleggen en ieder zijn weg kon gaan, hoe beter.

Kate deed de deur van de hut van de slapende kinderen dicht en toen ze zich omdraaide, zag ze dat Peter Reed naar haar stond te kijken. 'Ik ga nu, sir,' zei ze en ze maakte een buiginkje. Pater Pat zou trots op haar zijn geweest. Ze had heel wat geleerd sinds die eerste dagen in het klooster.

Hij glimlachte en de kraaienpootjes verschenen bij zijn ooghoeken. 'Altijd op weg ergens naartoe,' zei hij lijzig. 'Heb je nooit eens rust, Kate?'

'Het is al laat, sir, en ik had beloofd bij iemand langs te gaan.'

'Aha.' Hij trok een wenkbrauw op. 'Dus er is wel een man in je leven. Ik had het kunnen weten.'

Kate glimlachte. 'Nee, sir,' zei ze. 'Maureen verwacht haar eerste baby en ik heb beloofd dat ik haar vanavond gezelschap zou houden.'

Peter Reed hield zijn glas omhoog. 'Blijf nog even en drink een glaasje mee, Kate,' bood hij aan. 'Jij bent veel beter gezelschap dan die stijve harken. Ik had beter moeten weten en niet eersteklas moeten reizen.'

'Dat hoort niet, sir.' Toch bleef ze. Peter Reed was een knappe man en ze had de verlangende blikken gezien die de rijke, jonge vrouwen van het bovendek hem toewierpen. 'Ik weet zeker dat er genoeg jongedames zijn in de eersteklassalon die veel beter gezelschap zijn,' zei ze.

'Die zijn niet zo energiek en zo leergierig en levenslustig als jij.' Hij schonk zichzelf nog wat in en keek haar nadenkend aan. 'Jij redt het wel in Australië,' zei hij ten slotte. 'Je bent uit het juiste hout gesneden.' Hij moest hebben gezien dat ze zich ongemakkelijk voelde onder zijn complimenten, want hij zette zijn glas neer en hield de deur voor haar open. 'Ga maar, Kate,' zei hij zachtjes. 'En veel plezier vanavond.'

Kate stapte de luxehut uit en haastte zich over de dikke vloerbedekking in de gang naar de trap die haar naar de lager gelegen dekken zou voeren. Ze was gesteld geraakt op Peter Reed. Hij was vriendelijk en een goede werkgever, geïnteresseerd in haar dromen en plannen, maar hij ging nooit te ver. Hij had een zware stem en hij sprak lijzig met een accent dat noch Iers noch cockney was, maar waarin het harde leven van Australië doorklonk dat hij het zijne had gemaakt.

Ze stopte om even op adem te komen, leunde tegen de verschansing en staarde over het water. De maan stond hoog aan de onbewolkte hemel waar honderden sterren uitbundig fonkelden. Er lag een gloed op de deining die de nacht iets betoverends gaf terwijl het schip voortploegde naar de eindeloze horizon.

'De zeelui noemen dat fosforescentie,' zei de stem achter haar.

Kate draaide zich om. 'Wat doe jij hier boven?' Haar stem klonk scherp en hij was veel te dichtbij naar haar zin.

Paddy krabde aan zijn kin. 'Ik ben hier vaak 's nachts,' zei hij. 'Het is hier rustig en er is meer ruimte om te wandelen en na te denken.'

Kate deed een stap bij de reling vandaan, maar Paddy stond in haar vluchtroute. 'Ik heb Maureen beloofd dat ik langs zou komen,' zei ze zo kalm als ze kon. 'Ze zullen me missen als ik laat ben.'

Paddy maakte een spottende buiging en bood haar zijn arm aan: 'Laat me je dan begeleiden, Kate.'

Ze keek snel om zich heen. Ze waren vrijwel alleen.

Paddy nam haar arm en legde die in de kromming van zijn arm en keek glimlachend op haar neer. 'Zo, dat is beter,' mompelde hij.

Kate liep met tegenzin met hem in de pas. Hard weglopen leek zinloos en als ze akelig tegen hem deed, zou dat vervelende consequenties kunnen hebben. Hij was groot en sterk en hoewel zij een taaie was, zou ze geen partij voor hem zijn als hij eenmaal een vermoeden had van haar afschuw. Ze moest het spelletje meespelen en hopen dat zich snel een mogelijkheid voordeed om te ontsnappen. Het enige wat daarvoor nodig was, was een bemanningslid dat langskwam of een stelletje dat liep te wandelen, zodat zij bij hem weg kon lopen zonder bang te hoeven zijn dat ze hem beledigde.

Ze liepen in stilte over het verweerde dek; hun voetstappen werden overstemd door het altijd aanwezige gestamp van de grote stoommachines. Het schip ploegde voort, omhoog- en omlaag gaand op het ritme van de golven terwijl de sterren met kille ongeïnteresseerdheid toekeken.

Kate voelde de warmte van zijn arm onder zijn hemdsmouw. Ze kon de spanning in hem voelen toen ze de trap naderden die hen naar het achteronder zou voeren. Zij was net zo gespannen. Want ze kon zijn oppervlakkige, snelle ademhaling horen en was zich maar al te zeer bewust van de diepe schaduwen die de kratten en kisten wierpen die onder zeildoek aan dek waren vastgesjord.

Zijn arm verstrakte onder haar hand. Hij pakte haar bij een schouder en zwaaide haar diep die schaduwen in en, voor ze een kreet kon slaken, had hij haar tegen een houten krat geduwd en smoorde haar hulpgeroep met zijn mond.

Kate vocht terug, hamerde met haar vuisten en trapte met haar in laarzen gestoken voeten terwijl ze wanhopig probeerde die alles bedekkende mond te vermijden en die zure tong die zijn weg zocht tussen haar lippen.

Paddy duwde zich tegen haar aan en zijn opwinding was voelbaar tegen haar buik toen hij haar rokken omhoog deed en haar bij een dij pakte. Zijn handen omvatten haar billen en tilden haar van het dek; hij ramde haar opnieuw tegen het krat en hield haar daar vast terwijl hij met zijn broek worstelde.

Kates schreeuw bleef in haar keel steken terwijl die eindeloze, verstikkende kus haar in zijn greep hield en hij met zijn vingers in haar groef. Ze kronkelde en draaide zich in allerlei bochten en schopte, maar het had geen zin. Hij was vastbesloten haar te nemen en er leek geen manier te zijn om hem tegen te houden.

Haar armen maaiden, zwakker nu, in het rond. Hij dwong haar benen uit elkaar en duwde zichzelf naar voren, op zoek naar datgene wat hij wilde hebben. Haar wanhopig zoekende vingers vonden iets kouds en glads. Ze greep het. Ze haalde blindelings uit met een kracht die werd verdubbeld door angst – en trof doel.

Paddy's mond ging open toen de ijzeren staaf zijn hoofd raakte. Hij verstijfde en zijn ogen kregen een verbaasde uitdrukking. Toen lieten zijn handen haar gaan en hij viel met een klap op het dek.

Kate kon zich niet bewegen. Het was alsof ze geen macht meer over haar benen had, net zo min als over haar zintuigen. Ze zag hoe hij viel. Zag hoe zijn al gewonde hoofd met een ziekmakende bonk het dek raakte en hij stil bleef liggen. Er was bloed. Ze zag hoe de donkere stroom het gebleekte hout bevlekte.

Paddy kreunde en zijn handen begonnen een tastende beweging te maken.

Kate kwam in actie. Ze liet het breekijzer vallen, sprong over de roerloze gestalte in de richting van de trap en rende die af alsof haar leven ervan afhing. Ze vloog langs de beestenkooien naar de volgende trap en rende naar de slaapverblijven. Ze negeerde het spottende gelach van de anderen die van de laatste ogenblikken van de dag genoten voor ze naar bed gingen, haastte zich de gemeenschappelijke ruimte door en zocht de duisternis en troost van haar bed.

Ze trok het gordijn dicht en liet zich op de matras vallen, kroop als een bal in elkaar en begroef haar gezicht in haar kussen. Na de tranen volgde een weloverwogen beslissing. Ze zou niks tegen Maureen zeggen, die had het al moeilijk genoeg, maar ze zou de volgende ochtend een gelegenheid vinden om met Henry te praten. Er moest een manier zijn waarop hij haar kon beschermen.

Ze werd ruw gewekt uit haar geplaagde dromen door een ruwe hand die plotseling over haar mond lag. Haar matras boog door onder zijn gewicht en ze kon de glans in zijn ogen zien en zijn zweet ruiken terwijl hij zich over haar heen boog.

'Je houdt je mond over wat er vannacht is gebeurd,' fluisterde Paddy. 'Anders laat ik je in de bak zetten omdat je hebt geprobeerd me te vermoorden.' Hij ging met zijn kin over haar gezicht. 'Dat is ons kleine geheimpje,' fluisterde hij.

Er was geen ontsnapping mogelijk aan de hand die haar zo effectief tegen haar kussen gedrukt hield. Haar ogen waren groot van angst.

'Als je een kik durft te geven, vertel ik iedereen dat je voor alles in bent. Dat je meer dan gewillig was en dat de zaken gewoon een beetje uit de hand zijn gelopen.' Hij raakte haar weer aan en zijn ongeschoren kin schuurde langs haar wang. 'Geen enkele respectabele man zal je dan nog in dienst nemen om voor zijn kinderen te zorgen, dus ik zou maar uitkijken, Kate. Er is maar één beroep waar meisjes als jij in terecht kunnen als ze geen referenties of beschermheren hebben – en dat zou ik niet graag zien gebeuren – niet met iemand die op een dag mijn vrouw zal worden.'

Kate keek hem vol afschuw aan terwijl hij grijnzend op haar neerkeek. Ze verstijfde toen hij het laken naar beneden trok. Een kreun van wanhoop welde in haar op terwijl zijn vingers over het dunne nachthemd gingen en een spoor trokken over haar buik en de ronding van haar borsten.

'Je wordt van mij, Kate,' zei hij zacht. 'Daar kun je van verzekerd zijn.'

De *Swallow* stoomde op naar Port Philip op vijftien april 1894. Tijdens de zes maanden durende oversteek waren acht baby's geboren – er waren vier mensen gestorven en een bemanningslid was tijdens een storm in de buurt van Kaap Hoorn overboord geslagen. Er waren drie huwelijken voltrokken en er hadden talloze verlovingen plaatsgevonden, maar alleen de tijd zou leren of die verbintenissen de slopende strijd die wachtte zouden overleven.

De stoot van de stoomfluit aan de schoorstenen van de *Swallow* droeg alleen maar bij aan de opwinding toen Henry en Maureen zich bij de andere migranten voegden en zich aan de reling vastklampten.

'Ons nieuwe vaderland,' schreeuwde Henry boven het lawaai uit. 'Kijk, Maureen. Zie toch eens hoe mooi het is.'

Maureen stond in de kring in zijn armen en staarde over het water. 'Het is zo blauw als het gewaad van Onze-Lieve-Vrouwe,' zei ze ademloos van bewondering. 'Fantastisch, zoiets prachtigs heb ik nog nooit gezien.'

'Kijk toch eens hoe het zonlicht er op schittert. Net sterren,' wees hij opgewonden. 'Het is zo helder dat het bijna pijn doet aan je ogen.'

Maureen hield een hand boven haar ogen en keek naar het vasteland. De *Swallow* voer door het midden van een hoefijzervormig stuk land en aan deze kant rezen enorme rode klippen op uit het bleekgele zand dat werd begrensd door het witte kant van de golven. Daarachter lag een land dat zo groen was als Ierland. Haar verlangen naar huis was een wond die diep binnen in haar zat en veel meer pijn deed dan ze ooit had meegemaakt op deze eindeloze reis.

'We zijn thuis, liefste,' mompelde Henry zachtjes in haar haar. 'Laten we elkaar beloven dat we het beste zullen maken van alle kansen die dit prachtige land ons te bieden heeft.'

Maureen werd bijna verblind door tranen toen ze zich in zijn armen omdraaide en hem stevig vasthield. 'We hebben elkaar,' zei ze zachtjes. 'Dat is genoeg.'

Henry keerde zijn gezicht naar de zon en haalde diep adem. 'Onze kinderen zullen hier goed gedijen,' zei hij. 'We moeten ervoor zorgen dat ze nooit zullen meemaken wat wij hebben moeten doormaken.'

Maureen knikte, haar hart was te zeer vervuld van alles om haar gevoelens onder woorden te brengen en de knagende pijn in haar rug maakte het moeilijk om zich te concentreren.

'Je raadt het nooit,' zei een ademloze stem. Kate baande zich een weg door de dicht opeengepakte menigte aan de verschansing. 'Meneer Reed heeft gevraagd of ik met hem wil trouwen!'

'Gefeliciteerd.' Ze waren blij Kate weer te zien; ze bracht altijd leven in de brouwerij en de afgelopen weken waren maar saai geweest zonder haar.

Kate schudde haar hoofd. Haar donkere krullen ontsnapten zoals altijd uit de spelden en hingen over haar schouders en rug. 'Ik heb hem afgewezen,' zei ze.

Maureen keek haar vriendin vragend aan. 'Waarom? Ik dacht dat je hem aardig vond – en hij is niet alleen rijk, maar ook knap.'

Kate lachte. 'Ik mag hem graag, absoluut, maar niet genoeg om met hem te trouwen.' Ze haalde nonchalant haar schouders op. 'Bovendien, hij zoekt alleen maar een moeder voor zijn kleintjes en ik ben er nog niet aan toe me te binden.'

Maureen sloeg een arm om Kate. Het was een eeuwigheid geleden dat ze de kans hadden gehad om te kletsen, want Kate had plotseling haar spullen bij elkaar geraapt en was zonder enige uitleg naar het bovendek verhuisd. 'We hebben je de afgelopen weken gemist. Maar ik denk dat meneer Reed je in de buurt wilde hebben toen de kinderen koorts hadden.'

Kate haalde opnieuw haar schouders op en haar ogen ontweken Maureens blik. 'Het was gewoon wat handiger om in de buurt te zijn,' zei ze luchtig. 'Het leek eigenlijk niet zo praktisch, al dat heen en weer geren.'

Maureen keek naar haar vriendin. Er was iets veranderd aan Kate – iets geheimzinnigs, en zij had het vermoeden dat Paddy ermee te maken had. Kate veranderde steeds van onderwerp als ze er te ver over doorvroeg en Paddy was zich nors gaan gedragen toen hij hoorde dat Kate naar de eersteklas was overgelopen. Hij had geprobeerd het te verbergen, maar Maureen liet zich niet voor de gek houden en ze voelde zich ongemakkelijker naarmate zijn vriendschap met Henry sterker werd.

Kate wrong zich in de ruimte naast Maureen en klampte zich aan de reling vast. 'Kijk toch eens naar al die ruimte!' zei ze ademloos. 'En die uitgestrekte hemel. Heb je ooit wel eens iets gezien dat zo... dat zo...' Ze leek eindelijk buiten adem te raken.

'Groot is?' probeerde Henry en hij lachte. 'O, Kate,' zei hij met veel genegenheid. 'Ik ben blij dat we elkaar ontmoet hebben. De reis zou zonder jou niet half zo leuk geweest zijn.'

Kates uitdrukking veranderde en er blonken tranen in haar ogen. 'Ik zal jullie twee missen,' snufte ze. 'Maar lezen en schrijven gaan me al veel beter af en ik beloof dat ik elke maand zal schrijven als we ons allemaal ergens hebben gevestigd.'

Maureen nam haar in haar armen en de twee meisjes klampten zich aan elkaar vast. Het was alsof ze opnieuw thuis afscheid namen en de pijn was bijna niet te verdragen. Want Henry en zij zouden net als meneer Reed en zijn kinderen hier in Port Philip van boord gaan. Kate zou aan boord van de *Swallow* blijven voor de laatste etappe naar Sydney, waar haar een baan als huishoudster was beloofd.

Ze maakten zich van elkaar los en Maureen stond op het punt zich weer naar de reling om te draaien toen ze Paddy zag die een beetje apart van de anderen stond en met een donkere en intense blik naar Kate stond te kijken.

Ze stond op het punt iets te zeggen toen een vreselijke pijnscheut door haar rug trok. Ze haalde scherp adem en haar handen vlogen naar haar gezwollen buik. De pijn hield haar nog steviger in zijn greep. Hij werd heviger en nam bezit van haar tot al het andere verdween.

'Maureen! Wat is er?' Henry's stem was vervuld van ongerustheid, maar ze kon hem maar net horen boven het lawaai in haar hoofd.

'Vlug, help me haar naar beneden te krijgen,' beval Kate. 'De baby is onderweg.'

Maureen hijgde: 'Dat kan niet. Ik ben pas over twee weken uitgerekend.'

Ze was nog niet uitgesproken of ze voelde iets warms en plakkerigs langs haar benen. Toen ze omlaag keek, zag ze druppels helder rood bloed op het gebleekte dek. Ze had genoeg geboortes meegemaakt om te weten dat haar baby niet zou wachten. Zonder verder protest liet ze zich door Henry naar beneden naar hun kooi dragen en ging met een gevoel van dankbaarheid op de harde matras liggen.

'Haal de dokter,' beval Kate terwijl verschillende vrouwen in de bekrompen ruimte rondhingen. 'Ze is te vroeg en ik heb zoiets nog nooit alleen gedaan.'

Henry haastte zich de trappen op en Maureen greep Kate stevig bij de hand toen de pijn opnieuw kwam en langzaam naar een doordringend hoogtepunt groeide. 'Help me, Kate,' hijgde ze. 'Ik ben bang.'

Kate joeg de anderen weg en hield haar vast. Ze probeerde haar met vriendelijke aanmoedigingen gerust te stellen, maar Maureen hoorde door de zwarte golven van pijn alleen maar het gedempte geluid van een misvormde stem. 'Het komt,' huilde ze. 'O, mijn god, het komt. Doe iets, Kate. Help me.'

'Trek je knieën op en pers,' beval Kate. 'Hier,' zei ze en ze stopte de steel van een van Henry's penselen tussen haar tanden. 'Bijt hier maar op en pers zo hard je kunt!'

Maureen zette haar tanden in de steel. Ze voelde een hysterische behoefte om, ondanks haar tranen, te giechelen, maar de pijn kwam opnieuw en de noodzaak om de baby naar buiten te persen was het belangrijkste van alles geworden. Ze pakte haar knieën beet en trok ze aan weerszijden van haar buik. Ze verzamelde al haar krachten, boog zich voorover en perste zo hard ze kon.

'Goed zo,' moedigde Kate haar aan. Ze stond nu aan de andere kant van het bed. 'Ik kan het hoofdje al zien. Een echte Ier, met zwarte krullen. Nog een keer persen!'

Maureen lag te zweten en snakte naar adem terwijl haar hoofd tolde. De pijn leek bezit te hebben genomen van haar hele lichaam, deed het vuur in haar ribben weer oplaaien, joeg door haar longen en bonsde in haar hoofd. Ze was bijna al haar energie kwijt toen ze haar laatste krachten verzamelde en perste. Terwijl de baby uit haar gleed, voelde ze een steek van pijn in haar zij die zo hevig was dat hij haar longen binnendrong en alle lucht uit haar borstkas perste. Ze viel achterover in de kussens en greep naar haar keel. Haar hart bonsde, haar longen waren leeg. Ze kon het niet uitschreeuwen, kon niet ademen.

'Wat is er?' Kates angstige stem klonk haar van zo ver in de oren dat ze nauwelijks kon verstaan wat ze zei.

Maureens vingers rukten aan haar kraag terwijl haar voeten op het matras roffelden. Ze moest op de een of andere manier lucht binnenkrijgen – ze moest zichzelf ontdoen van wat het ook was dat het leven uit haar kneep. Haar angst nam nog toe toen haar hartslag haar hoofd vulde, afnam tot een traag geklop en alle geluid overstemde. Het verdrong het beetje daglicht en ze draaide haar hoofd naar Kate – naar het verre geluid van het gehuil van haar baby.

Henry kwam achter de dokter aan de trap af getuimeld, zijn nerveuze, gespannen opwinding was vermengd met angst. De baby kwam te vroeg en Maureen was het grootste deel van de reis niet in orde geweest.

Hij had gehoopt dat een paar weken aan land voldoende zouden zijn om haar weer op krachten te laten komen voor dit ogenblik – maar het was hem allemaal uit handen genomen. Hij had zich nog nooit zo hulpeloos gevoeld. Terwijl ze door het nauwe gangpad liepen, hoorden ze Kate wanhopig roepen en Henry werd dol van frustratie. De stevige gestalte voor hem liep veel te langzaam en er was geen ruimte om hem te passeren. 'Schiet op, schiet op!' drong hij aan. 'Er is iets mis.'

'Vrouwen raken altijd veel te opgewonden op momenten als deze,' zei de dokter en hij handhaafde zijn gematigde pas. 'Ik weet zeker dat er niets aan de hand is.'

Kate kwam hun richting uit gerend en stortte zich op de dokter. 'U moet haar helpen,' gilde ze terwijl ze aan zijn arm trok. 'Ze krijgt geen adem.'

Henry duwde hen allebei aan de kant en haastte zich naar het bed. Hij kwam glijdend tot stilstand en viel op zijn knieën. Maureen lag op de matras met haar mond wijdopen in een stille schreeuw. Haar huid leek wel marmer, blauw dooraderd bij de mond en in haar hals waren de diepe sporen van haar nagels duidelijk zichtbaar.

'Laat me erbij.' Een stevige hand trok hem uit de weg terwijl de dokter zijn tas liet vallen en haar snel onderzocht.

Henry was zich maar ten dele bewust van de aanwezigheid van Kate die naast hem stond. Het zwakke gehuil van een pasgeboren baby drong nauwelijks tot hem door. Zijn hele wezen was gericht op Maureen. Ze lag daar zo stil, zo bleek – zo ver weg en zo anders dan het meisje van wie hij hield. Hij probeerde in stilte de dokter te dwingen Maureen wakker te maken – uit te vinden wat er fout was gegaan en dat te herstellen. Want een leven zonder haar was ondenkbaar.

De dokter beëindigde zijn onderzoek en stond op. Zijn gezicht was ernstig en hij keek Henry niet rechtstreeks aan toen hij sprak. 'Uw vrouw is dood,' zei hij bedroefd. 'Ik zie dat ze onlangs een rib heeft gebroken en dat kan de oorzaak zijn geweest.' Hij legde een mollige hand op Henry's schouder. 'Als dat zo is, waren haar dagen toch al geteld. Het spijt me.'

Henry vroeg zich af of hij de man wel goed had gehoord. 'Nee,' zei hij binnensmonds. 'Ze kan niet dood zijn. Een paar minuten geleden hebben we nog met elkaar gepraat.' Hij bevochtigde zijn lippen en keek van Kate naar de man voor hem terwijl de stilte voortduurde en zijn gekwelde gedachten door zijn hoofd tolden.

'Wat voor gebroken rib?' vroeg hij en zijn verwarring verdoofde zijn zintuigen. 'Daar heeft ze nooit iets over gezegd.'

De dokter pakte zijn tas en zette zijn knijpbril goed. 'De gebroken rib is een vrij recente verwonding en omdat hij niet goed is behandeld, is de breuk niet goed geheeld. Ze moet pijn hebben gehad, maar ze heeft u ongetwijfeld niet ongerust willen maken,' zei hij toonloos. 'De inspanning van de bevalling is van doorslaggevende betekenis geweest bij deze akelige gebeurtenis. Niemand van ons had iets kunnen uitrichten.' Hij keek met een treurige blik over zijn bril. 'Het stoïcijnse van sommige vrouwen zal me altijd blijven verbazen,' zei hij.

Henry staarde hem aan, verdoofd door de schok en niet in staat om een woord uit te brengen.

'Ik zal ervoor zorgen dat alles in orde wordt gemaakt voordat uw vrouw aan wal wordt gebracht, meneer Beecham. En maakt u zich geen zorgen over mijn rekening – er was niets dat ik op medisch gebied heb kunnen doen.'

Henry stond daar en hoorde de voetstappen van de man in de verte verdwijnen. Toen drong de verschrikking van de laatste ogenblikken in volle omvang tot hem door en viel de bittere werkelijkheid van Maureens dood als een loden last op zijn schouders. Hij liet zich op zijn knieën vallen en pakte haar hand. Die voelde al koud aan, levenloos. Hij streelde haar gezicht, had uitsluitend behoefte om haar aan te raken. Ze had hem verlaten. Ze had haar belofte gebroken en hem alleen achtergelaten op de kust van wat hun nieuwe thuis had moeten worden, hun nieuwe leven samen.

De eerste tranen stroomden over zijn wangen; hij trok haar in zijn armen en hield haar vast. Het schuldgevoel over het feit dat hij zich niet had gerealiseerd hoe ziek ze was geweest, was ondraaglijk.

'Het spijt me,' huilde hij. 'Het spijt me zo. Vergeef me alsjeblieft dat ik niet heb gezien hoeveel pijn je leed. Dat ik niet heb gemerkt hoe ziek je werkelijk was.' Hij had geen idee hoe lang hij daar geknield zat met zijn dode Maureen in zijn armen en toen hij een zachte aanraking op zijn schouder voelde, ontwaakte hij uit de duisternis van zijn verdriet en schudde hem van zich af.

'Henry,' zei Kate zachtjes. 'Henry, je moet haar loslaten. De mannen zijn hier om haar klaar te maken om haar aan wal te brengen.'

Hij wiegde Maureen in zijn armen en kuste voor de laatste keer haar gezicht voor hij haar met tegenzin weer op de matras neervlijde. 'Vaarwel mijn liefste, mijn *mavourneen*,' fluisterde hij in haar donkere krullen. 'Ik hou van je. Ik zal altijd van je blijven houden.'

Kate nam hem bij de arm en hij liet zich door haar wegvoeren, de gang door naar de verlaten eetzaal. Hij plofte neer op een bank, legde zijn hoofd op zijn armen op tafel en huilde.

'Ik blijf wel bij hem,' sprak een rauwe stem.

Kate keek op in het gezicht van Paddy Dempster en voelde een rilling over haar rug lopen. 'Jij bent hier niet gewenst,' zei ze met een scherpte in haar stem die Henry deed opkijken.

'Paddy?' zei hij door zijn tranen heen. 'Paddy, ze is weg. Mijn Maureen is er niet meer.'

Kate keek toe hoe Paddy, na een triomfantelijke blik in haar richting, naast Henry ging zitten en zijn arm om hem heen sloeg. Kate voelde zich buitengesloten en alleen en hoewel ze Henry niet graag alleen liet, waren er dingen die gedaan moesten worden. Ze keek naar de kleine baby in haar armen en toen weer naar de man die zo ondergedompeld was in zijn verdriet dat zij hem niet kon bereiken. Ze wikkelde de baby in een deken die ze van een ander bed had geplukt en haastte zich de trap op naar het dek. Ze moest Peter Reed zien te vinden voor ze aanlegden. Hij zou wel weten wat er moest gebeuren, bij wie ze moesten zijn om dingen te regelen als de begrafenis en onderdak.

Peter Reed bleek een ware steun en toeverlaat. Hij regelde rustig en efficiënt dat Maureens lichaam van boord werd gehaald en met een rijtuig naar een plaatselijke begrafenisondernemer werd gebracht. Hij zorgde ervoor dat Kate en Henry onderdak vonden in een goedkoop, maar schoon hotel bij de haven en betaalde ervoor dat elke dag verse melk voor de baby zou worden bezorgd.

'Ik weet niet hoe ik u ooit moet terugbetalen,' zei Kate terwijl ze op de stoep voor het hotel stond. Het was twee dagen later en Maureen was eerder die ochtend te ruste gelegd op de kleine begraafplaats. Er was godzijdank geen spoor van Paddy.

Peter Reeds lome glimlach deed de hoeken van zijn grijze ogen rimpelen en trok lijnen aan weerszijden van zijn mond. Hij tikte tegen de brede rand van zijn hoed. 'Je zou mijn huwelijksaanzoek nog eens kunnen heroverwegen,' zei hij lijzig.

Kate schudde haar hoofd. 'Dat zou niet juist zijn,' zei ze zachtjes. 'We weten allebei waarom u me vraagt en het zou gewoon niet werken – niet zonder liefde.'

Hij begroef zijn handen in de zakken van zijn rijbroek en haalde zijn schouders op. 'Je kunt me niet kwalijk nemen dat ik het heb geprobeerd,' zei hij op zijn lijzige toon. 'Je bent een goede vangst voor een man, Kate, dat is een ding dat zeker is.'

Kate keek hoe hij op de rug van zijn paard klom. Hij was een goede man. Rijk en knap, vol warmte en genegenheid en er viel niets op hem aan te merken; ze had het vermoeden dat ze een gouden kans door haar vingers liet glippen. Maar ze zou zichzelf én hem voor de gek houden als ze van mening zou veranderen. Hij tikte opnieuw tegen de rand van zijn hoed en reed weg. Het rode stof steeg op vanonder de paardenhoeven en onttrok hem aan het gezicht.

Kate ging terug naar de kamers op de bovenste verdieping van het hotel die zij hadden gehuurd. De suite bestond uit twee slaapkamers en een zitkamer, allemaal volgepropt met goedkoop meubilair dat elk beschikbaar plekje in beslag nam. Voor de ramen zaten horren en op de hobbelige vloer lagen handgeweven kleden. Een glazen deur gaf toegang tot de veranda die langs de hele bovenste verdieping liep, maar hoewel er comfortabele rieten stoelen waren neergezet, maakten de vliegen het onmogelijk er langere tijd te verblijven.

De hitte was bijna ondraaglijk en Kates katoenen jurk plakte aan haar lichaam. Ze deed een raam open, maar sloot dat weer snel. De hete wind deed het stof van de straat opwervelen en bedekte alles met een laag fijn rood poeder.

Kate slaakte een diepe zucht en wendde zich af van het raam. Ze voelde zich gevangen en was door de schok van Maureens dood bang voor de toekomst. Ze had nog niets gezien van dit nieuwe land en haar plannen lagen in duigen. Peter Reed was naar zijn landerijen, die hoe dan ook mijlenver van de bewoonde wereld lagen, en Henry had nauwelijks een woord tegen haar gezegd sinds ze aan wal waren gekomen. Maar ze wist dat het tijdstip met rasse schreden naderbij kwam dat ze Henry zo ver moest zien te krijgen dat hij hun toestand eens goed in ogenschouw nam. Het geld was bijna op en er moest een beslissing worden genomen over wat hen nu te doen stond.

Haar sombere gedachten werden onderbroken door een geluidje van de baby en ze liep naar de mand die ze in een stoel had gezet. De baby lag in haar slaap te snuffen en had haar duimpje tussen de lippen gestoken. Kate glimlachte terwijl ze haar voorzichtig uit de mand nam en ging, met de baby warm tegen haar borst, op zoek naar Henry.

Ze vond hem uitgestrekt op bed, zijn gezicht opgezwollen van vermoeidheid en verdriet. Hij had zich niet meer geschoren sinds ze van boord waren gegaan en zijn haar zat in de war. Hij deed zijn rooddoorlopen ogen open. 'Laat me met rust,' beval hij. 'Zie je niet dat ik in de rouw ben?'

Kate keek van de man naar de baby in haar armen. 'Ik dacht dat je misschien wat troost zou vinden bij je dochter,' zei ze zachtjes.

'Ik wil haar niet zien,' zei hij en hij keerde haar de rug toe en begroef zijn gezicht in het kussen.

Kate slikte een boos antwoord in. 'Ze is je dochter,' hield ze aan. 'Een stukje van jou en Maureen.'

Henry schoot overeind, zijn haar stak alle kanten op en hij had een woeste blik in zijn ogen. 'Neem het mee,' schreeuwde hij. 'Als dat er niet was geweest, zou Maureen nog leven,' en hij priemde met zijn vinger in de richting van de slapende baby.

Kate bleef in de deuropening staan terwijl Henry hen weer de rug toekeerde en de baby begon te huilen. Dit was niet de Henry die zij kende. Niet de man die zo van zijn vrouw had gehouden en zo opgewonden was geweest over de komst van hun kind. De sympathie die ze voor hem had gevoeld werd verdrongen door een golf van woede.

'Dat is niet waar,' snauwde ze. 'Dit kleine ding heeft niets te maken met de schoppen die Maureen een gebroken rib hebben bezorgd. Je kunt haar niet de schuld geven van wat er is gebeurd.'

'Dat kan ik wel en dat doe ik ook,' zei hij bitter vanuit de diepte van zijn kussen. 'Ik wil niks met haar te maken hebben.'

6

Miriam leunde achterover en keek naar de man tegenover haar. 'Begrijp je?' mompelde ze. 'Mijn vader moest me niet.' Ze slaakte een diepe zucht en keek naar haar handen. Ze realiseerde zich met een schok dat het de handen waren van een oude vrouw. Mager en met dikke aderen en brede knokkels van het werk in de stallen vormden ze het harde bewijs van de jaren die verlopen waren sinds haar ongelukkige geboorte.

De stem van Jake onderbrak haar overpeinzingen. 'Ik denk dat hij zich schuldig voelde,' antwoordde hij. 'Het was hem helemaal niet opgevallen dat Maureen zo overduidelijk pijn leed. Geen wonder dat die knaap instortte.'

Ze keek naar de jongeman tegenover haar, zag het begrip in zijn ogen en realiseerde zich dat ze te maken had met iemand die, misschien, ervaring had met echte pijn. Ook al was hij jonger dan ze had verwacht. En ook al flirtte hij op een vreselijke manier met haar en gaf hij geen duimbreed toe in hun woordenwisselingen. Hij was een man van wie ze voelde dat ze hem volledig kon vertrouwen en die wetenschap gaf haar rust.

'Je hebt natuurlijk gelijk,' zei ze ten slotte. 'Hij kon de gedachte niet verdragen dat hij op de een of andere manier verantwoordelijk was voor haar dood. Ik was niet meer dan een voortdurende herinnering aan zijn verlies – de oorzaak van al zijn moeilijkheden.'

Jake was zo verstandig niet op die bewering te reageren. Hij knikte alleen maar. 'Dit moet voor Kate ook niet allemaal gemakkelijk zijn geweest,' zei hij zachtjes. 'Ze was gestrand met een rouwende man en een ongewenste baby in een vreemd, nieuw land en ze moet zich hebben afgevraagd waar ze in vredesnaam in terecht was gekomen.'

'Kate was vindingrijk,' antwoordde Miriam met een liefdevolle glimlach. 'Ze was niet iemand om achterovergeleund te zitten afwachten tot er hulp kwam opdagen. Ze vond werk in het hotel. Dat betaalde net genoeg voor kost en inwoning en gaf haar de kans te wennen aan de zeden en gewoonten hier.'

'Goed van haar,' zei Jake. 'Ze klinkt als een goeie meid.'

Miriam knikte. 'Ze was taaier dan ze eruitzag en volwassener dan haar jaren,' stemde ze in. 'Maar er waren dingen die ze niet in de hand had en die betekenden uiteindelijk mijn vaders ondergang.'

De geluiden van het erf vervaagden toen Kates stem in haar klonk en Miriam opnieuw werd meegevoerd naar een tijd die ze zich niet kon herinneren.

Kate was klaar met afruimen na het avondeten en was bezig de kokkin te helpen met het voorbereiden van de groenten voor de volgende dag. Het hotel was zoals gewoonlijk volgeboekt. De passagiers van de grote schepen bleven graag een paar dagen voor ze aan hun lange tocht begonnen naar wat de mensen hier de outback, de binnenlanden, noemden. De kokkin, een dikke vrouw van onbestemde leeftijd uit het Londense East End, leek zich niets aan te trekken van de hitte en kletste maar over haar plannen om naar de goudvelden te trekken om haar zwervende echtgenoot achterna te gaan.

Kate luisterde maar met een half oor naar het geklets van de kokkin. Ondanks dat het winter was, leek het in de kleine keuken wel een oven; het fornuis braakte hitte uit en dreef de thermometer op tot tegen de veertig graden. Kates haar plakte in haar nek van het zweet en haar dunne katoenen jurk was vochtig en vormloos. Ze was dankbaar dat keurslijven en onderrokken in dit land niet nodig werden geacht, want anders zou ze het in deze hitte nog geen vijf minuten hebben uitgehouden.

Maar haar grootste zorg was het opnieuw opduiken van Paddy Dempster. Hij was twee dagen geleden aangekomen en Henry en hij hadden zich overdag uren boven teruggetrokken en zaten 's avonds in de bar. Kate was erin geslaagd hem te ontlopen; sloot zich 's avonds in haar kamer op en zorgde er altijd voor met andere mensen samen te zijn. Ze kon het niet bewijzen, maar ze was ervan overtuigd dat Paddy iets van plan was – en wat hij van plan was, had te maken met Henry's laatste ponden.

Ze mompelde op de juiste momenten een antwoord op de lange klaagzang van de kokkin over haar lamlendige echtgenoot terwijl ze een eindeloze berg aardappelen aan het schillen waren die in een grote pan met zout water verdween. Haar handen bewogen snel en efficiënt, maar Kates gedachten vlogen van het ene probleem naar het andere.

Het was al bijna drie maanden geleden dat Maureen was overleden en nog steeds had het kind geen naam – was nog niet één keer door haar vader geknuffeld of in de armen genomen – en Kate was ten einde raad. Hoe moest ze Henry doen inzien hoeveel schade hij aanrichtte, niet alleen bij zichzelf, maar ook bij het kind, met zijn drinkgelagen, laat naar bed gaan en zijn dubieuze vriendschap met Paddy – en overdag lag hij in bed en had medelijden met zichzelf.

Kates geduld begon op te raken en de behoefte om te ontsnappen aan het eentonige bestaan in deze hotelkeuken was langzaam maar zeker veranderd in een brandend verlangen waaraan snel moest worden voldaan. Ze voelde de roep van het weidse, lege land achter de grenzen van de stad. Ze zag als het ware de woeste, ongetemde kilometers voor zich die ze nog moest ontdekken.

De aardappelen waren eindelijk geschild en Kate droogde haar handen aan een lap en ging de baby halen. De mand was bedekt met een net om haar tegen de muggen en vliegen te beschermen en stond op een stoel op de achtergalerij om elk verkoelend briesje te kunnen benutten dat van het water kwam.

'Ze ziet er wel gezond uit,' zei de kokkin toen ze de keuken uit kwam gewaggeld om een luchtje te scheppen. 'Maar ze is niet van jou.' Haar doordringende kraaienoogjes keken Kate ernstig aan. 'Ik zou maar niet al te erg op haar gesteld raken,' zei ze wijsgerig. 'Haar vader zal haar wel terugsturen naar Engeland, nu de moeder er niet meer is.'

De angst voor precies die gebeurtenis had Kate 's nachts uit haar slaap gehouden en ze werd alleen maar getroost door de gedachte dat de familie van Henry net zo min een straathond zou opnemen als een kind van Maureen. De straathond maakte eerlijk gezegd meer kans, dacht ze bitter. Arm, klein schaap – het leek of niemand van haar hield. Kate schudde haar hoofd. 'Weinig kans,' zei ze vlak. 'Hij zit met haar opgescheept, of hij nou wil of niet.'

'Je hoopt hem zelf in te kunnen palmen, hè?' De kokkin lachte, waardoor haar kinnen flapperden en haar rollen vet trilden.

Kate bloosde. Waren haar gevoelens voor Henry zo duidelijk? Ze pakte de baby die lag te huilen en toe was aan een schone luier. 'Je bent een achterdochtig type, Bella,' zei ze boven het geluid van de baby uit. 'De moeder van dit arme kind ligt nog maar net in haar graf en jij bent al aan het koppelen.'

Bella veegde het zweet van haar gezicht. 'Ik heb ogen in mijn hoofd, liefje. Ik heb heus wel gezien hoe je om hem heen draait.' Ze schudde haar talrijke kinnen. 'Je verspilt je moeite aan die man. Die denkt geen moment aan jullie tweeën – niet nu hij door de koorts is gegrepen.'

Kate beet op haar lip. Het enige waar ze in de bar en de eetzaal over hoorde praten waren goud en edelstenen en de koorts waar Bella het over had was wijdverbreid onder de nieuwkomers die bij bosjes van de schepen kwamen op zoek naar een rijkdom die hun stoutste dromen zou overtreffen. Ze had aangenomen dat Paddy zich bij de goudzoekers had aangesloten en was verbaasd geweest toen hij weer was komen opdagen. Henry was zich toch zeker niet voldoende bewust geworden van de dingen om zich heen om te worden meegesleurd in die gekte? Ze bleef roerloos staan en er liep een koude rilling over haar rug. Was dit misschien de reden van Paddy's terugkeer?

Ze werd zich bewust van Bella's blik en veegde haar haar uit haar gezicht. 'Hij is niet zo stom om naar zulke kletspraatjes te luisteren,' zei ze verdedigend. 'Hij is nog steeds in de rouw.'

Bella's wenkbrauwen vlogen de hoogte in. 'Als je dat gelooft, schat, geloof je alles.' Ze sloeg haar armen over elkaar onder haar hangende boezem en keek Kate met een liefdevolle blik aan. 'Ik heb hem gezien, liefje,' zei ze zachtjes. 'Hij en die Paddy zaten de halve nacht te praten in de bar. Ik durf te wedden dat ze iets van plan zijn.' Ze trok een gezicht. 'Hij en de edele heer zijn dikke maatjes, dat weet ik wel.'

Kate keek haar scherp aan. Dus het was Bella ook opgevallen dat Paddy invloed had op Henry – dat lag niet aan haar verbeelding. 'Ik moet ervandoor,' zei ze terwijl ze vlug de mand pakte. 'Tot morgenochtend.'

Bella's dikke hand hield haar tegen. 'Je zult snel moeten handelen als je niet opgescheept wilt worden met de baby,' zei ze grimmig. 'Als een man eenmaal de koorts te pakken heeft, raakt hij alle verstand kwijt.' Ze knikte wijsgerig. 'Geloof me, schat, ik weet waar ik het over heb.'

Bella's woorden spookten door haar hoofd en de waarheid klonk er maar al te duidelijk in door toen zij zich omdraaide en de donkere trap op haastte naar de bovenste verdieping. Henry wist niets van goud zoeken. Paddy was zo slim en verraderlijk als een rat. Die combinatie kon voor hen allemaal dodelijk uitpakken – zeker voor de kleine, naamloze baby. Het werd tijd om Henry zijn verantwoordelijkheden onder de neus te wrijven. Het was tijd dat er een einde aan deze waanzin kwam, voor het uit de hand liep.

Paddy was net vertrokken en Henry zat uit het raam te staren; zijn gedachten gingen overal en nergens over. Op de straat beneden krioelde het in het licht van de flikkerende lantaarns. Paarden met een deftige, hoge gang trokken elegante rijtuigen, ossen trokken, aangespoord door het geknal van de zweep, zware ladingen en voetgangers riskeerden hun leven terwijl ze het verkeer probeerden te omzeilen.

Hij keek hoe een bijzonder goed geklede dame haar rokken optilde en om de stapels mest manoeuvreerde waarmee de straat bezaaid was en het hese geschreeuw van de ossendrijver probeerde te negeren. Hij zag dat ze in de war raakte en merkte op hoe haar keurslijf door de hitte aan haar lichaam plakte. Ze had Kates voorbeeld moeten volgen en het lijfje en die onderrokken niet meer moeten dragen, dacht hij. Dat was thuis misschien niet netjes, maar hier getuigde het alleen maar van gezond verstand.

Zijn gedachten gingen even naar Kate en hij glimlachte. Hij had het niet gered zonder haar voortdurende toewijding en hij was blij dat ze zijn vriendin was – maar vroeg of laat zou hij zijn leven toch weer op orde moeten zien te krijgen en bedenken wat zijn volgende stap zou zijn.

Henry's blik bleef rusten op de stapel papieren en kaarten op tafel. Paddy's enthousiasme was aanstekelijk en terwijl hij hier nu bij het raam stond, voelde hij voor het eerst iets anders dan verdriet. Het was een mogelijkheid, gaf hij in stilte toe. Maar hij voelde niets voor de mijnbouw, zelfs niet als de vindplaats hem een fortuin kon opleveren. Het verlangen om te schilderen was terug. Het brandende verlangen om deze vreemde, wetteloze plek op doek vast te leggen haalde hem langzaam uit zijn ellende en maakte hem rusteloos.

Hij keerde zich met een zucht af van het raam en stak zijn handen in zijn zakken. Hij wist niet goed wat hij moest doen, en dat was een feit. Paddy had overredingskracht en zijn plannen waren interessant – maar kon hij hem echt vertrouwen? Zowel Maureen als Kate had haar twijfels, en hij was verstandig genoeg om zich te realiseren dat vrouwelijke intuïtie een machtig iets was.

Zijn gedachten maalden in het rond terwijl hij nadacht over zijn toestand en het aanbod van Paddy. Hij had geld nodig om te overleven in dit vreemde, nieuwe land, maar aan de andere kant was schilder zijn het enige wat hij ooit had gewild. Zonder Maureen had zijn leven geen zin – was er niet echt een reden om hier te blijven. Want elke dag bracht een herinnering aan haar met zich mee – een vervagend beeld van haar terwijl ze aan dek stond, haar warmte als ze in zijn armen lag met haar donkere hoofd tegen zijn schouder geleund.

Hete tranen welden op en hij knipperde een paar keer met zijn ogen. Niemand kon haar plaats in zijn hart innemen. Niemand kon begrijpen hoe zwaar de schuld op hem drukte dat hij haar duidelijke ongemak tijdens de reis had genegeerd. Maar hoe moest hij dat aan zijn familie uitleggen? Hoe kon hij na alles wat er was gebeurd het hoofd hoog houden en teruggaan naar huis? En hoe moest het met het kind? Hij zat in de val.

Hij ging aan tafel zitten en pakte een nieuw vel schrijfpapier uit zijn schrijfcassette. Mama zou wel weten wat hij het beste kon doen.

Hij zat daar diep in gedachten en werd opgeschrikt door de onaangekondigde binnenkomst van Kate. 'Ik wou dat je aanklopte,' zei hij stuurs. 'Het is niet netjes om zonder enige waarschuwing de kamer van een heer binnen te stormen.'

Kate had een vastberaden uitdrukking op haar gezicht en Henry werd nog somberder. Hij kende die blik; die betekende altijd moeilijkheden.

'Het wordt tijd dat we eens over de toekomst praten, Henry,' zei ze vastberaden. 'Ik moet weten wat je met de kleine van plan bent.'

Henry bekeek het kind in haar armen en keek toen de andere kant op. 'Jij lijkt heel goed in staat om ervoor te zorgen,' zei hij nors. 'Ik zie geen reden waarom je daarmee niet door zou gaan.'

Kate hees het kind wat omhoog in haar armen terwijl ze naar hem toe liep. 'Ik heb andere plannen,' zei ze vastberaden. 'Ze is jouw kind. Zorg jij maar voor d'r.'

Hij keek haar met open mond aan toen ze het kind bij hem op schoot plantte. Hij pakte haar met een automatisch gebaar beet voor ze van zijn knie kon vallen en was verbaasd dat zo'n klein wezentje zo stevig aanvoelde. 'Kate, haal het weg,' beval hij toen ze begon te jammeren. 'Ik weet niet wat ik ermee aan moet.'

'Dat leer je vanzelf,' zei ze en haar stem klonk vreemd verstikt. 'En als je dan toch bezig bent, bedenk dan ook een naam voor haar. Ze kan niet haar hele leven worden aangesproken met *het*.'

Met die woorden stormde Kate de kamer uit en sloeg de deur achter zich dicht; hij hoorde haar de trap af bonken en de achterdeur met een klap dichtsmijten.

Henry keek naar de krijsende, rood aangelopen baby en begon haar uit wanhoop op en neer te wippen op zijn knie. 'Stil,' zei hij streng. 'Stop daarmee.' Tot zijn stomme verbazing gehoorzaamde het kind hem vrijwel onmiddellijk en hij zag dat hij werd bekeken door twee buitengewoon groene ogen. Henry voelde zich opgelaten terwijl ze elkaar een tijd lang in stilte aanstaarden. Toen glimlachte het kind.

Henry voelde iets in zich opwellen wat zo krachtig was dat hij er geen woord voor wist. Hij werd overweldigd door een emotie die zijn hart verwarmde en zijn ziel, waarvan hij had gedacht dat die gelijk met zijn vrouw was gestorven, nieuw leven inblies. Want de baby had Maureens kuiltje in haar kleine, bolle wang.

Hij verlegde haar voorzichtig in de kromming van zijn arm en bekeek deze kleine vreemdeling onderzoekend. Hij vroeg zich af hoe het kwam dat de gelijkenis met Maureen hem niet eerder was opgevallen. Want haar haar was net zo zwart, haar ogen hadden dezelfde kleur van smaragd, zelfs haar wenkbrauwen hadden dezelfde vorm van een gevleugelde boog. Er liepen rillingen over zijn rug toen hij eraan dacht hoe hij had geweigerd om zelfs maar naar haar te kijken. Hoe hij haar aan Kate had gegeven en haar had genegeerd.

Tranen van spijt vulden zijn ogen en hij voelde hoe een handje zijn vinger greep en de dam van smart en liefde werd doorbroken. Dit was zijn kind. Maureen had haar leven geofferd om hem het kostbaarste geschenk te geven en hij was haar bijna kwijt geweest. 'Ik zal je nooit meer verloochenen,' fluisterde hij in de vochtige krullen. 'Ik zal je nooit meer in de steek laten.'

De baby pruttelde en ze hield zijn vinger stevig in haar knuistje geklemd, terwijl het kuiltje in haar wangen verscheen. Het leek net of ze wist en begreep wat hij zei en of ze blij was met de aandacht die haar zo lang was ontzegd. Hij ademde de warme, pas gewassen geur in van de huid van zijn dochter, genietend van het wonder van het leven, vastbesloten de afgelopen maanden waarin de toekomst zo zinloos had geleken, goed te maken. De groene ogen keken naar hem op en hij voelde een liefde die zo diep en overweldigend was dat hij die niet anders kon uitdrukken dan met een kus.

Zijn lippen raakten voorzichtig het donzige hoofdje en hij sloot zijn ogen. 'Ik noem je Miriam,' zei hij zachtjes. 'Want in deze nieuwe wereld zul je sterk moeten zijn – net als je grootmoeder.'

'Kate was niet ver weggelopen. Alleen maar naar de hoek van de straat en weer terug,' zei Mim. 'Ze wist niet zeker of wat ze had gedaan het juiste was, maar ze had terecht aangenomen dat alleen een schok zou helpen bij mijn vader.' Ze glimlachte naar Jake. 'Kate sloop de trap weer op en gluurde door het sleutelgat. Wat ze zag deed haar hart goed, maar stemde haar ook verdrietig. Want omdat mijn vader en ik elkaar hadden leren kennen – een band hadden gekregen, is tegenwoordig de uitdrukking, geloof ik – stond het haar vrij om te vertrekken.'

'Waarom zou ze daar verdrietig om moeten zijn?' Jake ging met zijn vingers door zijn dikke, zwarte haar. 'De reden dat ze ervoor zorgde dat Henry naar je omkeek was toch zeker omdat ze een leven voor zichzelf wilde hebben?'

'Jullie mannen zijn ook allemaal hetzelfde,' mopperde Mim. 'Jullie zien alles over het hoofd, tenzij het je in je gezicht springt.'

Ze bestudeerde zijn gezicht, zag dat hij haar niet begreep en zuchtte. 'Kate was verliefd op Henry,' zei ze wanhopig. 'Maar ze wist dat de tijd niet rijp was om haar gevoelens te uiten. Ze wist dat Henry haar alleen maar zag als een vriendin. Maar ze wist ook dat ze hem terug zou vinden, hoe lang het ook mocht duren, en dan zou ze hem op de hoogte brengen van haar gevoelens. Want dit was de man met wie ze voorbestemd was het leven te delen – de man van haar hart.'

'O.' Jake hing over de rugleuning van zijn stoel en liet zijn kin op zijn over elkaar geslagen armen rusten. 'Wat deed ze toen?'

'Ze pakte haar koffer, nam afscheid en ging weg.'

Miriam zweeg terwijl ze zich herinnerde dat Kate haar had verteld hoe moeilijk het die ochtend was geweest om Henry te verlaten, want hun afscheid was kil geweest.

'Het gaat je helemaal niks aan,' snauwde Henry. 'Hou erover op, Kate, voor we iets zeggen waar we allebei spijt van krijgen.'

'Ik zal er eerder spijt van krijgen als ik niks zeg,' antwoordde ze. Ze hield haar handen op haar heupen en haar gezicht zag rood van de inspanning die het kostte om zich te beheersen en niet te gaan schreeuwen waardoor Miriam wakker zou worden.

'Paddy zal je beduvelen,' zei ze kalm. 'Hij gebruikt je als financier voor zijn onbezonnen plannen omdat hij denkt dat je zwemt in het geld. Als je stom genoeg bent om hem iets te lenen, zeg dan maar dag met je handje, want dan zie je er nooit meer een cent van terug.'

'Wie heeft jou benoemd tot deskundige op het gebied van Paddy?' blafte hij. 'Sinds wanneer heb jij er verdomme iets mee te maken hoe ik mijn geld investeer?'

Ze keek hem vol afschuw aan. 'Je hebt hem toch niets geleend, hè?'

Henry stak zijn kin in de lucht en streek over zijn snor. 'Ik heb geld geïnvesteerd in een concessie,' zei hij stijfjes. 'Paddy en ik zijn partners geworden. Niet dat jou dat overigens iets aangaat.'

'Heilige moeder Maria,' zei ze ademloos. 'Mijn moeder zei altijd al dat een zot en zijn geld niet lang bij elkaar blijven en jij moet wel de grootste zot zijn die er rondloopt.' Ze zag hoe de kleur wegtrok uit zijn gezicht. Ze zag hoe zijn blik zich verhardde toen hij naar haar keek. Maar ze liet zich niet intimideren. 'Hoeveel?' wilde ze weten.

Hij keek van haar weg en zijn vingers gingen weer naar zijn snor. 'Aangezien jij de afgelopen maanden goed betaald bent om voor Miriam te zorgen, gaat je dat helemaal niets aan,' zei hij vastbesloten.

Ze keek hem langdurig aan. Elke cent die ze had ontvangen, had ze aan Miriam besteed. Het was niet eerlijk van Henry om zulke stekelige opmerkingen te maken terwijl hij heel goed wist dat ze nooit een cent voor zichzelf had gehouden. Ze wond zich op en in één lange uitbarsting van energie vertelde ze hem precies wat ze van Paddy Dempster wist.

'Hij is niet te vertrouwen,' besloot ze. 'Zeg tegen hem dat je van gedachten bent veranderd en je geld terug wilt. Je kunt er andere dingen mee doen in plaats van het te verspillen aan een van Paddy's plannetjes om snel rijk te worden.'

Hij schraapte zijn keel en keerde haar de rug toe. Alle kleur was uit zijn gezicht verdwenen en zijn ogen waren leeg. 'Het spijt me, Kate. Ik had geen idee.' Hij keek met afgezakte schouders de andere kant op. 'Maar het is al te laat om er nog iets aan te doen,' zei hij toonloos. 'Paddy is vannacht naar New South Wales vertrokken om onze concessie af te palen. Miriam en ik gaan hem over een paar dagen achterna als ik voor de rest van de voorraden heb gezorgd.'

'O Henry,' zei ze met een snik. 'Wat heb je gedaan?'

Hij vertrok zijn gezicht bij het horen van die woorden, hoorde misschien de echo van wat zijn moeder had gezegd. Toen hief hij zijn hoofd weer en rechtte zijn rug. 'Ik heb een aandeel in de toekomst van dit rijke land veiliggesteld voor Miriam,' zei hij stijf. 'Paddy kent het mijnwerkersvak van toen hij in de mijnen in Wales werkte en hij wil mij leren. Ik heb het geld om de onderneming van de grond te krijgen en dus hebben we besloten partners te worden.'

Hij liep naar de kleine tafel en pakte een stapel documenten. 'Hier zijn de eigendomsakten van de concessie en de vergunningen voor de exploratie. Ik heb een advocaat een overeenkomst laten opstellen, dus alles is legaal en eerlijk.'

Kate stond op het punt minachtend te doen over zijn stukjes papier. Ze was hier nu lang genoeg om te beseffen dat dit een ruw en braakliggend land was, waar wettelijke documenten in de hitte van de goudkoorts weinig te betekenen hadden. Maar toen keek ze op in het knappe gezicht en was niet bij machte haar bezorgdheid onder woorden te brengen. Voor het eerst sinds ze aan land waren gekomen stond er hoop te lezen in zijn ogen. Zijn gezicht straalde en hij had een doelbewustheid in zijn houding die zij niet kapot wilde maken.

'Ik wens je geluk,' zei ze zachtjes. 'Dat zul je nodig hebben.'

Miriam was moe, de pijn knaagde aan haar en maakte het moeilijk zich te concentreren. Maar ze wist dat ze wel moest, want de familie zou spoedig arriveren en ze moest haar verhaal afmaken. Ze nam de man die tegenover haar zat in zich op. Zijn lange benen lagen gestrekt aan weerszijden van de fragiele stoel en zijn armen rustten op de bewerkte rugleuning. Ze zat vol twijfels, want ze had niet echt een idee waar ze zich in stortte. Kon niet echt doorgronden wat de gevolgen zouden zijn van het feit dat ze deze vreemdeling haar dierbaarste geheimen toevertrouwde.

'Ik begin de gedachtegang achter je hele verhaal te zien, Mim,' zei hij bedachtzaam. 'Maar vind je niet dat het tijd wordt om eens te gaan rusten? Je ziet er moe uit en het is al laat.'

Het was net alsof hij haar gedachten kon lezen en opnieuw was ze blij met zijn aanwezigheid. Wilcox zou het absoluut niet hebben begrepen en zou zo langzamerhand zijn geduld wel hebben verloren. 'Ik ben moe,' gaf ze toe. 'Maar we kunnen het maar het beste vanavond afmaken.'

Hij keek twijfelachtig, maar toen hij zich realiseerde dat ze zich niet zou laten tegenhouden, stond hij erop dat hij voor hen allebei een glas cognac zou inschenken. 'Uiteraard bij wijze van medicijn,' zei hij met een lichte glimlach terwijl hij haar het kristallen, bolvormige glas aanreikte.

Miriam deed haar ogen dicht terwijl de alcohol haar keel verwarmde en langzaam door haar lichaam trok. 'Bedankt dat je me niet vraagt waarom ik je alles moet vertellen voor de anderen hier zijn,' zei ze terwijl ze het glas op de tafel zette. 'Daar heb ik zo mijn reden voor en daar kom je straks wel achter.'

Ze zaten in stilte, elk vervuld van zijn eigen gedachten.

De hemel werd donker. Het zou spoedig nacht zijn en Miriam kon het geluid van de kaketoes en de parkieten horen terwijl ze hun laatste vlucht van de dag maakten en in de bomen neerstreken. Het was een geluid dat ze haar hele leven al had gekend en de wetenschap dat ze er op een dag niet meer zou zijn om ernaar te luisteren, maakte haar bang. Ze pakte haar glas en nam een flinke teug om haar zenuwen in bedwang te krijgen. Het was alsof ze de klok haar leven kon horen wegtikken.

'Mim? Gaat het, Mim?'

Jakes bezorgde stem leek van grote afstand te komen en Miriam moest zich dwingen kalm en samenhangend te lijken. Ze dronk haar glas leeg. 'Het zijn weer die geesten,' zei ze met een beverig lachje.

'Ik vind echt dat we er voor vandaag een eind aan moeten maken,' zei Jake en hij ging staan. 'Je bent duidelijk uitgeput en dit allemaal doet je ook vast geen goed.'

'Jawel,' zei ze vastberaden. 'Ik kan niet rusten tot ik klaar ben.' Ze glimlachte om haar woorden wat te verzachten. 'Ik móét dit doen, Jake. Ik zou mezelf tekortdoen als ik het nu opgaf, alleen maar omdat ik moe ben.'

Jake keek haar lange tijd aan, maar zei niets.

Miriam zag hoe in zijn ogen verschillende gevoelens de revue passeerden; ze zag de twijfel, de argumenten tegen wat zij aan het doen was en wist dat er geen weg terug was. Als ze wilde dat hij haar hielp, moest hij alles weten.

'Toen we eenmaal Port Philip hadden verlaten reisden mijn vader, Paddy en ik vele stoffige kilometers,' verbrak ze de ingetreden stilte. 'We trokken van het ene mijnwerkerskamp naar het andere op zoek naar goud en kostbare edelstenen. Onze bezittingen zaten in de wagen en onze paarden werden ouder en vermoeider naarmate de jaren verstreken.'

Ze zweeg weer terwijl ze zich herinnerde hoe het stof als een stralenkrans om hen hing wanneer ze door de binnenlanden trokken – hoe het schokken en hobbelen van de wagen haar slaapliedje was geworden – en hoe haar vader elk vrij moment aangreep om het buitengewone licht in de outback vast te leggen in zijn schilderijen.

'Ik was een kind van de goudvelden,' zei ze zachtjes. 'Het was een eenzaam leven, want de meeste goudzoekers hadden hun gezinnen in de steden achtergelaten, maar ik kon het nergens mee vergelijken, dus aanvaardde ik de dingen zoals ze kwamen.'

'Hoe redde je vader het met een kleine baby terwijl hij de hele dag in een mijn zat?'

Miriam haalde haar schouders op. 'Hij heeft me verteld dat hij toen ik nog klein was, de vrouw van een handelaar in ijzerwaren betaalde om op me te passen en toen we naar het volgende goudveld trokken vond hij de vrouw van een goudzoeker bereid overdag voor me te zorgen als hij aan het werk was.'

Ze glimlachte naar Jake. 'Naarmate ik ouder werd, werd ik ook zelfstandiger en droeg mijn steentje bij door in de bergen afval te zoeken naar alles wat de mijnwerkers over het hoofd hadden gezien. En dus waren de afvalbergen mijn speelplaats, de rommel waarmee de goudvelden bezaaid lagen mijn speelgoed en mijn vrienden waren de grijze, dubieuze mannen die er werkten. Maar ik was tevreden.' Ze zuchtte. 'Gelukkig was ik een braaf kind en heb ik niemand een zware tijd bezorgd – misschien ben ik dat nu aan het inhalen?'

'Het zou je koppigheid kunnen verklaren,' zei hij met een uitgestreken gezicht.

Ze knikte, en de glimlach toverde het kuiltje in haar wang. 'Misschien wel,' zei ze zachtjes. 'Al noem ik het liever standvastigheid.'

Ze keken elkaar grijnzend aan en Mim voelde zich door hem gesterkt. 'Het was 1905 toen de crisis uitbrak,' begon ze. 'Niemand van ons had kunnen voorzien wat de komst daarvan voor de goudvelden zou betekenen. Niemand van ons had kunnen vermoeden welke tragedie zou volgen.'

Kate stuurde haar muildieren en wagen het mijnwerkerskamp Wallangulla binnen. Ze zat op de bok, hield de teugels losjes in haar handen en keek om zich heen terwijl de muildieren voortstapten tussen de afvalbergen door en langs de diepe, vierkante mijnschachten die loodrecht in de rode aarde verdwenen. Ze was zich bewust van de nieuwsgierige blikken, was zich bewust van het feit dat ze als een merkwaardig verschijnsel werd beschouwd in deze wereld van stoere mannen. Maar ze was immuun geworden voor die blikken, immuun voor de achterdocht waarmee haar aankomst altijd werd begroet, want ze had de afgelopen vijf jaar langs net zulke kampen getrokken en ze hadden nog maar weinig verrassingen voor haar in petto.

Wallangulla was een wanordelijke verzameling hutten van boomschors, van twijgen gevlochten koepeltjes en onderkomens van zeildoek die zich uitstrekte over de ruggen van ijzererts die oprezen uit de vlakten in het noorden van New South Wales. Muildieren en paarden stonden te doezelen onder de spaarzame bomen die slechts weinig bescherming boden tegen de overweldigende hitte en bij iedere bocht zat een groepje armoedige vrouwen en kinderen in een afvalberg te wroeten. Maar Kate wist dat de aboriginals deze plek, ondanks zijn uiterlijk, beschouwden als een heilige plaats, want Wallangulla betekende, wanneer het werd vertaald uit het plaatselijke dialect, verborgen vuurstok – een naam die voortkwam uit de hevige stormen die vaak woedden bij deze aardruggen en die een man, zijn hond en zijn schaapskudde in één klap konden wegvagen.

Kate negeerde de onbeschaamde blikken van de mannen en de onderzoekende blikken van de vrouwen terwijl zij haar muildieren door de krakkemikkige nederzetting stuurde. Ze wist uit ervaring dat wanneer ze eenmaal vertelde waarom ze hier was, ze met open armen ontvangen zou worden.

De plek die ze ten slotte koos lag op een rotsplateau onder een groepje buxus en eucalyptus. Het uitzicht was spectaculair en reikte tot aan de horizon die trilde van de hitte onder de bleke hemel. Struiken en bomen gingen verloren in de afstand, een eenzame kraai cirkelde boven haar en zijn klagende gekras echo'de in de stilte. De plek was slechts met het hoofdkamp verbonden door een slingerend pad en de locatie bood haar privacy en discretie, twee belangrijke elementen in haar beroep.

De zon brandde toen Kate ten slotte naast haar tent stond en het resultaat van haar werk in ogenschouw nam. De wagen was uitgeladen, de muildieren waren gekluisterd en graasden van het spaarzame taaie gras. Haar voorraden lagen keurig opgestapeld in het ruime onderkomen van zeildoek en er brandde inmiddels een vuur waarboven een waterketel aan de kook begon te raken. Haar uithangbord was tegen een boom aan het einde van het pad gespijkerd en het enige wat ze nu nog hoefde te doen was zich opfrissen en wachten op haar eerste klant.

Ze depte met een tevreden glimlach het zweet van haar gezicht en stapte de tent binnen. In het midden reikte het zeildoek tot bijna twee meter en het strekte zich boven de aarden vloer uit tot een ruim leefgebied, dat met behulp van schermen in drie stukken was verdeeld. Eén voor opslag. Eén om in te slapen – en één voor zaken.

Kate keek de grootste ruimte rond terwijl ze het geweer uit het zicht legde en controleerde of er kogels zaten in het kleine pistool dat ze altijd in haar zak had. De ruimte was ingericht als ontvangstkamer en bevatte twee comfortabele stoelen, een tafel met daarop haar mooie omslagdoek en een grammofoon. 's Avonds zou alles worden verlicht door de olielamp die ze in het midden van de tafel had gezet.

Ze zette haar van zweet doordrenkte hoed af en wuifde zich koelte toe. Ondanks het feit dat ze de tent in de beschutting van de bomen had opgezet, was de hitte bijna ondraaglijk en ze verlangde naar de luxe van een koel bad. Ze stapte het slaapgedeelte binnen en slaakte een zucht. Daar was hier weinig kans op, want het enige water in de buurt was te vinden in de zwavelpoelen en die waren heet en alleen maar goed om een bad in te nemen of de dieren uit te laten drinken. Drinkwater moest worden gekocht en kwam van de dichtstbijzijnde schapenfarm, ruim honderd kilometer hier vandaan.

Ze nam wat water dat ze eerder bij een poel in de buurt had gehaald, kleedde zich uit en waste zich. Binnen een paar minuten nadat ze zich had afgedroogd zweette ze alweer en ze dacht met weemoed aan hoe anders het in Sydney was geweest, waar een koele bries vanuit zee kwam en beschutting was te vinden op de schaduwrijke veranda's en in de groene parken. Ondanks de jaren dat ze onderweg was, was ze nooit gewend geraakt aan de verstikkende sfeer in die afgelegen mijnwerkerskampen en ze had zich erbij neergelegd dat haar dat ook nooit zou lukken.

Terwijl ze haar katoenen blouse in haar lange batisten rok stopte en de riem om haar middel gespte, vroeg ze zich af of er goede zaken te doen waren hier in Wallangulla. Haar eindbestemming lag een stuk verder naar het noorden, maar ze had de geruchten over deze plek gehoord en uit nieuwsgierigheid een omweg gemaakt vanuit White Cliffs. Van wat ze tot nu toe had gezien moesten de geruchten wel vals zijn, want waarom zouden de goudzoekers zijn gebleven als er niets van waarde in de grond zat?

Kate stak het kleine pistool in haar zak en begon haar haar op te steken. Het was lang en onhandelbaar als altijd en ze was al vaak in de verleiding gekomen het af te knippen, maar het kalme advies van Isaac had haar daarvan weerhouden. Ze glimlachte terwijl ze de laatste speld in het haar stak. Lieve Isaac, wat was hij verstandig geweest om in te zien dat ze haar vrouwelijkheid moest zien te bewaren, ondanks de maanden die ze op de smerige, stoffige weg doorbracht – maanden dat ze leefde als een zigeunerin en omringd werd door ruwe en dubieuze figuren.

Ze draaide zich van de lampetkan om naar het bed – de enige luxe die ze overal met zich mee sleepte. Het was gemaakt van gietijzer en kon gemakkelijk uit elkaar gehaald en in de wagen geladen worden. De spiraal onder het veren matras piepte toen ze ging zitten en de koperen knoppen aan het hoofdeinde glommen in het bleke licht dat door het zeildoek drong.

Haar vingers streelden de donkerrode fluwelen beddensprei terwijl ze haar weinige bezittingen in ogenschouw nam. Borstels en poederdozen lagen op de kleine kaptafel en het flauwe licht knipoogde in de gouden franje van een Indiase sjaal die ze over een stapel dozen had gedrapeerd. De sjaal was gemaakt van de fijnste zijde en ze had hem gekocht van een Chinese goudzoeker die aan de grond zat.

Kate pakte de speeldoos die op een lage stoel naast het bed stond. Dat was een cadeau geweest van Isaac en was meegevoerd over de bevroren grenzen van Rusland terwijl hij op de vlucht was voor weer een pogrom – zijn enige band met een tragisch verleden. Het was zijn cadeau aan Kate in de wetenschap dat zij hem altijd zou koesteren.

Ze draaide de sleutel om en opende het deksel. De zwarte Harlekijn en zijn Columbine dansten onverstoorbaar op de klanken van de pakkende muziek en de maskers verborgen hun gevoelens terwijl ze in mechanische perfectie voor de kleine spiegels in het rond draaiden.

Er blonk een traan in Kates wimper terwijl ze naar hen keek. Had ze Isaacs liefde maar kunnen beantwoorden – had ze hem maar gelukkig kunnen maken. Toen de muziek wegstierf, sloot ze het deksel. Arme Isaac, dacht ze. Je was zo vrijgevig met je tijd en je kennis – maar je verdient veel beter dan ik je kon geven – ik hoop dat je op een dag de juiste vrouw ontmoet.

Haar gedachten werden onderbroken door een kreet en ze stopte de speeldoos haastig weg en keek op haar zakhorloge. Het was niet gebruikelijk dat haar klanten al voor zonsondergang kwamen. Ze klopte op haar zak, voelde de vertrouwenwekkende hardheid van haar pistool en stapte achter het scherm vandaan.

De man was lang, had een woeste haardos en baard en zag eruit als duizenden andere mannen die in de mijnwerkerskampen leefden. Toch zou ze hem overal hebben herkend.

Paddy slikte. Zijn mond werd plotseling droog, maar zijn hart klopte als een bezetene tegen zijn ribbenkast en alle oude verlangens staken de kop weer op om hem te kwellen. Kate was uitgegroeid tot een mooie vrouw en zijn verlangen naar haar was door de jaren heen niet minder geworden. 'Dus ik had me niet vergist,' zei hij ten slotte.

'Als je niet gekomen bent om zaken met me te doen, kun je vertrekken,' zei ze kil.

'Ach, Kate,' zei hij zachtjes. 'Dat is nog eens een aangename verrassing.' Hij deed een stap naar voren en ademde haar hem zo bekende geur in. 'Kan er na al die tijd geen kusje voor me af?'

'Voor jou kan er niets af, Paddy,' zei ze met een uitdrukkingloosheid die werd weerspiegeld in haar ogen. 'Ga terug naar je vrouw en dochter. Ga nu, dan is het voorgoed voorbij.'

Hij was van zijn stuk gebracht door het feit dat ze af wist van Teresa, maar toch deed hij nog een stap naar voren en zijn opwinding maakte hem redeloos. Hij greep haar om haar middel en trok haar tegen zich aan. 'We hebben nog een paar onafgemaakte zaken af te handelen, Kate,' mompelde hij terwijl hij zich vooroverboog om zijn mond op de hare te drukken. 'En deze keer zal ik mijn zin krijgen.'

Er prikte iets hards en stevigs in het vlees onder zijn ribben.

'Donder op.' De woorden klonken zachtjes, maar werden uitgesproken op een manier waarin koele vastberadenheid klonk.

Paddy verstijfde, zich heel goed bewust van wat het was dat ze tegen zijn middenrif gedrukt hield. 'Dat durf je niet,' siste hij.

Haar donkere ogen knipperden niet en haar gezicht stond strak. 'Durf je daar om te wedden?' Het kleine pistool drukte nog wat verder in zijn vlees en haar vinger kromde zich om de trekker. 'Dit is een wetteloze plek, Paddy. Ik ben een vrouw alleen – ik moet mezelf verdedigen. Ik waag het erop.'

Hij liet haar los en deed een stap achteruit. Ze zag er geweldig uit met haar formidabele en opstandige houding, haar ogen die vuur schoten en de blos op haar wangen. Wist ze maar hoe hij naar haar verlangde, hoeveel hij van haar hield. 'Ik durf te wedden dat je Henry niet zo snel zou wegsturen,' snauwde hij.

Ze stak haar kin naar voren en trok haar schouders naar achteren. 'Henry is een heer,' sneerde ze. 'Hij zou zich dergelijke vrijheden nooit veroorloven.'

Dus zo stonden de zaken er voor. Hij werd bevangen door jaloezie en hij moest zijn kaken op elkaar klemmen en zijn vuisten ballen om te voorkomen dat hij haar weer zou grijpen. 'Henry is een sukkel,' snauwde hij.

'Sukkel of niet, voortaan doe ik liever zaken met hem. Je hoeft hier niet meer te komen, Paddy.'

Hij stond tegenover haar, onzeker over wat hij nu moest doen. Hij had gezichtsverlies geleden – had zijn laatste kans bij deze vrouw verspeeld – en nu moest hij met de gedachte leven dat Henry haar zou krijgen. 'Hier zul je spijt van krijgen, Kate Kelly,' gromde hij. 'Zo gaat niemand met Patrick Dempster om.'

Henry begreep maar niet waarom Paddy zo slechtgehumeurd was. Toen hoorde hij dat Kate in het kamp was gearriveerd en begreep dat Paddy opnieuw was afgewezen. Hij haastte zich naar de tent aan de rand van de goudvelden en riep haar naam.

Kate verscheen tussen de twee flappen van de tent en Henry kreeg een droge mond; de woorden bestierven hem op de lippen terwijl ze daar in het snel vervagende licht stonden en elkaar in de ingevallen stilte met de ogen verslonden.

Ze is zo mooi, dacht hij terwijl hij haar slanke figuur, de olijfbruine huid en donkere ogen in zich opnam. Hij keek vol bewondering naar het weelderige haar dat in haar nek in glanzende vlechten was gedwongen. Kate was in de tussenliggende jaren een zelfverzekerde vrouw geworden.

Maar wat moet ze niet van mij denken? Zijn ruwe handen speelden met zijn verfomfaaide hoed terwijl hij besefte hoe diep hij was gezonken sinds ze elkaar de laatste keer hadden gezien. Hij was zich maar al te zeer bewust hoe smerig en versleten zijn kleren waren, hoe lelijk zijn handen waren geworden door het vuil van de mijn dat in zijn poriën zat. Hij speelde met zijn sliertige baard en ging nerveus met zijn hand door zijn haar dat tot zijn schouder kwam. Hij kon zijn eigen zweet ruiken – een indringende herinnering aan hoe ver hij zijn maatstaven had aangepast sinds zijn vertrek uit Port Philip.

'Henry?' Kate deed een aarzelende stap in zijn richting. 'Henry, ben jij dat werkelijk onder al dat haar?'

Hij probeerde er luchtig over te doen door te grijnzen, maar hij voelde hoe zijn gezicht gloeide van schaamte en hij durfde haar niet in de ogen te kijken. 'Tot je dienst, Kate,' zei hij met een stijve buiging. 'Mijn verontschuldigingen voor hoe ik eruitzie.'

'Ach, ik heb wel erger gezien,' zei ze schouderophalend. Ze sloeg haar armen om hem heen in een energieke omhelzing die hem bijna het evenwicht deed verliezen. 'Het is zo fijn om je weer te zien,' lachte ze.

Ze maakten zich los uit de omhelzing, allebei plotseling verlegen. 'Ik heb water opgezet,' zei Kate opgewekt. 'Ga zitten, neem een kop thee en vertel me alles. Hoe gaat het met Miriam? Heb je nog tijd gehad om te schilderen? Heb je je pot met goud al gevonden?'

Henry streek over zijn baard om zijn glimlach te verbergen. Ondanks haar verfijnde kapsel en mooie kleren was Kate geen spat veranderd – ze was nog steeds energiek, bekoorlijk door haar bijna kinderlijke nieuwsgierigheid en levenslust. Hij keek hoe ze de waterketel handig van het vuur haalde en zag dat ze geen trouwring droeg. Een snelle berekening leerde hem dat ze nu negenentwintig of dertig moest zijn – waarom had ze voor dit leven gekozen en was ze nooit getrouwd?

Hun ogen ontmoetten elkaar door de damp die van hun thee opsteeg. 'Ik kan de vragen in je ogen zien, Henry Beecham, maar ik vertel je helemaal niks voor je me antwoord hebt gegeven. Hoe gaat het met Miriam?'

Henry glimlachte. 'Waarom vraag je haar dat niet zelf?' zei hij zachtjes. 'Ze staat daar je muildieren te vertroetelen.'

Miriam nam de laatste slok van haar tweede glas cognac en leunde weer achterover in de kussens. 'Ik kan me die dag nog goed herinneren,' zei ze. 'Het was de dag voor mijn twaalfde verjaardag.'

Ze zweeg terwijl ze zich de roestkleurige aarde en de sepia tenten onder de stoffige bomen met door de warmte neerhangende bladeren voor de geest haalde. De lucht was doordrongen van zwavel uit de geheimzinnige groene waterpoelen in spleten en holtes in de rood met zwarte rotsen, en ze hoorde weer het gepiep van de lieren waarmee emmers uit de mijnschacht werden getakeld, samen met het regelmatige geluid van de hoeven van paarden en muildieren en het geknars van wagenwielen op het losliggende gesteente.

Ze herinnerde zich hoe ze onder de indruk was geweest van het uitzicht vanaf de top van de richel. Het land leek geen einde te hebben; het strekte zich in een grote boog uit van horizon tot horizon en was bezaaid met bosjes en bomen waar slangen en kangoeroes en ontelbare kleurrijke vogels leefden. En boven dat alles de uitgestrekte hemel. Overdag zag die bijna wit door de hitte en na zonsondergang werd hij een zwartfluwelen deken waar de sterren in zo'n overvloed schitterden dat ze ze niet kon tellen.

Het drong tot haar door dat Jake zat te wachten tot ze weer wat zou zeggen en ze glimlachte naar hem. 'De aantasting van het kortetermijngeheugen bij ouderen kan vervelend zijn,' zei ze opgewekt, 'maar het is pas echt een vloek om je het verleden zo helder voor de geest te kunnen halen. Dat maakt je maar al te zeer bewust van de jaren die voorbijgaan.'

Ze ordende haar gedachten en ging verder met haar verhaal. 'Mijn vader had me over Kate verteld en hoe ze voor me had gezorgd toen ik nog maar pas geboren was, en ik kon me haar toen uiteraard niet herinneren, maar ik mocht haar die dag onmiddellijk. Ze had het soort gezicht dat vriendschap opriep – een warmte die me meteen aantrok.'

Miriam lachte zachtjes bij de herinnering. 'Ze pakte me niet beet en begon me niet meteen te kussen, zoals andere vrouwen in de kampen wel deden, maar nam me voorzichtig bij de hand en bracht me naar een stoel en gaf me een kop thee.'

'Je moet vol vragen hebben gezeten,' zei Jake.

Ze keek Jake aan en schudde haar hoofd. 'In die tijd werd kinderen geleerd dat ze zo min mogelijk gezien moesten worden en zeker niet gehoord. Ik stelde me tevreden met luisteren naar de gesprekken tussen Kate en mijn vader.' Ze glimlachte terwijl ze even zweeg. 'Ik heb altijd gemerkt dat je wijzer wordt van luisteren en opletten, dan van als een dolle allerlei vragen stellen.'

Jake trok een donkere wenkbrauw op, maar was zo verstandig niet te reageren.

Miriam ging verder met haar verhaal. 'Het was fascinerend om naar Kate te luisteren. Ze was op zoveel plekken geweest – had veel meer gezien dan pap en ik. Ze was ook fascinerend om naar te kijken wanneer ze haar handen gebruikte om iets duidelijk te maken en wanneer haar ogen angst en afschuw of plezier uitstraalden – ze kon fantastisch vertellen.'

'Ik durf te wedden dat ze jou niet zo een, twee, drie vertelde wat haar beroep was,' zei Jake met een zwem van een glimlach in zijn ogen. 'Dat was een onderwerp dat niet echt bestemd was voor jonge oren.'

Ze keek hem aan terwijl ze probeerde te bedenken wat hij bedoelde. Toen begon het bij haar te dagen en ze moest zo hard lachen dat ze er steken van in haar zij kreeg. Toen ze eenmaal tot bedaren was gekomen en haar tranen had afgeveegd, hielp ze hem uit de droom. 'Kate zat niet in de prostitutie,' sputterde ze. 'Ze reisde de goudvelden af om een heel andere reden.'

'Vertel op dan, ik ben benieuwd.' Jake sloeg zijn armen over elkaar en keek haar uitdagend aan. 'Je gaat me zeker vertellen dat ze een vrouwelijke goudzoeker was?'

Miriam schudde haar hoofd en onderdrukte een lach. 'Bijna, maar niet helemaal.' Ze schraapte haar keel en deed haar uiterste best zich weer in de hand te krijgen.

'Nadat Kate uit Port Philip was weggegaan, boekte ze een overtocht op een schip naar Sydney. Ze vond al snel werk als huishoudster bij een rijke jood die in de stad woonde. Isaac Levinsky was handelaar in edelstenen, een man die de pogroms in Rusland was ontvlucht en daarbij zijn hele familie was kwijtgeraakt. Hij was aan boord van een van de schepen vol emigranten uit Duitsland naar Australië gekomen en had hier zoals zoveel anderen fortuin gemaakt.'

Miriam deed de lamp bij haar elleboog aan en keek hoe het licht in haar kristallen cognacglas speelde. 'Isaac was eenzaam. Hij was streng gelovig en bracht de sabbat net als de meeste avonden in de synagoge door, of bestudeerde de talmoed, en hij was een gerespecteerde geleerde. Toen Kate voor het eerst voor hem ging werken, moest ze de regels van een joods huishouden leren. Die waren talrijk en varieerden van vlees gescheiden houden van vis en zuivelproducten tot het gebruik van speciale messen en het achterwege laten van bepaalde gerechten.'

'Het is net een mijnenveld,' mompelde Jake. 'Mijn schoonvader runde zijn huishouden volgens dezelfde regels en ik raakte steeds in moeilijkheden omdat ik ze vergat.'

Miriam keek naar hem en vroeg zich af of dat een deel van de reden was dat zijn huwelijk was stukgelopen. Dat zou ze hem later nog wel vragen.

'Isaac zag al snel in dat Kate een goed verstand had, te goed om te verspillen aan huishoudelijke taken. Hij begon haar dingen te leren over de edelstenen die hij in zijn kluis bewaarde. Leerde haar hoe ze die moest taxeren, leerde haar onregelmatigheden te zien en hoe ze geslepen en gepolijst moesten worden.'

Miriam pauzeerde even. 'Maar hij leerde haar ook hoe ze zich moest kleden – hoe ze moest omgaan met kopers en verkopers – hoe ze met kennis van zaken over het laatste toneelstuk, of de laatste boeken moest praten.' Miriam glimlachte. 'Hij wilde dat ze zich op haar gemak zou voelen in beschaafd gezelschap, want hij wist dat Kate op een dag een rijke vrouw zou zijn.'

'Hoe kon hij dat weten?' Jake keek haar verwonderd aan.

'Hij zag haar mogelijkheden,' legde ze uit. 'Kate was bijna zeven jaar bij hem en tegen de tijd dat ze klaar was om het veld in te gaan, was ze perfect voorbereid op haar toekomst.'

'Isaac hield van haar, hè?'

Miriam knikte. 'O ja, geen twijfel mogelijk. Hij vroeg haar zelfs ten huwelijk – en dat was een grote stap. Want als hij met een *goj* zou trouwen, zouden de mensen hem mijden bij de *sjoel* en de synagoge.'

Miriam keek weer naar haar handen. 'Maar dat was niet de reden waarom ze hem afwees – niet echt. Weet je, ze hield nog steeds van mijn vader en had er een onverwoestbaar vertrouwen in dat ze elkaar ergens tegen zouden komen. Ze hield van Isaac als vriend, leermeester – misschien zelfs als surrogaatvader – maar ze kon niet van hem houden als echtgenoot.'

'Dus ging ze op weg naar de goudvelden?'

Miriam glimlachte. 'Ze kreeg nogal een reputatie als opkoper. Ze reisde van kamp naar kamp en kocht rechtstreeks van de goudzoekers. Dat was in die tijd niet gebruikelijk, want de mijnwerkers liepen vaak honderden kilometers met hun pakketje edelstenen om ze in de stad te kunnen verkopen. Wat Isaac en Kate zich realiseerden was dat dit veel energie kostte die weinig opbracht – het hield de goudzoekers te lang van hun echte werk – dus, waarom zouden ze hun zaken niet naar de kampen brengen?'

'Klinkt als een gevaarlijke onderneming,' mompelde Jake. 'Het was toen allemaal nogal wetteloos.'

'Daarom had ze altijd haar pistool en een geladen geweer bij zich. Soms nam ze een man in dienst om haar te vergezellen, vooral wanneer haar tocht erg succesvol was geweest.' Miriam pauzeerde. 'Zoveel is er nou ook weer niet veranderd,' zei ze ten slotte. 'Achterdocht, hebzucht en jaloezie tieren nog altijd welig in die mijnwerkersgemeenschappen – ik ken minstens drie handelaren die geladen vuurwapens bij zich hebben, zelfs nu nog.'

Jake knikte en ging verzitten. Ze zaten al langer dan een uur te praten en ze waren allebei moe.

Eric duwde de deur open en kwam naar binnen, met zijn staart omhoog en met stijve passen van belangrijkheid. Hij sprong op de armleuning van Miriams stoel en maakte het zich vervolgens gemakkelijk op haar schoot.

'Verdorie,' siste Jake. 'Dat heeft hij nog nooit gedaan. Ik denk dat hij je mag.'

Miriam aaide de zachte vacht en voelde het ronkende gespin waarmee Eric dat gebaar beantwoordde. 'Ik moet zeggen dat ik niet zo erg dol ben op katten,' zei ze met een lach. 'Misschien heeft hij me daarom uitgekozen.'

Jake sloeg zijn ogen op naar het plafond en zuchtte. 'Waarschijnlijk,' mompelde hij. Zijn blik ging van de doezelende kat naar het schilderij boven de open haard. 'Je zou me nog vertellen waarom dat zoveel voor je betekent,' bracht hij haar in herinnering.

Miriam keek naar de sepia kleuren en het bijzondere licht dat haar vader in olieverf had weten te vangen. 'Het was zijn laatste cadeau aan Kate,' zei ze zachtjes. 'Hij gaf het haar op de ochtend dat hij verdween.'

7

Louise zat naast Rafe terwijl de taxi hen door het late avondverkeer naar Fortitude Valley en het vliegveld reed. Ze wilde hem niet vragen waarom hij zo plotseling van mening was veranderd, want hij was de afgelopen twaalf uur zo lief en vriendelijk geweest dat het tamelijk lomp zou zijn om nu te klagen. Toch kon ze de gedachte niet van zich afzetten dat er iets moest zijn gebeurd om zo'n ommezwaai bij hem teweeg te brengen.

Brisbane bood een fantastische aanblik, de glazen torens glinsterden blauw en groen onder de met sterren bezaaide hemel en hun spiegelende gevels weerkaatsten de veerboten op de rivier en het halssnoer van autolichten dat door en om het hart van de stad was geregen. Ze slaakte een diepe zucht van tevredenheid terwijl ze achteroverleunde in het zachte leer. Rafe maakte het gewone gedoe rond reizen altijd zo gemakkelijk. Deze auto bracht hen naar het vliegveld, er was een privévliegtuig om hen naar Bourke te vliegen waar een gehuurde terreinwagen voor hen klaarstond waarmee ze naar Bellbird Station zouden rijden. Dus waarom spookten de beschuldigingen die haar zus had geuit dan zo door haar hoofd?

'Heb jij de laatste tijd nog met Mim gesproken?' Ralph deed de sloten van zijn diplomatenkoffer dicht en zette hem op de bank tussen hen in.

'Al weken niet meer,' gaf ze toe. 'Ik was het wel steeds van plan, maar we zijn zo druk geweest.' Dat was een zwak excuus en dat wist ze. Ze keek zijdelings naar haar echtgenoot en was onmiddellijk op haar hoede. Zijn onderzoekende blik was indringend en openlijk achterdochtig. Ze ging met haar tong over haar droge lippen. 'Hoezo?' vroeg ze op behoedzame toon.

Hij draaide zich om en zijn gezicht stond bestudeerd nonchalant. 'Niks. Ik vroeg het me alleen maar af.'

Er viel een lange stilte en Louise, die dacht dat het gesprek voorbij was en het onderwerp gesloten, begon zich te ontspannen. Door de klank in Rafes stem was ze weer op haar hoede.

'Je zou het me toch wel vertellen als Mim je in vertrouwen nam, hè, Louise?' Zijn stem klonk gevaarlijk vriendelijk, de gebruikelijke voorbode van moeilijkheden.

Haar blik ontmoette de zijne en ze zette zich schrap voor wat het ook was dat zou komen. 'Natuurlijk,' antwoordde ze. 'Maar Mim neemt me niet in vertrouwen. Heeft ze nooit gedaan ook,' zei ze met een vastberadenheid die in tegenspraak was met haar snelle hartslag. 'Fiona is Mims lievelingetje.'

'Dus jij weet niets van die meevaller af?' Zijn onderzoekende blik hield haar in zijn greep.

Louise fronste haar wenkbrauwen en schudde haar hoofd. 'Dat is nieuw voor me,' zei ze.

Hij leek te accepteren dat ze van niets wist en keek uit het raam. 'We zullen er wel meer over horen als we op Bellbird zijn,' zei hij zachtjes.

Louise stopte die informatie weg om er later nog eens over na te denken en vroeg zich zenuwachtig af hoe ze hem weer in een goed humeur kon krijgen. 'Bedankt dat je van mening bent veranderd,' zei ze in de ingevallen stilte. 'Ik had haar verjaardagsfeest niet graag gemist.'

Hij draaide zich naar haar toe en glimlachte verwijtend. 'Wanneer heb ik je ooit iets geweigerd, Louise? Hoe slecht het misschien ook uitkwam.'

'Slecht uitkwam?' Ze fluisterde de woorden bijna en ze haatte zichzelf dat ze zo'n watje was. Maar het was al zo'n gewoonte geworden dat ze er niets aan kon doen.

'Ik zit midden in gevoelige onderhandelingen,' vertelde hij haar. 'Shamrock Holdings heeft mijn bank benaderd en ik kan het me eigenlijk niet veroorloven niet op kantoor te zijn.'

Louise keek hem vol afschuw aan. 'Shamrock? Maar dat is toch onderdeel van Brendts bedrijf?'

'Wat zou dat? Brendt heeft dat bedrijf tot een van de rijkste ter wereld gemaakt. Ik ga geen zaken afwijzen omdat je grootmoeders gevoelens wel eens gekwetst zouden kunnen worden.'

Louise deed er het zwijgen toe. Mims diepe haat voor de familie van Brendt was hen allemaal al van jongs af ingeprent. Eerlijk gezegd hadden ze er al zo vaak over gehoord dat ze het niet meer serieus namen. Maar toch maakte ze zich zorgen over het feit dat Rafe misschien zaken met hem zou doen.

'Waarom is hij naar jouw bank gekomen?' vroeg ze aarzelend.

'Omdat wij hem de beste voorwaarden kunnen bieden,' antwoordde hij. Hij klopte haar op haar hand en hield hem vast op zijn schoot. 'Breek jij je hoofdje nou maar niet over zaken,' zei hij met een toegeeflijke glimlach. 'Ik weet wat ik doe.'

Louise keek uit het raam. Ze was nu al twaalf jaar de vrouw van een zakenman en in die tijd had ze veel geleerd over hoe zaken werden gedaan en welke roddels er rondgingen over de hoge heren in de bankwereld. Zelfs als ze dankzij Mim al niet veel had af geweten van Brendt en zijn familie, dan had ze nog genoeg over hen gehoord om te beseffen dat ze niet te vertrouwen waren. Als Rafe van plan was zaken te doen met dat stelletje, dan moest hij inderdaad zeer voorzichtig te werk gaan. Want Brendt was, net als zijn voorvaderen, zo betrouwbaar als een slang.

In Miriams gedachten speelde een wirwar van geuren en geluiden uit een vorig tijdperk, vermengd met een stoet gezichten die ze kende en waar ze van hield, waarvan de meesten er al lang niet meer waren. Ze schoof rusteloos in de stoel heen en weer en wou dat ze een deken had die ze om haar schouders kon slaan. De draak van pijn sliep, maar het was een koude avond en ze voelde dezelfde kilte die ze al die jaren geleden had gevoeld. De kilte van de winter – van het mysterie – en onuitsprekelijk verlies.

'Het was in dat afgelegen mijnwerkerskamp zo'n nacht waarvan de aboriginals zeggen dat je drie honden nodig hebt om je warm te houden en ik had het nog steeds koud ondanks de dieren die tegen mijn rug en voeten lagen opgerold. Ik lag daar in de duisternis te turen en mijn vaders gesnurk klonk van diep onder zijn dekens; onze adem vormde een laagje ijs op ons provisorische onderkomen van zeildoek.'

Miriam pauzeerde even toen ze opnieuw de kou van die nacht voelde. 'Ik kroop dicht tegen het gestreepte teefje aan dat in haar slaap kefte en trapte en mijn gedachten gingen alle kanten op terwijl ik lag te wachten op de eerste tekenen van de dageraad die aankondigden dat ik het geringe comfort van het bed moest verlaten om de koude ochtend onder ogen te zien. Ondanks mijn kinderlijke vreugde omdat ik een paar dagen geleden twaalf was geworden, was ik oud en wijs genoeg om me erbij neer te leggen dat er geen cadeautjes of verwennerijen waren.'

Miriam glimlachte; de herinneringen waren zo helder en duidelijk dat het was alsof het heden niet langer echt was. 'We hadden zoals gewoonlijk bijna geen geld, want ondanks dat pap en Paddy uren onder de grond doorbrachten, hadden ze niks van betekenis gevonden. Nu waren we toe aan onze laatste zak meel en ons laatste blik thee.'

'Je moet het wel zwaar hebben gehad,' zei Jake zachtjes. 'Dat is een ervaring die een kind van deze tijd zich maar moeilijk zou kunnen voorstellen.'

Miriam lachte. 'Als zoiets tegenwoordig zou gebeuren, zouden de hulpverleners er ongetwijfeld in drommen op afkomen. We zijn allemaal te slap geworden, te afhankelijk van uitkeringen en de steun van de zorgzame overheid.' Ze haalde haar schouders op. 'Ik heb me bij mijn leven en ontberingen neergelegd met een vanzelfsprekendheid die voortkwam uit ervaring en het gebrek aan kennis over hoe het anders zou kunnen zijn. Pa zou fortuin maken. Daar was alleen maar een beetje geluk voor nodig. De gedachte dat het geluk aan onze deur voorbij was gegaan kwam nooit bij me op en ik probeerde me voor te stellen hoe het zou zijn om net als Kate in een donzen bed te slapen.'

Ze vouwde haar handen in haar schoot. 'Wat benijdde ik Kate om dat koperen bed en de fluwelen sprei. Ik dacht dat ze wel heel erg rijk moest zijn om zulke dure spullen te bezitten.'

'Waarschijnlijk was ze ook wel rijk,' zei Jake. 'De opkopers zijn meestal de enigen die geld verdienen aan de goudzoekers.'

'Ik was nog maar een kind, wist ik veel?' antwoordde Miriam. 'Ik was meer bezig met mijn gevoelens voor Kate en de overduidelijke genegenheid die er tussen haar en mijn vader bestond. Het was me opgevallen dat pap zich sinds Kates komst beter verzorgde. Hij knipte zijn baard en haar, waste zich vaker en zorgde ervoor dat er altijd één schoon overhemd lag voor wanneer we bij Kate op bezoek gingen.'

Miriam glimlachte. 'Pap nam me niet altijd mee op bezoek. Hij dacht dat ik geen idee had van de uren die hij bij Kate doorbracht terwijl hij dacht dat ik lag te slapen. Maar veel privacy was er niet in de nederzetting en ik had wel doof, stom en blind moeten zijn om niet in de gaten te hebben wat er tussen die twee gaande was.'

Ze beet op haar lip terwijl ze zich herinnerde dat ze zich had afge-vraagd hoe het zou zijn om Kate als moeder te hebben – want ze reali-seerde zich al snel dat dat tot de mogelijkheden behoorde – en ze was tot de slotsom gekomen dat het misschien wel leuk zou zijn om door de outback rond te trekken in de wetenschap dat je bij elk kamp wel-kom was. Leuk ook, om in een stad te komen die zo bruisend en be-toverend was als Kate Sydney had beschreven. Want ze had nog nooit een stad gezien, laat staan de oceaan, en ze was erg nieuwsgierig.

Ze ging op in haar herinneringen en herleefde die weinige, kost-bare uren dat ze nog onschuldig en jong was. En toch was dat niet ge-noeg gebleken om haar te beschermen tegen datgene wat te gebeuren stond.

De dageraad drong ten slotte door het opgelapte zeildoek en baadde hun bekrompen, provisorische huis in een gouden licht dat de bevro-ren restanten van hun adem in tranen over de onregelmatige naden deed smelten. Het was tijd om op te staan, het vuur weer aan te wak-keren en water aan de kook te brengen. Toch voelde ze er niet veel voor om de warmte van de honden en haar deken te verlaten, want bij de gedachte dat haar vader kon hertrouwen, was ook haar lang-geleden overleden moeder in haar herinnering gekomen.

Pap treurde nog steeds om haar, dat wist ze zeker, want ze had hem betrapt terwijl hij naar het miniatuur zat te kijken dat hij had geschil-derd voor ze uit Engeland vertrokken en had gezien hoe zijn ogen onnatuurlijk schitterden. Miriam had alleen het miniatuur en haar vaders liefhebbende verhalen als herinnering aan haar moeder die was gestorven terwijl ze haar het leven schonk, en ze koesterde die. Zou het verraad aan haar herinnering zijn als ze van iemand anders hielden?

Miriam werd ongedurig van haar eigen gedachten. Ze duwde de honden aan de kant, glipte onder de deken vandaan en kroop door de tentflap naar buiten. Er was werk aan de winkel voor pap wakker werd en de dag was al begonnen. Met haar moeders versleten sjaal strak om haar schouders gewikkeld ademde ze de lucht in die bedorven werd door de warme zwavelpoelen die aan de rand van de nederzetting lagen te dampen. Toch voelde het goed aan, na een nacht in de bekrompen tent, en hoewel dit een afgelegen, ruige plek was, had ze genoeg van haar vaders artistieke inborst geërfd om de schoonheid ervan te waarderen.

Er glinsterde ijs op de rotsen en de hoogste takken van de paar bomen die de laatste droogte hadden overleefd, waren gehuld in wolkenslierten. Rook kringelde op uit afkoelende kampvuren, honden scharrelden tussen het afval en de geduldige muildieren stonden dromerig in de stralen zonlicht die tussen de vervallen hutten door schenen. Het was, afgezien van de eenzame roep van een rondcirkelende kraai, compleet stil in het slapende kamp.

Ondanks het feit dat ze in haar kleren had geslapen, stond Miriam te rillen terwijl ze het ijs op de emmer water kapotsloeg en zich begon te wassen. Haar tanden klapperden nog steeds toen ze zich afdroogde met een versleten handdoek en haar mouwen omlaag deed. De sjaal was tot op de draad versleten, de zoom van haar rok kwam niet laag genoeg om haar enkels en blote voeten te bedekken en het lijfje zat strakker dan ooit. Maar dat kon haar allemaal niet deren, want de jurk zou nog wel even meegaan en haar voeten waren, net als die van de andere kinderen, hard en eeltig geworden van de ruwe rotsbodem.

Ze haalde de bijna tandeloze kam door haar krullende zwarte haar en vertrok haar gezicht toen ze in een klit verstrikt raakte. Wat zou ze er niet voor geven als haar haar net zo glad en gemakkelijk te kammen was als dat van Bridie Dempster. Miriam slaakte een zucht en keek naar het lage onderkomen van zeildoek waar Bridie met haar ouders woonde. Het was een luidruchtig stelletje, maar het was er eindelijk eens stil.

Paddy had zo lang ze zich kon herinneren, deel uitgemaakt van haar leven en hoewel ze al snel had geleerd dat ze uit zijn buurt moest blijven als hij gedronken had, genoot ze van de verhalen die hij vertelde als hij nuchter was. Hij had haar tot haar vaders ontzetting de foefjes geleerd die hij zich in zijn jonge jaren in de straten van Dublin had eigen gemaakt. Hij had een twinkeling in zijn ogen en een zacht Iers accent dat ze onweerstaanbaar vond en als hij haar in de lucht slingerde en de horlepijp met haar danste, schreeuwde ze het uit van plezier en smeekte ze om meer.

Paddy was vrij kort nadat ze uit Port Philip waren vertrokken met Teresa getrouwd. Bridie was hun eerstgeborene en de enige overlevende uit een nest van vier. Ze was twee jaar jonger dan Miriam en in de volwassen wereld van de mijnwerkerskampen waren ze dikke vriendinnen geworden. Bridie had lang rood haar en bruine ogen waarin gouden vlekjes dansten als de zon erop viel en Miriam vond haar een schoonheid. Maar Bridie had er een handje van hen allebei in de problemen te brengen en Teresa had hun meer dan eens een draai om hun oren gegeven.

Wat Teresa betreft, die liep vaak rond met een blauw oog als Paddy weer eens dronken was geweest, maar het hele kamp was getuige geweest van haar legendarische uitbarstingen en wist dat Paddy lang niet altijd zijn zin kreeg. Het verhaal ging dat Teresa hem een keer had neergeslagen met een ijzeren kookpot en dat hij toen een paar uur bewusteloos was geweest. Een bijzonder gelouterde Paddy deed dat af als onbetekenend, maar het was iedereen opgevallen dat hij het een hele tijd daarna niet meer op een zuipen zette.

Miriam had hout gehaald voor het vuur en was bezig ongerezen brood te maken met het laatste beetje meel toen haar vader de tent uitstapte en naast haar op zijn hurken ging zitten.

'Goedemorgen, mijn engel. En hoe is het met jou op deze prachtige dag?'

Miriam keek hem in zijn blauwe ogen en voelde zich warm worden door zijn liefde. 'Jeukerig,' antwoordde ze met een lach. 'De honden hebben vlooien.'

Hij lachte met haar mee terwijl zijn blik even in de richting van het pad ging dat uiteindelijk bij de tent van Kate uitkwam. 'Ik vroeg me af of je het erg zou vinden...' Hij aarzelde, zag de geamuseerde blik in haar ogen en likte zenuwachtig zijn lippen voor hij verderging. 'Ik heb een cadeau voor Kate,' zei hij zachtjes. 'Het schilderij dat ik laatst heb afgemaakt.'

Miriam keek hem langdurig zwijgend aan. 'Ik dacht dat iemand anders het wilde kopen?' Ze legde een hand op zijn arm in een poging haar woorden te verzachten. 'We hebben het geld nodig, pap. Dit zijn de laatste voorraden.'

Hij keek naar zijn handen. De lange, artistieke vingers waren ruw en hard geworden van het zware werk, vuil uit de mijn had zich onder zijn nagels genesteld, maar Miriam wist dat hij nog niets van zijn talent had verloren als het op schilderen aankwam. Zijn schilderijen brachten net genoeg op om hen voor de hongerdood te behoeden.

'Dat weet ik, maar ik kan een andere schilderen,' mompelde hij. Toen hief hij zijn hoofd op en keek haar aan. 'Ik wil Kate iets bijzonders geven. Je weet dat ik veel om haar geef, hè?'

Miriam gaf hem de tinnen mok en hij hield hem voorzichtig vast terwijl hij in de opstijgende stoom blies. 'Natuurlijk, pap,' antwoordde ze. 'Ik mag haar ook, dus waarom jij niet?'

Hij bleef lange tijd stil en Miriam wist dat hij diep in gedachten was. 'Ze zou een goede moeder zijn,' moedigde ze hem voorzichtig aan.

Henry's ogen begonnen te stralen en door zijn glimlach zag hij er jong en onbezorgd uit. 'Dus jij hebt er geen bezwaar tegen als ik haar ten huwelijk vraag?' zei hij ademloos.

Miriam schudde haar hoofd en keek omlaag, zodat hij haar lach niet zou zien. 'Eet eerst je brood maar op en drink je thee. Dan kun je Kate het schilderij geven voor je aan het werk gaat. Paddy is nog niet wakker, dus je hebt tijd genoeg.'

Miriam keerde terug naar het heden en haar ogen stonden vol tranen. 'Hij deed wat hem werd gezegd, maar ik kon aan zijn handen en aan het geschuifel van zijn voeten in het zand zien hoe ongedurig hij was terwijl hij zijn ontbijt at. Hij kon niet wachten om bij Kate te zijn.'

Ze veegde haar tranen weg en snoot haar neus. Haar stem klonk gedempt door de emotie toen ze weer sprak. 'Ik kuste hem gedag en keek hem na terwijl hij met het schilderij onder zijn arm wegliep. Zijn tred was veerkrachtig. Dat was de laatste keer dat ik hem zag.'

De villa lag boven op een heuvel en keek uit op Sunrise Beach aan de Sunshine Coast van Queensland. Door de bomen waren nog net de lichten zichtbaar van het almaar uitdijende mondaine plaatsje Noosa, maar die vielen in het niet bij het licht dat uit alle ramen van het witgepleisterde gebouw stroomde. Terwijl de chauffeurs bij elegante limousines stonden te wachten en de bewaker in het wachthuisje bij de poort de monitors in de gaten hield, gaf de familie binnen een diner.

De spierwitte eetzaal werd verlicht door een felle gloed uit de kristallen kroonluchters en de enige warmte kwam van het Perzische tapijt dat het grootste deel van de marmeren vloer bedekte en van de kostbare schilderijen aan de muren.

Brendt zat aan het hoofd van de lange eiken tafel en keek naar zijn gasten. Hij voelde een golf van welbehagen terwijl hij het kristallen glas naar zijn lippen bracht en van zijn champagne nipte. Grootvader zou trots zijn geweest, dacht hij. Want onder zijn gasten waren verschillende politici en een stuk of wat van 's werelds grootste financiële genieën. Hun vrouwen hadden overduidelijk een tijdje de schoonheidssalons bezet gehouden en hun brandkasten van hun juwelen beroofd. Het was bevredigend te weten wat een belangrijke plek zijn dineetjes innamen in de reeks societyevenementen.

Hij keek naar zijn vrouw terwijl zij met hun gasten converseerde en feliciteerde zichzelf voor de zoveelste keer met het feit dat hij naar de raad van zijn moeder had geluisterd. Arabella was de dochter van een Engelse graaf. Ze had aan Roedean gestudeerd en was daarna nog een jaar naar Zwitserland gegaan voor een afrondende studie en toen hij haar ontmoette, werkte ze in een exclusieve kunstgalerie in Londen. Ze had alles wat hij in een vrouw zocht – maar hij maakte zich geen enkele illusie, want ze was net zo ambitieus en meedogenloos als hij en als hij door een bizarre wending van het lot alles kwijtraakte, zou ze zonder om te kijken bij hem weglopen. Dat zorgde voor een opwindend huwelijk, want ze raakten allebei opgewonden van macht en geld en hun seksleven was explosief.

Zijn blik dwaalde van haar naar zijn moeder die diep in gesprek was met een minister. Op haar drieënzeventigste was ze de volmaakte gastvrouw en had de hooghartigheid en de perfecte manieren van een groots matriarch. Haar volle haardos was in de loop der jaren wat verbleekt, maar ze had nooit haar toevlucht genomen tot verf, want, zei ze altijd, ze wilde elegant oud worden. Nu was het kort geknipt en uit haar gezicht geborsteld, waardoor de scherpe jukbeenderen en bruine ogen goed uitkwamen. Ze droeg glanzende smaragden in haar oren en om haar hals en de bleke roomkleur van haar jurk accentueerde haar gave huid en haar figuur waar menig tien jaar jongere vrouw jaloers op was. Niemand kon vermoeden welke ontberingen ze in haar jeugd had geleden.

Brendt ving haar blik en hief zijn glas in haar richting. Ze was een echte dochter van haar vader; haar meedogenloze ambitie werd gemaskeerd door een fluwelen vastberadenheid en een koppigheid die bleef verbazen. Haar oordeel was altijd juist, want ze liet haar beslissingen niet beïnvloeden door emotie. Zelfs al voor de oude man stierf was ze Brendts mentor geweest, zijn leidsvrouw; de rots die het fundament vormde waarop hun dynastie was gebouwd. Ze had in hem, haar oudste zoon, gezien wat ze miste in haar andere kinderen: haar eigen wil om te winnen, haar eigen gretige vermogen om de mogelijkheden te zien om de concurrentie te slim af te zijn.

Brendt nipte van zijn champagne terwijl hij naar haar keek. Moeder was al jong getrouwd. Vader was een rijke projectontwikkelaar die heel wat vingers in de pap had gehad toen hij op zijn tweeëndertigste stierf aan een hartaanval. Zijn moeder was nooit hertrouwd, maar Brendt vermoedde dat ze nog steeds zo af en toe een minnaar had. Na een rouwperiode had ze de touwtjes van vaders rijk in haar vaardige handen genomen en het zelfs nog welvarender gemaakt. Ze was een rijke, zelfstandige vrouw en had al jaren geleden kunnen gaan rentenieren. Maar ze genoot nog steeds van de schermutselingen in de zakenwereld en Brendt besefte dat dat was wat haar jong hield.

Hij dacht aan de geheime dossiers die ze hadden aangelegd over hun zakenpartners en terwijl hij van zijn champagne genoot, gleed zijn blik over zijn gasten terwijl hij in gedachten de lijst van hun misdragingen naliep. Er waren twee alcoholisten – ze stonden nu droog, maar waren als de dood dat het zou worden ontdekt. Een drugsverslaafde – pas ontslagen uit een afkickkliniek, maar nog steeds verslaafd – en twee bankiers met een levensstijl waarvoor zelfs hun inkomens onvoldoende waren. Twee ambitieuze ondernemers met meer dan een vluchtige band met de Russische maffia, en een voormalige prostituee met een nieuwe naam en verzonnen verleden die er in was geslaagd een rijke bankier aan de haak te slaan. En, *last but not least*, de topadvocaat die de voorkeur gaf aan het gezelschap van kleine kinderen boven dat van zijn vrouw die model was.

Hij knipperde met zijn ogen en er liep een rilling van afkeer over zijn rug. Hij had begrip voor corruptie in algemene zin en moedigde dat beslist aan als het zijn onderneming ten goede kwam – maar pedofielen waren echt tuig. Brendt dacht aan zijn eigen twee kleine meiden die boven lagen te slapen. Als hij z'n zin kreeg, dacht hij kil, zou die klootzak worden gecastreerd – zonder verdoving.

Brendt veegde zijn lippen af aan het linnen servet alsof hij zich daarmee kon ontdoen van de zure smaak in zijn mond. Hij kon de advocaat goed gebruiken – althans op dit moment – maar wanneer dat niet langer het geval was, zou Brendt ervoor zorgen dat hij niet lang genoeg meer zou leven om zich nog aan een kind te vergrijpen. Zijn gedachtegang werd onderbroken door de butler. 'Wat is er, Morris?'

'Het verslag van meneer Black is zojuist gearriveerd. Niets bijzonders, maar ik werd verzocht u erop te wijzen dat de laatste twee alinea's uw onmiddellijke aandacht behoeven.'

Zonder zich iets van zijn gasten aan te trekken nam Brendt de keurig getypte velletjes in ontvangst en las het verslag vluchtig door. Black was een prima vent om op de loonlijst te hebben. Snel en efficiënt, het kon hem niet schelen hoe hij aan de informatie kwam, en de voormalige politieman en legerofficier was in staat om binnen enkele uren met de resultaten van een antecedentenonderzoek te komen.

Hij had zeker in het geval van Ralph goed zijn huiswerk gedaan, dacht hij met een vleugje kille voldoening, maar helaas werd hij er niet veel meer wijzer van dan hij al was. Er moest iets over de man te vinden zijn dat smeriger was. Black moest dieper graven.

Zijn handen begonnen te trillen en zijn mond werd droog toen zijn ogen over de laatste twee alinea's gingen. Hij las de dicht opeen getypte woorden een tweede keer en toen die eindelijk tot hem doordrongen, verfrommelde hij de papieren in zijn hand.

Miriam Strong was de enige vrouw die hij niet kon intimideren – de enige persoon voor wie hij en zijn familie bang waren. Nu stond ze op het punt hem te gronde te richten – stond ze op het punt de geheimen te onthullen die zoveel jaar verborgen waren gebleven. Ze moest worden tegengehouden.

8

Jake lag te woelen in zijn bed en probeerde zichzelf te dwingen in slaap te vallen. Maar de beelden weigerden te verdwijnen en wat bleef waren de grimmige herinneringen aan zijn eigen jeugd – en zijn stukgelopen en uiteindelijk tragische huwelijk en de daaropvolgende eenzaamheid. Het leek wel of hij was voorbestemd zijn leven aan de randen van het bestaan te leiden, om waarnemer te zijn en nooit deelnemer – behalve wanneer het op zijn werk aankwam. Hij gooide de deken van zich af en ging met zijn vingers door zijn haar. Dergelijke gedachten leidden nergens toe.

Hij stond lange tijd voor het raam naar de duisternis te staren terwijl zijn gedachten alle kanten op gingen, maar steeds weer terugkeerden naar dezelfde cruciale momenten waarop het lot een verandering in petto had. Die momenten zouden hem altijd bijblijven, maar nu hij de verhalen van Mim had gehoord, leken ze nog sterker.

Jake gaf zijn pogingen om nog te slapen op en trok zijn kleren aan. Eric was diep in slaap en bewoog alleen maar even zijn snorharen toen Jake zijn dikke jack van de beddenstijl pakte. Hij hield zijn laarzen in zijn hand terwijl hij door de gang sloop en kromp ineen bij het gepiep van de roestige scharnieren van de hordeur. Hij bleef een ogenblik op de veranda staan en luisterde naar geluiden die zouden betekenen dat hij Mim had wakker gemaakt. Maar hij werd slechts begroet door stilte.

Arm ouwetje, dacht hij terwijl hij op de bovenste tree ging zitten en zijn laarzen aantrok. Ze is veel te broos om zulke oude haatgevoelens op te rakelen. Ze was zeker te oud om tot na middernacht op te zijn en haar leven door te nemen in de hoop dat het wat licht zou werpen op een langbegraven mysterie.

Jake ging staan en veegde zijn handen af aan zijn vaal geworden spijkerbroek. Hij bewonderde haar om haar moed en haar vasthoudendheid, maar was dat, bezien in het licht van wat zij hem vroeg te doen, voldoende?

Hij stapte het erf op en liep in de richting van de omheinde weide, die baadde in het maanlicht. Hij moest oppassen dat hij niet emotioneel werd – hij moest zich door niets anders laten leiden dan de kille, harde feiten. Want als hij dat deed, zou hij haar alleen maar valse hoop geven – en dat zou te wreed zijn na alles wat ze had meegemaakt. Maar hij wist ook dat als ze iets concreets konden vinden, dit voor zijn carrière de grootste stap van zijn leven zou betekenen.

Hij liep door het lange gras en zette er flink de pas in. De nacht was koel, maar niet onaangenaam en de maan was zo helder dat hij kon zien waar hij liep. Hij keek naar de sterrenhemel en herinnerde zich hoe hij als jongen vreselijk onder de indruk was geweest van dat schouwspel. Die bewondering was niet minder geworden, besefte hij toen hij bleef staan en naar het machtige uitspansel keek dat deze uitgestrekte binnenlanden overkoepelde. Hij kon de majestueuze streep van de melkweg zien, de vijf punten van het zuiderkruis en de legendarische figuur van Orion met de jachthonden. Ze waren sprankelend en helder, sommige sterren knipoogden blauw, andere rood en wit – een vorstelijk schouwspel, waardoor hij zich in de orde der dingen onbetekenend en nietig voelde.

Jake stopte zijn handen in zijn zakken en hervatte zijn wandeling. Door Mim spookten er nu allerlei herinneringen door zijn hoofd, herinneringen aan mensen en plaatsen die hij in zijn leven had ontmoet en gezien – aan dingen die hij had gedaan en dingen die hij had nagelaten – en die invloed hadden gehad op zijn levensloop en hem deze eenzame weg hadden doen kiezen.

Hij was zeven toen zijn moeder stierf en hoewel hij haar zich maar vaag herinnerde bewaarde hij wel bepaalde beelden van haar. Hoe ze bij het fornuis stond met haar blonde haar in vochtige slierten in haar nek en haar handen wit van het meel. Hoe ze met de veedrijvers meereed, hielp bij het scheren en hoe ze vloekte als ze de oude pick-up probeerde te starten na de regen. Hoe ze met pap danste op de picknick na de paardenrennen. Ze leek altijd zo energiek, zo levenslustig. Hoe kon het dan dat ze zo plotseling was weggenomen?

Jake staarde naar de horizon, terwijl zelfs na al die jaren de tranen dreigden te komen. Haar dood had een leegte achtergelaten die hij sindsdien altijd had geprobeerd te vullen – en nu wist hij dat hij dat nooit zou kunnen. Er was geen vervanging voor moederliefde als je je daar eenmaal in had gekoesterd – er bestonden geen armen zoals die van je moeder en haar begrip en toewijding waren onvoorwaardelijk en nooit bevooroordeeld.

Hij klom naar de top van een lage heuvel en keek over de maanverlichte vlakte die zich tot aan de horizon uitstrekte. De boerderij had leeg geleken zonder haar en de schaapskooi was een pakhuis vol weemoedige herinneringen. Zijn grootmoeder had voor hem en de andere kinderen gezorgd tot zijn vader zijn depressie en de fles overwon, maar zodra hij kon ging hij het huis uit. Ondanks het feit dat zijn vader teleurgesteld was geweest over het feit dat hij niet zou blijven om het familiebedrijf voort te zetten, was het niet al te moeilijk geweest hem ervan te overtuigen dat hij naar een echte school moest als hij ooit iets anders wilde dan boer en schapenfokker worden. School via de radio had een uitstekende basis gelegd, maar naarmate hij ouder werd, realiseerde hij zich dat hij meer prikkels nodig had en net als duizenden voor hem had hij het isolement van de outback achter zich gelaten en was naar de stad getrokken.

Jake liep de heuvel af en zette er een flinke pas in naar de rivier die in de verte slingerde. Hij lag koud te glanzen in het maanlicht en de bomen die er als wachters naast stonden waren scherp afgetekend tegen de nachtelijke hemel. Het was net zo'n nacht als deze geweest toen hij Rachel ontmoette; ze hadden gedanst tot de zon opkwam en verlieten het feest pas toen ze zich realiseerden dat ze de enige overgebleven gasten waren.

Mooie Rachel met haar zwarte haar en ogen en haar bruine huid. Ze wist hem aan het lachen te maken en hem het gevoel te geven dat hij de rijkste, meest bevoorrechte man ter wereld was. Tot hij haar hart brak.

Hij bleef buiten adem onder een boom staan. De oude dikke takken bogen zich naar de langzaam stromende rivier en de knoestige, gedraaide wortels die boven de aarde uitstaken herbergden talloze insecten. Hij koos de stronk van een afgezaagde boom en ging zitten, deed zijn kraag omhoog tegen de koude wind en stak zijn handen diep in zijn zakken terwijl de herinneringen aan hun trouwdag kwamen bovendrijven.

Rachel en haar moeder hadden zich neergelegd bij zijn weigering zich tot het joodse geloof te bekeren, maar haar vader niet. Omdat ze niet in de synagoge mochten trouwen, werd de plechtigheid voltrokken in een wat minder luisterrijk gerechtsgebouw in Sydney. Haar ouders waren geen van beiden aanwezig, maar toen de jaren verstreken zag Rachels moeder kans haar vader ervan te overtuigen dat hij het onvermijdelijke maar moest aanvaarden. De geboorte van hun eerste kind zou de breuk helen – en dat was ook zo – voor een tijdje.

Jake liet zijn kin op zijn borst zakken en staarde naar zijn voeten. Ze heette Esther, maar ze noemden haar Sunny, want zo was haar houding en de kleur van de vreugde die zij bracht. Ze was anderhalf jaar oud toen ze plotseling hoge koorts kreeg die maar niet wilde zakken, hoe goed ze ook voor haar zorgden. Kort daarop kreeg ze uitslag en ze lag slap in zijn armen toen ze met spoed naar het ziekenhuis werd gebracht. Sunny stierf een paar uur later aan hersenvliesontsteking.

Jake slaakte een diepe, beverige zucht toen hij zich herinnerde hoe Rachel zich aan hem had vastgeklampt, hem had gesmeekt haar te troosten terwijl hun baby met een wasbleek gezichtje in het ziekenhuisbed lag. Maar hij was te geschokt, te diep vervuld geweest van zijn eigen verdriet om het op te kunnen brengen voor haar te zorgen.

Na de traumatische begrafenis waarbij hij de kleine witte kist had gedragen en in de laatste rustplaats had laten zakken, had hij zich voor Rachel afgesloten. Hij begroef zich in zijn werk, kwam laat thuis, ging nog voor Rachel wakker werd weer weg en ze leefden aparte levens. Hij kon de lege kinderkamer niet verdragen, of de diepe schaduwen van verlangen in Rachels ogen – hij kon niet aanvaarden dat het lot hem opnieuw iemand van wie hij hield had ontstolen. Hij was doof voor de smeekbeden, blind voor de schade die hij in zijn huwelijk aanrichtte en niet in staat om uitdrukking te geven aan zijn pijn.

Een jaar later ging Rachel bij hem weg.

Jake ging met zijn hand over zijn gezicht en stond op. De overeenkomsten tussen hem en de ongelukkige Henry waren maar al te duidelijk. Achteraf bezien was het gemakkelijk om te zien welke fouten hij had gemaakt – gemakkelijk om te begrijpen waarom ze bij hem weg was gegaan. Maar op het moment zelf had hij haar vertrek gezien als een nieuw verraad – als een nieuw teken dat hij voorbestemd was zijn eenzame weg te gaan. Want hij was iedereen van wie hij hield kwijtgeraakt – hoe kon hij ooit nog vertrouwen hebben in de liefde?

Miriam had hem horen weggaan en gezien hoe hij van de boerderij wegliep en naar de graslanden ging. Het was duidelijk dat hij van zijn stuk was, maar dat was haar zaak niet – ze hoopte alleen maar dat hij haar niet teleur zou stellen.

Ze trok een broek en een trui aan, stak haar voeten in haar oude pantoffels en liep, nadat ze de speeldoos had gepakt, naar de keuken. Ze wist dat ze ondanks haar vermoeidheid die nacht niet meer zou slapen. Haar hoofd zat te vol met herinneringen die haar niet met rust lieten – en bij de gedachte aan wat ze probeerde te bereiken stroomde de adrenaline door haar aderen.

Nadat ze een kop thee had gezet, ging ze aan de verweerde oude tafel zitten en keek om zich heen. De keuken zag er heel anders uit dan de eerste keer dat ze hem zag – maar dat was later – veel later.

Miriam en Bridie zaten in de bergen ertsafval te wroeten, op zoek naar dingen die hun vaders op de een of andere manier over het hoofd hadden gezien. 'Ik ben het spuugzat,' mopperde Bridie terwijl ze haar haar uit haar bezwete gezicht streek en achteroverleunde. 'Waarom gaan we niet eens kijken of er iets te jatten valt in de winkel?'

Miriam schudde haar hoofd. 'De laatste keer zijn we bijna betrapt,' zei ze zachtjes. 'En je vader slaat je halfdood als hij erachter komt wat je allemaal uitspookt.'

Bridie lachte terwijl ze opstond en haar handen afveegde aan haar smerige broek. 'Dat zou hij nooit doen, geloof me,' zei ze met haar zangerige Ierse accent. 'M'n pa zei dat hij die ouwe Wiseman een dief vond omdat hij aan ons arme goudzoekers probeert te verdienen.' Ze greep Miriam bij de arm. 'Kom op, Mim. Je moet op de uitkijk staan.'

Mim maakte zich los en ging met haar armen over elkaar geslagen zitten. 'Nee,' zei ze vastberaden. 'Het is verkeerd. Hij moet ook de kost verdienen, net als wij allemaal.'

Bridie zwaaide haar haar achterover en keek Mim peinzend aan. 'Je krijgt een deel van wat ik te pakken krijg,' probeerde ze te paaien.

Miriam schudde haar hoofd en keek de andere kant op. Ze was er de laatste keer ook ingetrapt om met Bridie mee te gaan en ze was geschokt toen haar vriendin liet zien wat ze allemaal gestolen had terwijl Mim nietsvermoedend met de winkelier stond te praten. Ze hield er niet van om gebruikt te worden en ze wilde al helemaal geen herhaling van de kwelling om van de gestolen spullen af te komen die Bridie haar had opgedrongen. Bridie zou woedend zijn als ze erachter kwam dat Mim alles had teruggezet toen Wiseman even niet keek. 'Ik ga niet,' zei ze resoluut.

'Schijtlaars,' schold Bridie. 'Net als je pa. Jullie bereiken niets met dat brave-hendrikgedoe – ik ben je vriendin niet meer.' Ze draaide zich om, haar rode haar vlammend in het licht van de ondergaande zon, en liep huppelend weg over de steentjes en het verdorde gras.

Miriam voelde hoe haar gezicht warm werd van schaamte en moest vechten tegen haar tranen. De woorden van Bridie waren hard aangekomen, maar ze wist dat ze niet zoveel pijn deden als haar geweten zou doen als ze haar haar zin gaf. Maar Bridie was haar enige vriendin. Ze waren al speelkameraadjes vanaf dat ze twee was – en ze kon zich niet voorstellen niet bij haar te zijn.

Ze kwam overeind en liep langzaam naar de konijnenstrikken die ze de vorige dag had gezet. Pa zou al snel terugkomen en ze had geen idee wat ze te eten moest klaarmaken als de strikken leeg waren. Misschien had ze toch Bridies voorbeeld moeten volgen en het risico maar moeten nemen?

Ze verwierp dat idee terwijl ze haar weg zocht tussen de bomen. Pap zou een verklaring eisen en ze wist dat ze niet tegen hem kon liegen.

Er zaten een konijn en een varaan in de strikken en Miriam zette de koperen vallen opnieuw en droeg haar jachtbuit naar het kamp. Ze zouden vanavond lekker eten. Misschien loonde het toch om eerlijk te blijven – misschien was dat wel de les die ze vandaag had geleerd. Ze vilde het konijn en maakte een waterige stoofpot klaar, vervolgens zoutte ze de varaan en hing hem in de vleeskast voor de volgende dag. Toen ze zoveel mogelijk had opgeruimd en het vuil van die dag van zich had gewassen, ging ze bij het vuur zitten en wachtte tot haar vader terug zou komen van de mijn.

'Is je pa er nog niet?' vroeg Paddy, toen hij een uur later het kamp kwam binnengewandeld.

Miriam keek op en schudde haar hoofd. 'Is hij niet bij jou?'

Paddy ging met een vuile hand door zijn baard terwijl zijn blik door het kamp dwaalde. 'Je pa is een uur of drie geleden weggegaan.' Hij keek haar eindelijk aan met een intense blik die ze niet begreep. 'Hij is waarschijnlijk op vrijersvoeten,' zei hij met een bulderende lach. 'Ik denk dat Kate aantrekkelijker is dan de hele dag in een donker gat zitten wroeten.'

Miriam keek toe terwijl hij de zak van zijn schouder liet glijden en zijn spa op de grond gooide voor hij zijn tent binnenging. Misschien had hij wel gelijk, dacht ze. Maar het was niets voor pa om niet tegen haar te zeggen dat hij laat zou zijn. Ze keek naar de ketel en nam hem van het vuur. Die zou lang genoeg warm blijven en dan konden ze de stoofpot eten wanneer ze terugkwamen van Kate.

Kate kwam uit haar tent tevoorschijn en er verscheen een glimlach op haar gezicht. 'Kijk nou toch,' zei ze opgewekt. 'En waar heb ik dit genoegen aan te danken?'

'Ik kom pap zeggen dat het eten klaar is,' antwoordde Miriam. 'Zit hij binnen?'

Kate fronste haar voorhoofd. 'Waarom denk je dat hij hier is, liefje? Ik heb hem sinds vanmorgen niet meer gezien.'

Miriam wist niet wat ze moest zeggen. Als hij niet bij Paddy was en als hij niet bij Kate was, waar kon hij dan in vredesnaam zijn? Een opkomende angst verlamde haar.

Kate sloeg een arm om haar schouder. Haar stem klonk opgewekt, maar Miriam hoorde er een spoor van ongerustheid in doorklinken. 'Zit hij niet in de mijnschacht, Mim? Heb je het al aan Paddy gevraagd?'

Miriam knikte en stond op het punt in tranen uit te barsten. 'Hij zegt dat hij zo'n drie uur geleden uit de mijn is weggegaan. Maar hij is niet naar de tent gekomen, Kate. Ik weet niet waar hij naartoe is.'

'Stil maar. Maak je nou maar geen zorgen, schat. We vinden hem wel, echt waar.'

Miriam liet zich bij de hand nemen en samen gingen ze op zoek naar Henry.

Jake was verrast toen hij bij terugkeer van zijn wandeling Mim in de keuken aantrof, maar hij begreep waarom ook zij moeilijk had kunnen slapen. Wanneer de geesten uit het verleden eenmaal waren gewekt, hadden ze de onhebbelijke gewoonte iemand uit zijn slaap te houden.

'Ik maak het ontbijt,' zei hij monter. 'Het is een prachtige dag en ik heb niet meer zo'n honger gehad sinds ik klein was.'

'Je bent geesten wezen overwinnen, hè?' vroeg ze met een glimlach.

Hij beantwoordde haar glimlach. 'Overwinnen – dat is een mooi woord. Geeft me het gevoel dat ik eigenlijk een glimmend harnas zou moeten dragen en op een wit strijdros zou moeten zitten.' Hij vond de koekenpan, deed er een beetje boter in en begon bacon te bakken. Terwijl de verrukkelijke geuren door de keuken dreven, sneed hij brood, tomaten en uien. 'Heb jij jouw geesten overwonnen?' vroeg hij zachtjes.

'Nog niet,' zei ze met een fermheid die in tegenspraak was met de donkere kringen onder haar ogen. 'Maar nu ik de beschikking heb over mijn eigen sir Lancelot, heb ik goede hoop dat het ooit zal lukken.'

Jake draaide de bacon om. 'Verwacht niet te veel van me, Mim,' zei hij behoedzaam. 'Ik kan niet zóveel doen – eerlijk gezegd hangt het allemaal van jou af.'

Ze slaakte een diepe zucht en schonk nog een kop thee voor zichzelf in. 'Ik weet het. Maar ik heb eens goed nagedacht en ik begin te vermoeden dat ik weet hoe we ons doel kunnen bereiken.'

Hij keerde zich van het fornuis en keek haar nieuwsgierig aan. 'Hoe dan?'

'De bacon verbrandt,' zei ze. 'En als je nu de eieren erbij doet, dan gaan ze kapot en vliegen de spetters alle kanten op.' Ze hees zich uit de stoel en duwde hem aan de kant. 'Nu snap ik waarom je vrouw je niet in de keuken wilde hebben,' plaagde ze terwijl ze met een geroutineerd gebaar de bacon uit het vet haalde en er brood voor teruglegde.

Jake keek toe terwijl zij de eieren in een andere pan deed en die met een deksel afdekte. 'Je zei dat je een idee had,' spoorde hij haar aan.

'Alles op zijn tijd,' zei ze, zich niets aantrekkend van zijn nieuwsgierigheid. 'Eerst eten en dan maak ik het verhaal af over wat er die laatste dag op het goudveld is gebeurd.'

Miriam keek hoe Jake met het laatste stuk geroosterd brood de restjes van zijn ontbijt opdepte. Het was goed om een man aan haar tafel te zien eten – goed om weer eens een gezonde eetlust aan het werk te zien. Het was net alsof Edward weer terug was.

'Verdorie,' zei Jake terwijl hij zijn hand op zijn buik legde, 'Als ik niet uitkijk, barst ik uit elkaar.'

Het beeld werd tenietgedaan door het zware Australische accent, want haar Edward was een Amerikaan met het nasale stemgeluid van een Texaan. 'In dat geval wordt het tijd dat ik verderga met mijn verhaal. Fiona komt vandaag.'

Ze zetten de borden weg, ruimden op en gingen vervolgens naar de zitkamer.

'Ik vind het makkelijker om je in deze kamer mijn geheimen te vertellen,' mompelde ze terwijl ze de gordijnen openschoof en uit het raam keek. 'Dat komt waarschijnlijk door het schilderij van mijn vader.' Ze draaide zich en staarde er een ogenblik naar. 'Zijn geest is hier, weet je. In de penseelstreken, de kleuren, het licht en in het onderwerp.'

'Heb jij ooit willen schilderen?' Jake leunde half tegen een vensterbank, zijn handen diep in de zakken van zijn spijkerbroek.

Miriam schudde haar hoofd. 'Bepaalde talenten worden niet noodzakelijkerwijs doorgegeven aan de volgende generatie,' zei ze met een glimlach. 'Mijn dochter is de kunstenaar, en haar dochter, Fiona, is een heel goede fotograaf.' Ze beet op haar lip. 'Louise heeft ook een talent, maar niet op het gebied van kunst. Ze zou een uitstekende actrice kunnen zijn als ze zich maar eens losmaakte van die rat van een Ralph.'

Ze zag de nieuwsgierigheid in zijn donkere ogen en schudde opnieuw haar hoofd. 'Ik zit te wauwelen,' zei ze ferm. 'Je zult ze allemaal vlug genoeg ontmoeten en dan kun je zelf een oordeel vormen. Nu moet ik eerst het belangrijkste deel van het verhaal afmaken.'

Ze maakte het zichzelf gemakkelijk in een fauteuil. Met twee kussens in de rug en de hulp van een paar van haar pijnstillers nam ze hem mee naar het verleden.

Kate keek naar Miriam. Ze was nog maar twaalf en nu al viel haar wereld in duigen. Ze hadden de hele dag gezocht, zonder een spoor van Henry te vinden en Kate begon zich zorgen te maken. Er moest hem iets vreselijks zijn overkomen – maar ze wist dat ze die akelige gedachte verborgen moest houden voor het kind aan haar zij.

'We moeten een zoektocht organiseren,' riep ze boven het geroezemoes van stemmen uit. Ze stond op een kist en probeerde de menigte tot luisteren te manen. 'Henry moet in een van de mijnschachten zijn gevallen. Ik wil dat jullie allemaal die van jezelf controleren en dan beginnen we aan de rest.'

'Er zijn verdomme duizend-en-één verlaten mijnen hier, dame,' schreeuwde een van de goudzoekers, terwijl het licht van de fakkels die ze bij zich hadden, dansende schaduwen wierp op zijn door bakkebaarden omkranste gezicht. 'We kunnen de hele week zoeken en hem nog niet vinden.'

Kate keek omlaag naar Miriam, die de hele tijd aan haar zij was gebleven. Het kind was doodsbleek en stond zo stil als een standbeeld, maar uit de houding van haar smalle schouders sprak vastberadenheid. 'We moeten het proberen,' schreeuwde ze terug. 'We zijn met genoeg.'

'Het is absolute waanzin om in het donker te gaan lopen rondstruinen,' mopperde een andere goudzoeker. 'Je kunt verdomme je nek wel breken.'

Kate pakte Miriams hand. 'Jullie zijn een stelletje lafaards,' gilde ze. 'Geef me een fakkel, dan doe ik het zelf wel.' Ze sprong van de kist en griste een brandende fakkel uit de dichtstbijzijnde hand. 'Kom, Miriam, blijf bij me in de buurt. We zullen hem vinden, maak je maar geen zorgen.'

'Ik ga met je mee,' schreeuwde een stem. Een ander viel in en werd gevolgd door een koor van stemmen. De mijnwerkers dromden om Kate en Miriam heen, de vlammen van hun fakkels dansend in de koude wind die bij zonsondergang was opgestoken. 'Waar wil je dat we beginnen?'

Kate slaakte een zucht van opluchting. Ze had niet echt de schachten in gewild, maar als het had gemoeten, had ze het wel gedaan. 'We moeten dit goed aanpakken. Vorm groepjes van vier en elke groep neemt een deel van de goudmijnen voor zijn rekening. Doorzoek elke schacht – die in gebruik zijn, de verlaten schachten, zelfs degene waar instortingen zijn geweest. Hij moet in één ervan liggen.'

Ze keek toe terwijl ze op pad gingen, met flakkerende toortsen die uiteindelijk vervaagden toen de mijnwerkers zich over de goudmijnen verspreidden. Haar hersenen werkten op volle toeren. Ze mocht Miriam haar angst niet laten merken, haar duistere vermoeden dat Henry niet zou worden gevonden. De mijnwerker had gelijk gehad – er waren te veel schachten – te veel plekken waar het lichaam van een man nooit gevonden zou worden als het goed genoeg verborgen was.

'Ik neem je mee naar mijn tent, liefje,' zei ze teder. 'Je kunt in mijn bed slapen als je dat wilt.'

'Ik wil mijn pappa,' snikte Miriam. Ze hief haar betraande gezicht. Haar twaalf jaar hadden niets meer te betekenen – ze was gewoon weer een kind. 'Waar is mijn pappa, Kate?'

'Ik weet het niet, *acushla*,' zei ze zachtjes. 'Kom nou maar. Laten we zorgen dat je iets te eten krijgt en als je een beetje hebt geslapen, bedenken we misschien wel iets.' Terwijl ze terugliepen naar de tent, ging ze in gedachten razendsnel de mogelijkheden na. Haar ongerustheid werd groter naarmate de tijd vorderde, maar dat mocht ze het kind niet laten merken – en evenmin mocht ze valse hoop wekken.

Kate deed een slaappoeder in de warme soep en al snel had ze Miriam goed ingestopt onder de rode, fluwelen sprei op de donzen matras. Ze keek een ogenblik op haar neer en dacht aan de keren dat ze, toen Miriam nog een baby was, naar haar had gekeken terwijl ze lag te slapen. De jaren en de armoede hadden de kinderlijke rondingen nog niet uit haar gezicht verjaagd of haar trekken scherper gemaakt, en de baby was nog steeds zichtbaar in de gebalde vuist met de putjes die de fluwelen sprei zo stevig vasthield.

Kate wendde zich met een diepe zucht van het bed af en draaide de olielamp laag voor ze de tent uit ging. Ze had dingen te doen. Dingen die niet tot morgen konden wachten.

De tent van Henry was in duisternis gehuld en Kate pakte een droge tak en stak die aan in de gloeiende as van een nabijgelegen kampvuur. Ze duwde de flappen opzij, volledig onvoorbereid op het schouwspel voor haar.

Henry's bezittingen waren grondig doorzocht. Zijn schildersspullen lagen her en der verspreid op de aarden vloer, kussens en matrassen waren kapotgesneden en de kleren in een hoek gesmeten. Een onafgemaakt schilderij was vernield, de ezel in stukken gebroken. Lege kerosineblikken die, schoongeboend, werden gebruikt als laden, waren ondersteboven gekeerd en de inhoud lag door de hele tent verspreid. Zijn zadeltassen waren geleegd en zijn laatste voorraden waren samen met zijn houweel en schep verdwenen.

Ze keek omlaag en pakte de vernielde miniatuur die hij zoveel jaren geleden van Maureen had geschilderd. Hij was vertrapt, in de grond gestampt door een zware laars en was vrijwel onherkenbaar. Ze stopte hem in haar zak en voelde de woede in zich opkomen. Eerlijkheid was zeldzaam op de goudvelden – maar dit? Dit was barbaars. Waarom was het eten gestolen? Waarom was alles dat veel voor Miriam betekende willens en wetens vernield – en nog wel op zo'n vreselijke dag? Hoe kon iemand dat doen?

Ze draaide langzaam rond en nam het slagveld in zich op. Als de belangrijkste reden om hier te komen diefstal was geweest, waarom waren de matrassen dan aan stukken gescheurd? De miniatuur was geld waard dus waarom was die dan achtergelaten en vernield? Haar gedachten tolden in het rond, kwamen toen tot rust en haar woede werd verruild voor een kille angst. Was de diefstal alleen maar bedoeld om een veel duisterder daad te maskeren?

Kate keek door de geopende flap naar de tent van Paddy. Ze kon zijn donkere schaduw zien die zich op het tentdoek aftekende tegen het licht van de olielamp terwijl hij daar met vrouw en dochter zat. Hij leek zich niet druk te maken om Henry's verdwijning. Waarom was hij niet samen met de anderen aan het zoeken? De twee waren tenslotte compagnons.

Terwijl ze daar stond te midden van de puinhopen, herinnerde ze zich het laatste gesprek dat ze die ochtend met Henry had gevoerd en ze kreeg het nog kouder. Henry kwam niet meer terug – en er was maar één man die zou profiteren van zijn verdwijning. Slechts één man was tot dergelijk geweld in staat. Maar hoe moest ze dat bewijzen?

Ze deed aarzelend een stap in de richting van Paddy's tent en bleef vervolgens weer staan. Ze was eerder getuige geweest van zijn gewelddadigheid en ze wist dat ze, ook al had ze een pistool op zak, nooit de waarheid uit hem zou krijgen. Als ze hem nu ondervroeg zou hij daardoor alleen maar op zijn hoede zijn en dat bracht Miriam in gevaar. Miriam moest worden beschermd – dat zou Henry gewild hebben.

Kate raapte snel de paar kledingstukken en persoonlijke bezittingen bij elkaar en stopte die in de zadeltassen. Ze rolde de schildersspullen weer in het doek en stopte de bundel bij de rest. Ze wierp nog een snelle blik door het schamele onderkomen en haastte zich naar buiten naar haar paard. Ze legde de zadeltassen op zijn knokige rug, maakte de kluisters los en leidde hem snel naar haar tent.

Ze slaakte een zucht van verlichting toen ze zag dat het kind nog steeds lag te slapen, warm en veilig, zoals ze haar had achtergelaten. Kate merkte dat ze zo heftig beefde dat ze moest gaan zitten. Haar handen trilden toen ze het pistool en het geweer controleerde en ze op tafel bij het bed legde. Ze keek naar de speeldoos. Isaac zou wel weten wat ze moest doen, dacht ze terwijl ze een stevig glas cognac inschonk dat ze in één teug leegdronk. Maar hij was te ver weg. Het was haar verantwoordelijkheid en zij moest beslissen wat er te doen stond als Henry vanavond niet werd gevonden.

Na een lange stilte begon Kate in te pakken. Ze bewoog zich stilletjes door de tent zodat de slapende Miriam niet werd gestoord en pakte beetje bij beetje haar voorraden en bezittingen in de wagen. Toen de dageraad een dunne streep aan de horizon trok, bond ze Henry's paard achter de wagen en spande haar eigen muildieren tussen de dissels.

'Is pappa al terug?' klonk een slaperige stem vanuit het bed.

Kate nam haar in haar armen en drukte haar tegen zich aan. 'Nog niet, *acushla*. Kom, dan gaan we ontbijten.'

Ze zaten aan weerszijden van het kampvuur; ze hadden geen van beiden honger en deden niet meer dan een symbolische poging de eieren met spek op te eten. Ze hielden allebei op toen de groepjes mijnwerkers één voor één terugkeerden van hun nachtelijke zoektocht. Ze hadden geen spoor van Henry gevonden. Hij leek simpelweg in het niets opgelost.

De mannen en vrouwen gingen naar hun onderkomens van zeildoek. Ze liepen met hangende schouders van vermoeidheid en van de enorme triestheid die volgde op het verlies van een van hen. Dat was misschien geen bijzondere gebeurtenis in dit niemandsland, maar het herinnerde hen altijd weer aan hoe vluchtig het leven was dat ze leidden.

'Hij komt terug,' hield Miriam vol. 'We kunnen niet weggaan.'

'We moeten wel,' zei Kate terwijl ze ging staan en haar haar achterover streek. 'Het is hier niet langer veilig voor je.'

Miriam keek verbaasd. 'Hoezo? Als we weggaan, dan kan pappa ons niet meer vinden.' Tranen biggelden over haar wangen en ze snikte. 'Ik ben niet bang, Kate. Niet als jij bij me blijft.'

Kate voelde medelijden met het kind terwijl ze haar in haar armen nam. Hoe moest ze haar vertellen dat ze bang was voor Paddy? Hoe moest ze een twaalfjarige uitleggen dat hij heel goed tot moord in staat was en dat haar vader nooit meer terug zou komen?

Haar gedachtegang werd onderbroken door de aanblik van Paddy die met grote passen hun kant uit kwam. 'Ga de tent in, schat, en blijf daar,' zei ze binnensmonds.

Miriam stond in het halfduister in de grote tent, verstijfd van angst terwijl Paddy hoog boven Kate uittorende. Ze spraken met stemverheffing en het leven in het kamp kwam tot stilstand.

'Waar is het, dief?' schreeuwde hij. 'Ik weet dat jullie twee één pot nat zijn. Hij moet het aan jou hebben gegeven.'

'De enige dief hier ben jij, Patrick Dempster,' schreeuwde Kate in zijn gezicht. 'En alleen over mijn lijk krijg jij die eigendomsakten in handen. Als ik ze al had, en dat heb ik niet!'

'Je liegt,' schreeuwde hij en hij probeerde haar beet te pakken.

Kates hand bewoog zo snel als een slang in de aanval en het pistool glansde in het ochtendlicht toen ze het uit haar zak trok. 'Als je me durft aan te raken, schiet ik,' zei ze kil. 'Er zijn er hier genoeg die zullen getuigen dat je me wilde aanranden.'

'Die doen hun bek niet voor je open, smerige hoer. Geef me die papieren of ik stuur de politie op je af.'

Kate was doodsbleek, maar haar hand beefde niet en het pistool bleef op Patricks hart gericht. 'Ik heb ze niet,' zei ze koud. 'En wat de politie betreft – kijk eens om je heen. Er is hier geen politie. Honderden kilometers in de omtrek is er geen agent te bekennen. We maken onze eigen wetten, Patrick – dat weet je – en ik ook.'

Patrick moet de vijandige blikken hebben gezien en de woede hebben gevoeld die de toekijkende goudzoekers uitstraalden. 'Geloof maar niet dat je aan me kunt ontkomen door weg te lopen, slet,' snauwde hij. 'Op een dag zal ik je vinden – jou en dat snotterende nest – en dan pak ik wat mij toebehoort. Daar kun je vergif op innemen.'

Miriam deed haar ogen dicht en probeerde zijn stemgeluid niet te horen, zijn woedende gezicht niet te zien en de hitte van zijn woede niet te voelen. 'Kate en ik gingen kort daarna weg van de goudvelden. We gingen op weg naar Sydney en Isaac.'

Jake deed er het zwijgen toe, zijn blik was gericht op het schilderij en zijn gezicht stond nadenkend.

'Ik weet niet meer hoe lang het duurde voor we er waren, maar het leek wel een eeuwigheid. Ik bracht het grootste deel van de tijd slapend of huilend door. Maar de nachtmerries waren het ergste. Ik zag hem steeds maar voor me in het donker, omringd door slangen en ongedierte, gewond en niet in staat om hulp te roepen.'

Miriam opende haar ogen en omdat de herinneringen aan die tijd zo duister waren, werd ze verrast door het heldere zonlicht dat door de ramen naar binnen stroomde. 'Toen we in Sydney kwamen, hoorden we dat Isaac met longontsteking in het ziekenhuis was opgenomen en zijn huis was afgesloten en verlaten.'

Ze snoot haar neus en depte haar ogen. 'Ik heb hem nooit gezien. Kate weigerde me mee te nemen naar het ziekenhuis, maar hij was een goede man, en trouw ook.' Ze glimlachte door haar tranen. 'Hij overleed kort nadat we in Sydney waren aangekomen, maar hij had een testament gemaakt en alles aan Kate nagelaten. Het huis, de zaak, de voorraad goud en juwelen die hij in zijn kluis bewaarde. Zijn voorspelling was uitgekomen – al was het niet zoals hij het had bedoeld. Kate was ineens een heel rijke vrouw.'

Fiona stuurde de motor door de lange, golvende bochten van de landweg. De diepe schaduwen van de overhangende bomen werden van tijd tot tijd doorsneden door felle stralen zonlicht en dat maakte het moeilijk afstanden te schatten. Het landschap hier was prachtig, gaf ze toe, toen ze eindelijk het gas open kon draaien en over de rechte weg raasde. Naar alle kanten strekten zich kilometers grasland uit en lagen heuvels en valleien waar plukjes schapen en koeien en paarden rondliepen. Het was prima weidegrond, met voldoende water, perfect voor Mims stoeterij.

Eindelijk kreeg ze de eerste omheinde weilanden van Mim in het oog en een kwartier later kwam ze bij de smeedijzeren poort. Het hek van prikkeldraad was vervangen door een mooie, gemetselde muur aan weerszijden van de ingang met de woorden BELLBIRD STATION op stenen plaquettes. Jacaranda's stonden als wachters bij de ingang en omzoomden het brede kronkelende pad naar het noorden terwijl hun paarse bloesem schitterde in het zonlicht.

Fiona stapte van de motor en deed een van de hekken open. Ze kon het niet helpen dat ze, zoals altijd op haar regelmatige bezoeken, moest denken aan hoe het allemaal een beetje anders was dan in haar kindertijd. Ze kon zich de smalle zandweg nog herinneren die nauwelijks zichtbaar was tussen de armzalige planten en struiken, en de poort die altijd uit het lood leek te hangen.

In de wetenschap dat de voorpret een belangrijk onderdeel was van hier terugkeren, ging ze wat langzamer rijden en genoot van de omgeving. De verbrede weg zocht kronkelend zijn weg naar de boerderij die nog steeds aan haar blik onttrokken was. De schaduwen van de jacaranda's langs de laan vormden spikkels in het zonlicht en de omringende heuvels waren laag en glooiend, bijna wellustig met hun dikke laag stevig gras – de paarden die van deze overvloed graasden, waren slank en sierlijk.

Toen ze op de top van een heuvel kwam, kreeg ze eindelijk Bell-bird in zicht en ze nam even de tijd voor een hernieuwde kennismaking. De boerderij stond loodrecht op een zijde van het erf en de witte verf en het rode dak van golfplaat staken helder af tegen het bleekgroen van de peperbomen en eucalyptus. De kraal en de stallen hadden de donkergele kleur aangenomen van hun omgeving die slechts werd verzacht door de takken en het rode bladerdek van de poinciana die beschutting bood aan de bijgebouwen en het huisje van Frank.

Haar voorpret sloeg om in ongeduld en ze draaide het gashendel open en denderde de heuvel af. Ze bracht de motor naast de stoffige pick-up tot stilstand en realiseerde zich, na een blik op de nummerplaten van Brisbane, dat Mims bezoeker er nog steeds was.

Ze zette haar helm af en schudde haar haar los terwijl ze van de motor stapte. Het was misschien wel interessant om het gezicht te zien dat bij de stem over de telefoon hoorde, dacht ze terwijl ze haar hand uitstak naar de hordeur, want haar fantasie was tijdens hun gesprek met haar op de loop gegaan.

Haar hand aarzelde toen ze het geroezemoes van stemmen uit de zitkamer hoorde komen en ze bleef een ogenblik staan luisteren, geïntrigeerd door het gesprek. Mim gebruikte deze kamer eigenlijk alleen maar als ze belangrijk bezoek had – maar wat ze nu hoorde was wel een vreemd onderwerp om met een vreemde te bespreken.

Ze kwam tot de conclusie dat ze niet langer kon blijven luistervinken – ze moesten de motor hebben gehoord – en sloeg de hordeur met een klap achter zich dicht en maakte haar aanwezigheid kenbaar. 'Hallo,' riep ze. 'Iemand thuis?'

'In de kamer, Fiona,' kwam het antwoord.

Fiona duwde de deur open en deed haar uiterste best om niet te laten merken hoe geschokt ze was toen Mim opstond om haar te begroeten. Mim was altijd al klein geweest, maar nu was het net of ze gekrompen was en er plotseling veel ouder uitzag. Fiona kon de pijnlijke slankheid van de armen die om haar heen geslagen werden niet negeren, net zo min als de broosheid van haar lichaam terwijl ze elkaar omhelsden. 'Gaat het goed met je?' vroeg ze angstig.

Mim deed een stap achteruit en glimlachte. 'Zo goed als maar kan, nu ik jou weer zie,' zei ze monter. 'Tussen twee haakjes, schat, dit is Jake Connor.'

Fiona draaide zich om en merkte dat ze naar boven moest kijken om zijn gezicht te zien terwijl ze elkaar de hand schudden. 'We hebben elkaar over de telefoon gesproken,' wist ze uiteindelijk uit te brengen.

Hij is erg knap, gaf ze toe toen ze haar hand terugtrok en die in de zak van haar spijkerbroek stak. Lang, goedgebouwd, sexy. Er moest iets mis met hem zijn. Een perfecte man bestond niet. Ze ordende haar gedachten. 'Je hebt nooit uitgelegd waarom je hier bent,' zei ze en ze klonk een stuk botter dan haar bedoeling was geweest.

'Alles op zijn tijd, schat,' zei Miriam opgewekt terwijl ze zich omdraaide en de kussens op de bank opschudde.

Maar Fiona had de blik van verstandhouding tussen Jake en Mim gezien en wist dat er sprake was van een geheim – een samenzwering. Haar nieuwsgierigheid werd nog verder geprikkeld. 'Wat voer je in je schild, Mim?' vroeg ze.

'Wat zou ik in mijn schild moeten voeren?' antwoordde de oude dame. 'Ga zitten, Fiona, en hou Jake gezelschap terwijl ik een verse pot thee zet.'

Fiona hield voet bij stuk. 'Ik wil geen thee,' zei ze botweg. 'Ik wil weten wat er aan de hand is.'

Mim zuchtte. 'O, lieve hemel,' mompelde ze. 'Ik had kunnen weten dat je problemen zou veroorzaken.'

Fiona deed haar mond open om zich te verdedigen, maar werd snel tot zwijgen gebracht door Mims blik.

'Jake komt uit Brisbane,' zei de oude vrouw. 'Hij is hier om me ergens mee te helpen. Dat zal allemaal vlug genoeg duidelijk worden, maar je zult geduld moeten hebben. Je moet wachten tot de anderen hier ook zijn.' Ze liep de kamer uit en deed de deur met een scherpe klik achter zich dicht, alsof ze daarmee het gesprek beëindigde.

Fiona keek naar Jake. 'Ik vermoed dat jij me ook niet gaat vertellen waar dit allemaal over gaat?'

Hij schudde zijn hoofd en zijn donkere ogen keken haar lachend aan. 'Ik zou niet durven,' zei hij lijzig. 'Mim mag dan klein zijn, maar die blik van haar kan een op hol geslagen stier tot stilstand brengen.'

Fiona's kribbige humeur verdween en ze giechelde terwijl ze zich op de bank liet vallen. 'Dat klopt,' stemde ze in. 'Frank is de enige die zich daar zo te zien niets van aantrekt.'

Ze keek uit het raam en zag de voorman het erf oversteken. Misschien dat Frank een vermoeden had waar dit allemaal over ging, dacht ze. Ik spreek hem later wel en dan zal ik hem eens uithoren. Toen ze haar blik weer afwendde, zag ze dat Jake haar met een nieuwsgierige, doordringende blik aankeek.

'Wat heb je allemaal opgevangen voor je binnenkwam?' vroeg hij zachtjes.

Fiona voelde zich rood worden, maar ze keek hem uitdagend aan. 'Ik luister niet aan deuren,' zei ze verdedigend.

'Is dat zo?' zei hij met een uitgestreken gezicht. 'De hordeur moet dan behoorlijk hebben geklemd, aangezien het je nogal tijd heeft gekost om binnen te komen.'

Hij glimlachte en ze zag hoe er kraaienpootjes in de hoeken van zijn ogen verschenen. Hij was echt één bonk seks en in andere omstandigheden zou ze hebben geprobeerd hem te versieren, maar op dit moment ergerde hij haar alleen maar. 'Liep je me te bespioneren?' wilde ze weten.

Jake leunde tegen de schoorsteenmantel; hij had zijn armen over elkaar geslagen en de glimlach speelde nog steeds rond zijn lippen. 'Niet met opzet, maar het lawaai van de motor was niet te missen en hiervandaan heb je prima uitzicht op de trap naar de veranda.'

Verdomme, dacht ze woedend. Die vent heeft ook overal een antwoord op.

9

De bungalow van Frank stond aan de andere kant van het erf en keek uit op de zacht glooiende helling die afliep naar de kreek. De veranda werd overschaduwd door bomen en was een prettige plek om de avond door te brengen en Frank zat tevreden naar de eenden te kijken en naar de parkieten die voor de laatste keer die dag kwamen drinken. De rook uit zijn pijp dreef weg op de avondbries die van de heuvels kwam – een prima manier om de muggen op afstand te houden.

'Hallo, Frank. Hoe is het ermee?' Fiona ging in een rieten stoel naast hem zitten.

'Goed,' mompelde hij om de steel van zijn pijp. 'Er werkt een nieuwe voor me, dus ik krijg nu voor de verandering een beetje rust.'

'Het werd tijd dat je eens wat werk afstootte, Frank.'

Frank, een man van weinig woorden, knikte en rookte onverstoorbaar verder.

Fiona bekeek het lange, verweerde gezicht onder de versleten hoed en vroeg zich af hoe oud Frank eigenlijk was. Ze kende hem al als kind en zelfs toen leek hij al antiek – al zag hij er nu ondanks de jaren die voorbij waren gegaan niet veel anders uit. 'Mim ziet er niet goed uit,' begon ze. 'Ik schrok toen ik zag hoe broos ze is.'

Frank knikte weer en na een lange stilte nam hij zijn pijp uit zijn mond. 'Het komt goed,' zei hij. 'Ze begint net als de rest van ons oud te worden.'

Fiona beet op haar lip. Ze wilde niet graag toegeven dat haar grootmoeder sterfelijk was. 'Vijfenzeventig is nog niet zo oud,' protesteerde ze.

Zijn bruine ogen keken recht in de hare. 'Wel als je die vijfenzeventig jaar hier in de rimboe hebt doorgebracht,' zei hij nors. 'En Mim is ook al niet iemand om het kalmer aan te doen. Ik betrapte haar laatst terwijl ze de stal aan het uitmesten was.' Hij grinnikte waardoor zijn ooghoeken tot een spinnenweb van lijntjes rimpelden. 'Ze vloog me bijna aan, maar dat ben ik gewend.'

Fiona liet haar ellebogen op haar knieën rusten en keek uit over het donker wordende landschap terwijl de cicaden hun pulserende gerasp lieten horen. De kreek glom zilver, de vogels zochten een plekje voor de nacht en de laatste van de kaketoes tekenden zich als silhouetten af tegen de opkomende maan. Ze had haar camera mee moeten brengen, maar die lag nog in de boerderij.

'Weet je iets af van die Jake Connor?' vroeg ze ten slotte. Het had geen zin om Frank met te veel vragen ineens te bestoken.

'Prima vent,' mompelde Frank om de steel van zijn pijp. 'Ben hem een paar keer tegengekomen in de stallen. Ik durf te wedden dat hij zich niet laat foppen door Mim. Ze is een stuk levendiger geworden.' Dat was een lange toespraak voor Frank en hij zweeg.

Fiona moest haar best doen om haar geduld niet te verliezen. Prima vent of niet, ze wilde weten waarom hij hier was. 'Heeft Miriam je iets over hem verteld?' probeerde ze. 'Ze lijken het goed met elkaar te kunnen vinden. Hij noemt haar al Mim, alsof hij familie is.'

Frank schudde zijn hoofd. 'Ze heeft me niks verteld,' mompelde hij. Hij leunde achterover in zijn stoel en legde zijn voeten op de reling van de veranda. 'Maar ik denk wel dat het iets met die speeldoos te maken heeft,' zei hij lijzig.

'Wat voor speeldoos?' Fiona was onmiddellijk op haar hoede.

Frank haalde zijn schouders op. 'Weetniet,' mompelde hij. 'Maar hij is flink beschadigd toen ze hem liet vallen.'

Fiona wilde hem wel door elkaar schudden – maar Frank zou haar uiteindelijk alles vertellen wat hij wist – als hij de tijd rijp vond en in zijn eigen tempo. Ze hield haar stem kalm en haar ongeduld in toom.

'Waarom zou Mim iemand helemaal uit Brisbane laten komen om naar een kapotte speeldoos te kijken?'

''k Weet het niet.'

Fiona had het gevoel dat ze veren probeerde te plukken van een kikker en wou dat zijn vrouw nog in leven was. Bij Gladys had je tenminste nog de kans dat er iets verstandigs uit kwam. 'Tenzij het een antieke is?' Dat was een aansporing die geen reactie teweegbracht. 'Je hebt hem toch wel gezien, hè?'

Frank boog zich voorover en klopte de as uit zijn pijp. 'Een prachtig stukje vakmanschap, met figuurtjes en al,' peinsde hij. 'Maar niet veel meer waard sinds ze hem heeft laten vallen, denk ik.'

Het drong tot Fiona door dat hij iets voor haar achterhield. Dat bleek uit de schichtige manier waarop hij weigerde haar aan te kijken. 'Hoe kwam het dat ze hem liet vallen, Frank?'

Hij schraapte met de teen van zijn laars over de veranda. 'Van de ladder gevallen,' zei hij binnensmonds. Hij wreef over de stoppels op zijn kin en ging snel verder toen hij Fiona's kreet van afschuw hoorde. 'Ze had niet tegen me gezegd dat ze de vliering opging. Ik hoorde de klap en vond haar in de hal.'

'Verdomme, Frank,' zei Fiona boos. 'Je had me moeten bellen. Was ze gewond?'

Hij schudde met een schaapachtige uitdrukking zijn hoofd. 'Nee. Ze had alleen maar haar gekwetste trots en een pijnlijk achterwerk. Ze vloog me bijna aan omdat ik haar wilde helpen, maar ik ben pas weggegaan toen ik zeker wist dat ze in orde was.'

Fiona stak een sigaret op die ze zwijgend oprookte. Die speeldoos moest wel iets waard zijn, gezien alle moeite die Mim had gedaan, dacht ze. Zeker als dat de reden was voor Jakes komst naar Bellbird. Maar dat was allemaal geen verklaring voor haar breekbaarheid, het plotselinge ouder worden van haar geliefde Mim. 'Is de dokter geweest?' vroeg ze.

'De afgelopen maanden een paar keer,' antwoordde hij bedachtzaam. 'Maar ze zei dat dat alleen maar voor controle was.' Hij keek haar ernstig aan vanonder zijn zware oogleden. 'Ze wilde niet dat ik hem belde toen ze gevallen was, maar ik heb haar in de gaten gehouden en ze lijkt oké.'

Fiona legde haar hand op Franks arm. 'Dank je,' zei ze zachtjes.

Hij keek naar haar en een langzame glimlach gleed over zijn gezicht. 'Ik durf te wedden dat Mim het niet zo op prijs zou stellen dat je me al die vragen stelt, Fiona. Ze is nogal op zichzelf.'

'Ik weet het,' zei Fiona met een zucht. 'En dat is knap frustrerend.'

Miriam trok de gordijnen dicht en glimlachte. Arme Frank, dacht ze. Als Fiona eenmaal haar tanden in iets heeft gezet, laat ze niet meer los – ze had kunnen weten dat ze zou proberen Frank uit te horen. 'Maakt niet uit,' zei ze binnensmonds terwijl ze haar haar borstelde en zich klaarmaakte om naar bed te gaan. 'Als ik besluit hiermee verder te gaan, komt ze overal gauw genoeg achter.'

Miriam sloeg het laken terug en stapte in bed. Ze had nu ondanks de pillen voortdurend pijn en ze slaakte een zucht van verlichting toen ze zich in de kussens liet zakken. De dagen waren te lang en de nachten slapeloos. Hoe eerder ze het raadsel van de speeldoos oploste, hoe beter, want de tijd verstreek.

Miriam deed haar ogen dicht. Ze wist niet hoe lang ze de schijn nog op kon houden en hoewel ze het vreselijk vond om iedereen te moeten bedriegen, waren er belangrijker zaken om zich druk over te maken. 'Sterfelijkheid zit tussen je oren,' fluisterde ze. 'Hou vol, Mim. Gewoon volhouden.'

Ze liet haar gedachten teruggaan naar de jaren in Sydney en toen de slaap eindelijk kwam, werd ze meegenomen naar haar jeugd. Naar de tijd dat haar en Bridie Dempsters wegen elkaar weer kruisten.

De jaren in Sydney hadden de pijn doen vervagen en Miriam had zich er ten slotte bij neergelegd dat haar vader nooit meer terug zou komen. Maar ze had hem niet vergeten en ze liet de speeldoos vaak op stille momenten in de nacht spelen en dan keek ze naar de dansende figuurtjes en dacht aan de tijd dat ze samen waren geweest. Die momenten brachten hem heel dichtbij en hielden de herinnering aan hem levend – en de muziek bracht troost.

Kate had de rol van beschermvrouw op zich genomen en ze hadden zich in Isaacs huis gevestigd. Dat was naar Australische maatstaven tamelijk oud. Het was een van de eerste bakstenen huizen in Sydney, gebouwd in het begin van de negentiende eeuw, en keek uit over het water. Miriam hield ervan om door de kamers te zwerven en het antiek en de kostbare boeken te bekijken. Ze vond het heerlijk om bij het raam te zitten en naar de schepen op de rivier te kijken en ze de haven te zien binnenvaren. Het leven in deze prachtige stad was zo heel anders en ze wenste vaak dat ze de ervaring met haar vader had kunnen delen.

Kate trok er niet langer op uit, maar gaf er de voorkeur aan haar zaken vanuit het huis van Isaac te doen. Ze had ervoor gezorgd dat Miriam de boeken bestudeerde en beter leerde lezen en schrijven. Ze had haar ook geleerd hoe ze zich in gezelschap diende te gedragen – want Kate werd, als gerespecteerde en rijke vrouw, vaak uitgenodigd voor prestigieuze bijeenkomsten en Miriam bereikte zo langzamerhand de leeftijd dat ook zij het sociale leven zou binnenstappen.

Toen Miriam in 1909 vijftien werd, deed Kate haar op een school voor jonge meisjes. Dat instituut stond onder leiding van twee oudere zusters die uit Engeland waren gekomen om een echtgenoot te zoeken. Toen dat niet lukte, hadden ze zich toegelegd op het opvoeden van de dochters van rijke kolonisten op het gebied van de etiquette, ontwikkeling en houding. Dat was geen geringe taak en ze werden vaak tot wanhoop gedreven door de onstuimigheid van deze meisjes die zich beter thuis leken te voelen op een schapenfokkerij dan in een salon.

Miriam haatte elke seconde van die haar opgedrongen opvoeding. Ze was er tot haar afschuw en chagrijn achter gekomen dat ze geen talent had voor het pianospel, meer dan waardeloos was als het aankwam op schilderen en dat ze twee linkervoeten met een eigen wil leek te hebben wanneer de dansles begon. De beperkingen van wat zij zag als een ouderwetse bezigheid, frustreerden haar. Nadat ze jaren haar gang had kunnen gaan in de mijnwerkerskampen, leek dit eerder op een gevangenis en ze kon niet wachten tot het jaar voorbij was.

Miriam klom van het rijtuig en pakte haar boeken. Ze had het warm en voelde zich ongemakkelijk in het belemmerende jasje en de strakke rok die ervoor zorgde dat ze moest lopen als een gekluisterd paard. De breedgerande strohoed was gewoon een verschrikking. Hij balanceerde op haar dikke, wilde haar en werd alleen maar op zijn plaats gehouden door hoedenspelden die in haar hoofd prikten. Ze ging met een vinger langs de binnenkant van de hoge boord van de blouse en wou dat het kant in de kraag niet zo vastbesloten was tegen haar kin te kriebelen.

Ze hield haar hand doodstil toen ze zag hoe Bridie Dempster door een lakei uit een rijtuig werd geholpen. De man droeg hetzelfde groen als de koetsier en het glimmende, duur uitziende rijtuig was duidelijk privébezit.

Miriam beet op haar lip en wist niet zeker wat ze moest doen. Ze hadden elkaar vier jaar niet meer gezien, maar ze kon zich de laatste keer dat ze geconfronteerd werd met de woede van Paddy nog goed herinneren – net zoals ze nog steeds de pijn voelde omdat Bridie na de tragische verdwijning niet de moeite had genomen haar op te zoeken.

Terwijl Miriam stond te aarzelen, nam Bridie haar de beslissing uit handen. Na een snelle blik van herkenning, stak Bridie haar kin in de lucht en liep haar met afgewende ogen en een hoop geruis van zijde voorbij.

Miriams opluchting was vermengd met verdriet. Ze waren elkaar ooit zo na geweest – nu zouden ze voor altijd vreemden blijven. Ze zag het rijk bestikte jasje en de bijpassende rok. Bridies hoed was er een die Miriam had gezien in een kleine modezaak in de stad en ze wist dat hij een klein vermogen kostte – en toch paste hij, in tegenstelling tot die van haar, perfect op de glanzende roodbruine krullen. Paddy moest zijn pot met goud hebben gevonden, want hoe kon dit vertoon van rijkdom anders worden verklaard?

Miriam liep achter haar aan de ontvangsthal in en keek hoe juffrouw Prudence haar verwelkomde. Dit was duidelijk haar eerste ochtend – en toch snapte Miriam niet wat Bridie hier kwam doen. Ze was nog maar dertien en toch bezat ze al een verfijning waar Miriam alleen maar van kon dromen – een uitstraling van zelfverzekerdheid die haar onmiddellijk het brandpunt van de belangstelling maakte toen ze het vertrek binnenstapte.

'Jongedames,' riep juffrouw Prudence en ze klapte in haar handen om hen tot stilte te manen. 'Ik wil jullie graag voorstellen aan juffrouw Bridget Dempster. Juffrouw Dempster zal de rest van het jaar bij ons blijven en ik weet zeker dat jullie haar net als ik willen bedanken voor de prachtige oranjerie die haar vader de school heeft geschonken.'

Miriam sloot zich aan bij het beleefde applaus en zag de glans in de bruine ogen terwijl ze het vertrek in zich opnamen en ten slotte op haar gezicht bleven rusten. Er ging een koude rilling door haar heen toen ze de onuitgesproken boodschap begreep. De uitdaging lag er. Bridie zou het niet tolereren dat er over haar arme afkomst geroddeld werd – en ze zou alles in het werk stellen om dat geheim te bewaren.

Miriam draaide zich om en liep in de richting van haar eerste les. Ze zou niets zeggen over Bridies verleden en Kate niet vertellen over haar komst – of over Paddy's gift aan de school – want dat zou alleen maar moeilijkheden veroorzaken. De Dempsters waren de afgelopen jaren voor Kate een bron van grote woede geworden en hoewel Miriam niet begreep waarom, wist ze wel dat het geen zin had olie op het vuur te gooien. Er waren nog maar een paar weken te gaan tot het einde van het schooljaar. Wat kon het voor kwaad om Bridies aanwezigheid geheim te houden?

Drie dagen later kwam Miriam er achter hoe gevaarlijk Bridie kon zijn.

Juffrouw Prudence en juffrouw Faith stonden op de kleine verhoging en hadden de meisjes uit hun middagles geroepen. Hun gezichten stonden ernstig en hun zwarte kleding accentueerde hun bleke gelaatskleur. 'Het is mijn droeve plicht een diefstal te melden,' zei juffrouw Prudence, de spreekbuis van de twee.

Een zucht van verbazing werd gevolgd door gefluister onder de dertig meisjes. Miriam draaide net haar hoofd om om iets tegen haar vriendin Amy te zeggen, toen ze zich bewust werd van Bridies onderzoekende blik. De hazelnootkleurige ogen stonden koud, de mond strak en toch lag er iets van triomf in de manier waarop ze haar kin hield.

'Er is een diamanten broche verdwenen.' Juffrouw Prudence verhief haar stem boven het gefluister tot het stil werd. 'Jullie blijven allemaal in de hal tot alles grondig is doorzocht.'

'Dat moet de broche van Bridget zijn,' fluisterde Amy. 'Ik heb haar daar pas nog mee gezien.' Ze trok haar neus op. 'Dom om zoiets waardevols mee naar school te nemen. Een van de bedienden kan hem wel hebben weggenomen. Ik snap niet dat we hier de halve middag moeten blijven terwijl een korte zoektocht in de keuken dat ding zo boven water kan brengen.'

Miriam voelde zich misselijk worden toen ze zich weer omdraaide en zag dat Bridie naar haar keek. 'Hoe laat was dat?' zei ze binnensmonds tegen Amy.

Amy schikte haar blonde krullen terwijl ze haar spiegelbeeld bekeek in een handspiegeltje. 'Net na de koffiemaaltijd,' antwoordde ze, zorgvuldig het woord 'lunch' vermijdend. 'We waren net onze dansschoenen aan het aantrekken.' Ze keek Miriam met grote blauwe ogen aan. 'Waarom?'

Miriam schudde haar hoofd. 'Ik was alleen maar nieuwsgierig,' zei ze binnensmonds.

De oude vrijsters kwamen een halfuur later terug in de hal. De meeste meisjes waren in de vensterbank gaan zitten lezen terwijl anderen in hoekjes stonden te roddelen. 'Omdat jullie je ongetwijfeld willen voorbereiden op het gouverneursbal van vanavond mogen jullie eerder weg,' zei juffrouw Prudence. 'De broche is gevonden.'

Miriam legde met een zucht van opluchting de bladwijzer in haar boek en sloeg het dicht. Amy liep al in de richting van de deur – zoals altijd popelend om naar huis te gaan. Miriam had nog nooit iemand ontmoet die er zo lang over deed om zich klaar te maken voor wat dan ook.

Ze glimlachte terwijl ze de rest van haar spullen bij elkaar zocht. Het bal zou haar eerste officiële uitje zijn en het beloofde leuk te worden, want Kate zou haar eindelijk voorstellen aan George Armitage die hen zou begeleiden. George, een weduwnaar met dertigduizend hectare grond in het noorden van New South Wales, had Kate al bij heel wat gelegenheden geëscorteerd en Miriam had gezien dat de twinkeling in Kates ogen weer terug was.

'Juffrouw Beecham. Wilt u alstublieft even met me meegaan?'

Miriam voelde hoe de kleur wegtrok uit haar gezicht terwijl ze zich omdraaide en in die zure ogen keek. 'Natuurlijk,' stamelde ze. 'Wat is er gebeurd? Er is toch niets met Kate?'

Juffrouw Prudence negeerde haar en ging voor, terwijl juffrouw Faith achter Miriam liep. Ze gingen de studeerkamer binnen en de deur ging dicht. 'Hebt u hier een verklaring voor?' vroeg juffrouw Prudence terwijl ze de broche op het bureau legde.

'Nee,' antwoordde Miriam naar waarheid. 'Ik heb hem nog nooit eerder gezien.'

'Kom, kom, juffrouw Beecham.' Er lag een vurige blos op de magere wangen, maar de ogen bleven koud. 'We hebben hem tussen uw bladmuziek gevonden.' Ze zat kaarsrecht in de leren bureaustoel met haar handen gevouwen voor zich.

Ze kreeg een kleur die gelijke tred hield met haar toenemende verontwaardiging. 'Nou, ik heb hem daar niet gestopt,' antwoordde Miriam.

'U wordt van school verwijderd,' zei juffrouw Prudence. 'Uw... voogdes is op weg hiernaartoe om u te halen.'

'Ik heb dat verrekte ding niet gestolen,' schreeuwde Miriam. De jaren van training, de lessen in welsprekendheid en beleefde omgangsvormen waren in één klap vergeten, nu ze vocht om haar naam te zuiveren. 'Amy heeft Bridie er voor de dansles nog mee gezien en ik ben vandaag niet eens in de buurt geweest van het muzieklokaal.'

'Wees stil.' De grijze ogen priemden en de mond was niet meer dan een dunne streep boven de spitse kin. 'Juffrouw Dempster was helemaal overstuur toen ze er tijdens de koffiemaaltijd achter kwam dat de broche was verdwenen. Ze is naar me toe gekomen en heeft me gesmeekt de naam van de dader niet bekend te maken. Ze wist wat een schandaal dat zou veroorzaken – hoe slecht het zou zijn voor de reputatie van de school. Je hebt aan haar te danken dat ik de politie niet heb ingeschakeld.'

'De po...?' Miriam liet zich met een plof in de dichtstbijzijnde stoel vallen. 'Ik kan niet geloven dat u denkt dat ik een dief ben,' zei ze naar adem snakkend. 'Wat zou ik nou met zo'n broche moeten? Kate heeft een hele brandkast vol diamanten en edelstenen.'

'Precies!' kwam een stem vanuit de deuropening tussenbeide. 'Miriam, beheers je alsjeblieft.' Kate kwam de kamer binnengestormd, de huilende Amy aan een arm met zich meetrekkend. Ze pakte de broche, hield hem in het licht en bekeek hem nauwlettend. 'Precies wat ik dacht,' snauwde ze. 'Dit is net zo min diamant als dat venster daar. Een imitatie van glas – een goede, maar niet goed genoeg om mij voor de gek te houden.'

De oude vrijsters zaten stijf rechtop, met open monden en asgrauwe gezichten terwijl Kate haar handschoenen uitdeed en in een stoel ging zitten.

'U moet oppassen wat u zegt als u mijn Miriam van diefstal beschuldigt,' zei ze bedrieglijk vriendelijk. 'Zij zou net zo min stelen als u – en zeker niet van figuren als de Dempsters.' Ze spuugde het woord bijna uit terwijl ze de twee oudere vrouwen woedend aankeek.

Zonder haar hoofd om te draaien snauwde ze: 'Amy, vertel eens wat je hebt gezien. En denk erom, het hele verhaal, anders zal ik eens een hartig woordje met je vader spreken, geloof dat maar.'

Amy werd rood tot aan de wortels van haar blonde krullen. Met neergeslagen ogen vertelde ze hoe ze had gezien dat Bridget het muzieklokaal was binnengeglipt. Ze was haar achternagegaan, omdat ze nieuwsgierig was waarom ze zo stiekem deed en ze had haar aan een muziekkoffertje zien rommelen dat duidelijk niet het hare was – want dat van Bridget was van wit geitenleer en erg opvallend. Ze had aangenomen dat ze weer iemand een van haar streken aan het leveren was en had er niet meer aan gedacht tot vanmiddag.

'Waarom heb je je mond niet eerder opengedaan?' vroeg Miriam. 'Je had me een hoop problemen kunnen besparen.'

'Dat weet ik en het spijt me, Mim, het spijt me echt. Ik zag Kate pas toen ik terugkwam om een boek te pakken dat ik had vergeten en zij vertelde me waar je van werd beschuldigd. Toen realiseerde ik me wat Bridget in het muzieklokaal moest.' Achter de lange wimpers zwommen de blauwe ogen in tranen. 'Kun je me vergeven?' fluisterde ze.

Miriam pakte haar hand. 'Natuurlijk,' zei ze.

'Nou,' zei Kate terwijl ze haar handschoenen pakte en ging staan, 'aangezien alles nu opgelost is, gaan we maar over tot de orde van de dag. Miriam zal niet terugkomen op uw instituut, dames. Ik wil niet dat ze omgaat met mensen als Bridie Dempster.'

Ze boog zich voorover over het bureau tot ze op gelijke hoogte was met hun ogen. 'Als hier ook maar één woord van naar buiten komt – van u of van die kleine heks Bridie – dan sleep ik jullie voor de rechtbank. En ik waarschuw u – een aanklacht wegens smaad pakt heel wat duurder uit dan de kosten van een oranjerie. Ik hoop dat u juffrouw Dempster ervan weet te overtuigen dat ze haar verachtelijke streken maar moet uithalen in de achterbuurten waar ze vandaan komt.'

'Kom, meisjes.' Kate zeilde de kamer uit als een schoener voor de wind met de twee jonge meisjes in haar kielzog.

Jake zat diep in gedachten op de veranda. Mim had hem in een lastig parket gebracht. Hij had niets concreets om mee aan de slag te gaan – geen echt bewijs dat hem verder kon brengen. Geruchten, roddels en familievetes waren misschien machtige dingen buiten het verband waarin hij werkte, maar konden te gemakkelijk worden afgedaan als niet ter zake doende. Maar hij kon wel begrijpen waarom het voor Mim zo belangrijk was om door te zetten. Want als het eenmaal in de openbaarheid kwam, zou de pers zijn vingers erbij aflikken en er zou altijd iets van blijven hangen. Hij wilde Mim graag helpen, want hij had bewondering voor haar – maar zien uit te vinden hoe, was nou net het probleem.

Hij geeuwde, rekte zich uit en vroeg zich half en half af waar Eric was. Het kwam wel vaker voor dat hij de hort op ging, maar de wildernis hier was heel wat gevaarlijker dan de straten van Brisbane en Jake hoopte maar dat Eric niet in een knokpartij met een slang was beland.

'Mag ik bij je komen zitten?' Fiona duwde de hordeur open.

Jake glimlachte en schoof een stukje op om ruimte te maken op de bank. 'Natuurlijk.' Hij zag hoe het zachte licht dat vanuit de hal kwam een stralenkrans in haar haar toverde en keek snel de andere kant op. Fiona had een vreemd effect op hem en toen ze ging zitten, ving hij een vleug van haar parfum op en moest aan Rachel denken. En toch was er een wereld van verschil tussen beide vrouwen wat betreft uiterlijk en manier van doen, want Rachel was slank en verfijnd, terwijl Fiona meer een wildebras was.

'Je ziet eruit alsof al het leed van de wereld op je schouders rust,' zei ze na een lange, ongemakkelijke stilte.

'Ik ben erg gespannen,' zei hij nors. 'Als je bent gekomen om me met vragen te bestoken, zeg ik nu welterusten.'

'Wel kortaangebonden.' Ze stak een sigaret op en blies een rookwolk uit. 'Ik geef toevallig veel om Mim, da's alles. Je kunt me niet kwalijk nemen dat ik graag wil weten wat er aan de hand is.'

Hij liet zijn ellebogen op zijn knieën rusten en draaide zijn hoofd om zodat hij naar haar kon kijken. Ze was heel mooi, zelfs nu ze probeerde haar boosheid in te houden. 'Ik heb Mim moeten beloven dat ik tot morgen alles geheim zou houden,' zei hij zachtjes. 'En ik ben niet van plan mijn belofte te breken – je zult dus geduld moeten hebben.'

'Kom op, zeg, Jake,' zei ze door een nieuwe wolk rook. 'Ik kom naar Bellbird voor mijn jaarlijkse bezoek en ik tref een vreemde vent aan die samenspant met mijn oma en jij verwacht dat ik niet nieuwsgierig ben? En hoe zit dat met die val van Mim en met die verdomde speeldoos?'

Jake stond op en propte zijn handen in zijn zakken terwijl hij tegen de reling leunde. Hij staarde over de in duisternis gehulde velden en deed zijn best om niet te laten horen dat hij moest lachen. 'Daar ga je weer. Ik denk dat ik maar beter kan gaan.'

Ze legde haar hand lichtjes op zijn arm toen ze naast hem kwam staan. 'Nee. Niet doen,' zei ze zachtjes. 'Het spijt me. Ik zou niet moeten proberen je je belofte te laten breken, maar het is zo verdomde frustrerend om niet te weten wat er aan de hand is.'

Ze deden er een tijdje het zwijgen toe en Jake was zich er zeer van bewust hoe dicht bij elkaar ze stonden en hoe haar parfum zich vermengde met de geuren van de nacht en hoe zijn hart daarvan op hol sloeg. 'Het spijt mij ook,' zei hij ten slotte. 'Dat moet behoorlijk zenuwslopend voor je zijn. Maar ik verzeker je dat Mim niet beduveld of gemanipuleerd wordt. Dit is iets wat zij op moet lossen en ik ben toevallig degene die haar misschien kan helpen.'

Hun gesprek werd onderbroken door een afschuwelijk gekerm en gekrijs. Het kwam uit de schaduwen naast het huis en terwijl ze zich allebei over de balustrade bogen, realiseerde Jake zich wat het was.

'Het ziet ernaar uit dat Eric deze keer meer te pakken heeft dan hij aankan,' mompelde hij terwijl het stof opwervelde rond de twee vechtende katten.

'Wie is Eric nou weer?' Fiona tuurde in de duisternis.

'Mijn kat,' zei Jake grimmig. Hij bleef in de buurt van de reling rondhangen en wist niet zeker wat hij nu het beste kon doen. Toen werd hij zich bewust van Fiona's verbijsterde blik en voelde hoe het bloed naar zijn hoofd steeg. 'Eric is de baas bij ons in de buurt, maar ik geloof dat hij nu de verkeerde te grazen heeft.'

'Potdomme,' zei Fiona verbaasd. 'Heb je je kat hier mee naartoe genomen? Ben je krankzinnig of zo?'

Jake keek de andere kant op, waarmee hij te kennen gaf dat ze waarschijnlijk wel gelijk had – maar zij kende Eric niet en hem thuislaten was geen optie geweest.

Eric verscheen onder aan het trapje naar de veranda, kop omhoog, oren onder het bloed en met stijve poten van belangrijkheid. Terwijl hij de trap op marcheerde en zijn publiek bekeek, was het net alsof hij zeggen wilde: die kennen hun plaats ook weer en wat dacht je van een beetje applaus?

Fiona giechelde en bukte zich om hem te aaien.

Jake stond op het punt om haar te waarschuwen voor de risico's, maar zweeg toen hij zag hoe Eric zich volledig aan haar aandacht overgaf. De kat begon te spinnen terwijl hij zich om Fiona's benen wond en Jake kon alleen maar vol verbazing toekijken.

Fiona bukte zich om hem op te tillen.

'Ik zou maar uitkijken,' zei Jake scherp. 'Eric staat maar zóveel toe en dan begint hij te bijten.'

'Jij zult me toch niet bijten, hè jongen?' flikflooide Fiona terwijl ze haar neus in zijn vacht verborg.

Eric keek Jake met een arrogante blik in zijn gele ogen aan, deed toen zijn ogen dicht en begon in Fiona's boord te kwijlen.

Jake keek naar Fiona en zag hoe de maan in haar ogen weerspiegelde en hoe de schaduwen haar roomblanke huid deden uitkomen. Het leven was al ingewikkeld genoeg, maar hij had het gevoel dat het nog erger zou worden als hij lang genoeg op Bellbird Station bleef.

10

Miriam was vroeg opgestaan en nadat ze zich er bij de kok van had verzekerd dat de mannen vanavond hun speciale maaltijd zouden krijgen, maakte ze samen met Fiona de lunch klaar. De logeerbedden waren van schone lakens voorzien en terwijl Fiona het bed op de veranda opmaakte, bracht Jake de kat en zijn spullen naar het leegstaande huisje van de veedrijvers. Dat had zijn beste tijd gehad, maar hoewel het al sinds tien jaar, toen de nieuwe slaapzaal werd gebouwd, geen dienst meer deed, was het er droog en het bed niet al te slecht.

In de boerderij hing de geur van verse bloemen die samen met de post en voorraden waren ingevlogen. Ze hadden geveegd en gepoetst tot de oude meubels glommen en de verweerde vloer glansde – en ze hadden Jake zelfs zo ver gekregen dat hij op een stoel was geklommen om de spinnenwebben weg te halen die als grijze baarden aan de balken hingen.

Toen ze klaar waren met schoonmaken, stond Fiona er op een foto van haar te nemen en Miriam had zich, zij het met tegenzin, mooi aangekleed in haar katoenen bloemetjesjurk en had haar haar in lange golven geborsteld die haar gezicht omlijstten. Nu zat ze op de veranda met het uitbundige geel van de acacia op de achtergrond en deed haar uiterste best om stil te zitten. Er waren zoveel dingen om te herinneren, er was nog zoveel te doen – dit was eigenlijk tijdverspilling, en ze had er altijd al een hekel aan gehad om op de foto te gaan. Maar ze kon Fiona niet teleurstellen, dacht ze, en wat konden die paar minuten voor kwaad als ze haar kleindochter daarmee een plezier deed?

Ze keek in de lens van de camera en friemelde aan haar ringen. De ring met de diamant zat losjes om haar vinger, net als haar trouwring, maar dit was een speciale gelegenheid en door ze te dragen voelde ze zich dichter bij Edward. Terwijl het geklik van de sluiter klonk, het transport van de camera snorde en Fiona tegen haar zei dat ze dan weer die kant op moest kijken en dan weer die, liet ze haar gedachten gaan en vroeg zich af hoe de foto's zouden worden. Ze zouden uiteraard een vreemdeling laten zien – een vrouw die oud was geworden voor haar tijd, zoals alle vrouwen die hun leven hadden gesleten in dit harde land – en niet het meisje van wie ze wist dat het nog steeds diep binnen in haar verborgen zat.

Ze zuchtte. Waar waren al die jaren toch gebleven? En hoe zouden ze zich haar herinneren als ze er niet meer was? Ze hoopte dat ze met liefde aan haar zouden terugdenken, net als zij aan haar vader. Haar gedachtegang werd onderbroken door de stem van Fiona.

'Oké, Mim, dat is het wel.' Fiona spoelde de film terug, deed de achterkant van de camera open, haalde hem eruit en stopte hem in een zak. 'Die kan ik vanavond nog wel ontwikkelen,' zei ze met een glimlach. 'Ik heb mijn spullen meegenomen.'

Miriam keek haar verrast aan. 'Zo snel? Moet je de boel niet ergens naartoe opsturen?'

Fiona schudde haar hoofd en haar haardos danste in de wind. 'Dat hoeft niet meer,' zei ze met een lach. 'Dat zou in mijn vak een ramp zijn.'

Miriam liet haar kletsend met Jake achter. Fiona raakte altijd opgewonden als ze over haar reizen vertelde en over haar carrière en ambities en Miriam glimlachte terwijl ze een pot thee zette om het stof weg te spoelen. Fiona zag er heel mooi uit in die jurk, ook al was die te kort. Het was jammer dat ze die verdomde spijkerbroeken niet eens wat vaker liet liggen.

Terwijl ze op de veranda zaten te wachten tot de anderen zouden komen, nestelde Miriam zich in de kussens en nam haar afgelegen koninkrijk in ogenschouw. Het was aangenaam hier in de schaduw, dacht ze terwijl ze over het erf keek. De weerkaatste hitte danste boven de ijzeren daken en maakte luchtspiegelingen op de donkere, rode aarde en het zonlicht doorspikkelde de schaduwen onder de bomen. Maar hier, in het koele groen onder de bomen, was de hitte draaglijk en het briesje bracht verkoeling na hun intensieve schoonmaakwerk.

Ze dacht aan haar familie en aan het feest dat te wachten stond terwijl ze naar de luie vlucht van een havik keek die in de blauwe lucht rondcirkelde. Ze had gemengde gevoelens. Het was heerlijk om ze allemaal weer te zien – heerlijk om net als vroeger om de tafel te zitten en over dingen te kletsen die er niet toe deden – maar hoe zouden ze op haar onthullingen reageren? Ze draaide aan de ringen en smeekte Edward in stilte haar te helpen de dag door te komen die wel eens uitputtend en traumatisch zou kunnen worden.

'Ik heb het gevoel dat ik in de weg zit,' zei Jake, terwijl hij zijn kop thee leegdronk. 'Waarom laat ik je niet rustig met je familie alleen en dan kom ik over een paar dagen wel weer terug. Het land van mijn familie is maar een paar uur rijden en ik heb beloofd dat ik op bezoek zou komen.'

'Laat je me in de steek, Jake Connor?' Mim hield hem gevangen met een boze blik die niet helemaal het lachje kon verbergen dat om het kuiltje in haar wang speelde.

'Ja,' gaf hij grijnzend toe. 'Ik heb je verteld hoe ik over de zaken denk die we hebben besproken, maar aangezien je vastbesloten lijkt om mijn raad in de wind te slaan, heeft het geen zin om te blijven. Ik denk dat het maar het beste is dat ik vertrek voor de spreekwoordelijke pleuris uitbreekt.'

'Je blijft hier en helpt me,' zei ze kortaf. 'Je hebt geen idee hoe raar die familie van mij kan doen.' Ze negeerde Fiona's kreet van protest, hield haar hoofd schuin en keek hem aan met de verwachtingsvolle blik van een mus. 'Ik dacht dat je mijn Lancelot was?' plaagde ze. 'Is je harnas soms roestig geworden?'

Jake ging staan en keek uit over het erf, duidelijk niet op zijn gemak. 'Dat is niet eerlijk,' zei hij zachtjes. 'Je kunt niet van me verwachten dat ik je red terwijl je weigert mijn hulp te aanvaarden.'

Miriam gaf stilzwijgend toe dat hij gelijk had en keek langs hem heen naar de omheinde wei. Haar aandacht werd getrokken door de paarden die daar stonden. Iets had hen verstoord. Ze renden heen en weer, steigerden, zwiepten met hun staart en leken vastbesloten zichzelf iets aan te doen. Frank liep luid te vloeken terwijl hij ze probeerde te kalmeren. Ze realiseerde zich al snel dat het niets was om zich zorgen over te maken. Ze barstten gewoon van de energie en dat zou wel overgaan als ze eenmaal lekker hadden kunnen galopperen. Maar ze zagen er geweldig uit en ze gloeide van trots.

Jake draaide zich om en wendde zich van Miriam naar Fiona. 'Kun jij haar niet van mening doen veranderen?' vroeg hij.

Fiona keek op en haalde haar schouders op. 'Ja, hallo. Ik weet niets van dit geheimpje. Ik ben wel de laatste die je dat moet vragen.' Ze grijnsde toen ze zag hoe gefrustreerd hij raakte. 'Bovendien,' voegde ze eraan toe, 'je kent Mim. Als die eenmaal iets in haar hoofd heeft, kan niets en niemand haar op andere gedachten brengen. Je hebt op het verkeerde paard gewed, Jake.'

'Dit gaat niet over wedden op paarden,' mopperde hij, terwijl hij afwezig met zijn handen door zijn haar ging. 'Het gaat om...'

'Jake!'

Miriams scherpe tussenkomst bracht hem tot zwijgen en hij zuchtte. 'Oké, oké,' gaf hij zich gewonnen. 'Maar geef mij niet de schuld als alles verkeerd loopt. Ik heb geprobeerd haar te waarschuwen, maar denk je dat ze luistert?' Hij liet zijn adem in een lange, vermoeide zucht ontsnappen.

Miriam deed haar best om niet in lachen uit te barsten, want Jake deed haar zo erg aan Edward denken. Ze zag hem in de manier waarop hij zijn schouders hield, in de hartstocht en in de frustratie omdat hij het onderspit delfde in een discussie. Ze had destijds genoten van het gebekvecht en ze genoot er nu weer van. Vreemd hoe sommige dingen in de wereld nauwelijks veranderden, dacht ze terwijl ze zich in de richting van het geluid van een naderend voertuig draaide.

'Daar zijn ze dan,' zei ze opgewekt. 'Trek niet zo'n chagrijnig gezicht, Jake – daar word je maar lelijk van.'

Leo had erop gestaan dat Chloe met hem mee zou rijden, want dit mocht dan haar thuis zijn, het zou niet de eerste keer zijn dat ze verdwaalde. Als Chloe achter het stuur zat, lette ze nauwelijks op welke weg ze reed en gaf ze er de voorkeur aan om naar de radio te luisteren en haar gedachten de vrije loop te laten. Bij een van die gedenkwaardige gelegenheden had ze de verkeerde snelweg genomen en was midden in Adelaide beland.

Miriam omhelsde haar dochter en werd gesmoord door een wolk Chanel No. 5 en dieprood chiffon. Miriam klampte zich aan haar vast en genoot na zo'n lange afwezigheid van het contact – ze woonden zo ver bij elkaar vandaan dat bezoekjes over en weer schaars waren. Chloe was wat gevulder geworden, maar dat paste bij haar, en hoe dan ook, dacht ze, Chloe was nog steeds haar kleine meid, ook al was ze in de vijftig.

Leo zette de bagage en de dozen champagne op de veranda en spreidde zijn armen om Mim te omhelzen. 'Hoe gaat het met mijn favoriete meisje?' fluisterde hij in haar oor. 'Ik hoor dat je vandaag weer eenentwintig bent geworden. Van harte gefeliciteerd.'

Miriam giechelde en sloeg hem speels op zijn arm voor ze zich losmaakte uit zijn uitbundige omhelzing. Ze was altijd dol geweest op de echtgenoot van haar dochter en ze realiseerde zich op dat moment dat Jake erg op hem leek. Ze waren allebei mannen die echt op vrouwen gesteld waren en ze voelde zich bij hen op haar gemak. Nadat ze hen aan elkaar had voorgesteld, liet ze hen achter in een discussie over de verdiensten van de nieuwe Britse Mini die de racewereld op zijn kop zou zetten en opende het eerste van haar cadeaus.

Het was een prachtige, zijden sjaal, met de hand beschilderd door Chloe. Ze kuste haar liefdevol en bewonderde de fijne vlinders en kleine perzikbloesem die over de groene zijde zweefden en in de veerachtige franje verdwenen. 'Dit moet je veel tijd hebben gekost, Chloe,' zei ze, terwijl ze de ragfijne zijde om haar schouders drapeerde. 'Hij is prachtig, schat, en hij komt uitstekend van pas.'

Fiona gaf haar vervolgens een bewerkt leren fotoalbum en terwijl ze bladerde, voelde Miriam de tranen opwellen. Want Fiona had blijkbaar haar uiterste best gedaan de juiste foto's te vinden. Dit was haar vader, in sepia afgebeeld terwijl hij stijf poseerde voor het mijnbouwkantoor in White Cliffs. Kate zat in een onkarakteristiek preutse houding naast George voor hun trouwfoto, en Edward grijnsde terwijl hij tegen een paal geleund stond en een shagje draaide. Chloe keek glimlachend vanonder haar strooien zomerhoed terwijl ze op de rug van haar eerste pony zat. Vervolgens kwamen Louise en Fiona, kleine meisjes die stonden te lachen terwijl ze bij de kreek poseerden in hun gebreide zwempakken.

Miriam kuste Fiona en hield haar lange tijd tegen zich aangedrukt. 'Dank je,' zei ze ademloos. 'Ik zal er heel zuinig op zijn.'

Jake deed een stap naar voren en gaf haar een klein doosje dat was dichtgebonden met een gouden strik. 'Wilcox had me gewaarschuwd,' fluisterde hij. 'Ik hoop dat je het leuk vindt, want ik heb het met veel plezier uitgezocht. Gefeliciteerd, Mim.'

Ze trok aan de strik en toen ze het papier openvouwde, kwam er een gedichtenbundel tevoorschijn. Het waren gedichten van Byron, haar favoriet. 'Ik zie dat je mijn smaak waardeert,' zei ze en ze glimlachte dankbaar.

Enkele ogenblikken later kwamen Louise en Ralph en nadat Jake opnieuw was voorgesteld als een vluchtige bezoeker en Miriam de dure handtas en handschoenen die ze nooit zou gebruiken had uitgepakt, gingen ze aan tafel.

De tafel was gedekt onder de bomen achter het huis. Het zilver en kristal fonkelden op het oogverblindend witte, linnen tafelkleed en de mand vol bloemen die midden op de tafel stond zorgde voor een fontein van kleur. De oude rieten stoelen waren aan een tweede leven begonnen met nieuwe kussens en het serviesgoed was Kates dierbare Crown Derby dat ergens van onder uit een kast was opgediept en zorgvuldig afgewassen.

Naarmate de maaltijd vorderde, werden de gesprekken levendiger en klonk er ontspannen gelach. Miriam nipte van haar wijn en nam kleine hapjes van haar eten terwijl ze toekeek hoe de anderen zich te goed deden aan het voorgerecht van gerookte zalm en garnalen en zich vervolgens flink opschepten van de heerlijke rosbief. Het nagerecht bestond uit vers fruit met flinke kloddders slagroom. Het had nog heel wat voeten in de aarde gehad om het verse fruit en de vis op tijd hier te krijgen en daar moest ze Frank dankbaar voor zijn. Lieve Frank. Ze zou zich geen raad weten zonder hem en zijn contacten bij de vliegende postbodes.

Ze nam een slokje van haar champagne terwijl de borden eindelijk aan de kant werden geschoven en de rook van sigaretten en pijpen omhoog kringelde. De gesprekken gingen van de hak op de tak in de verstikkende hitte van de middag en het gelach klonk zacht, bijna slaperig. Haar familie bood een fraaie aanblik op deze prachtige dag en ze prentte het tafereel in haar geheugen voor het teniet kon worden gedaan door wat later zou volgen.

Chloes breedgerande strohoed was verzwaard met een overvloed aan rozen die bij de dieprode kleur van haar jurk pasten. Iemand met zo'n kleur haar zou die kleur eigenlijk moeten mijden, maar Miriam vond dat ze er oogverblindend uitzag. Geen wonder dat Leo weg van haar was.

Haar blik zwierf naar Fiona die in een levendig gesprek verwikkeld was met Jake. Ze bekeek hen een tijdje en zag dat ze volledig in elkaar opgingen. Ze vroeg zich af of deze zich ontluikende belangstelling verder zou gaan als ze de ware reden van zijn aanwezigheid eenmaal had onthuld.

Louise zat met Frank te praten die voor de gelegenheid zijn haar in model had gedwongen en een schoon overhemd had aangetrokken, maar zich duidelijk niet helemaal op zijn plaats voelde. Gladys was nog geen jaar dood en zij was de praatgrage van de twee geweest. Miriam voelde haar afwezigheid, want Gladys en zij hadden samen zware tijden doorgemaakt en hun vriendschap was hecht geweest.

Haar blik ging verder langs de tafel. Leo had de rand van zijn hoed diep in zijn ogen getrokken en hij zat achterovergeleund aan zijn sigaar te lurken, de ogen gesloten in een onbeschaamde poging Ralph te negeren. Ralph zat met zijn glas te spelen, niet op zijn gemak in zijn stadse kleren en het was duidelijk dat hij wou dat hij ergens anders was. Hij had eerder al geprobeerd Miriam apart te nemen over die verzonnen meevaller en ze had hem afgescheept met de vage belofte dat ze later alles zou vertellen, maar hij kon duidelijk niet wachten tot het feestje voorbij was zodat hij zich aan zaken kon wijden.

Miriam genoot eerlijk gezegd wel van het feit dat ze Ralph nog een tijdje op hete kolen kon laten zitten en ze glimlachte naar Leo die een nieuwe fles champagne openmaakte. Ze was al een beetje aangeschoten – maar dat kwam waarschijnlijk eerder door de twee pillen die ze had ingenomen dan door de hoeveelheid drank. De combinatie hield de pijn tenminste in bedwang en ze had nog twee pillen klaarliggen voor het geval ze die nodig had.

'Ik wil een toost uitbrengen,' riep Leo. Hij keek van het andere eind van de tafel naar haar. 'De Fransen hebben een betere naam voor hun schoonmoeder en die past prima bij Mim. Op Mim. *La belle-mère*. We huldigen je op je vijfenzeventigste verjaardag.'

De glazen werden geheven onder begeleiding van instemmende kreten en vervolgens riepen ze om een toespraak.

Miriam duwde haar stoel naar achter en ging staan. 'Op mijn familie,' zei ze alleen maar. 'Dat ze van me mogen blijven houden.'

Haar woorden werden met stilzwijgen begroet toen ze weer ging zitten en verbijsterde gezichten met ogen waaruit tientallen vragen spraken, keken in haar richting. 'Natuurlijk doen we dat,' sputterde Louise. 'Wat een raar iets om te zeggen.'

Miriam keek elk van hen in het gezicht. Jake weigerde haar blik te beantwoorden, Fiona keek achterdochtig en de overigen alleen maar verbaasd. 'Drink je champagne,' beval ze. 'Jullie zullen een hartversterking nodig hebben.'

Er klonk bezorgd gemompel op rond de tafel terwijl ze gehoorzaam een slok namen. De ontspannen atmosfeer van de middag was verdwenen; er hing nu spanning in de lucht.

'Dat klinkt onheilspellend,' baste Leo. 'Je gaat ons toch niet vertellen dat je een of andere vreselijke misdaad op je geweten hebt, hè?' Hij probeerde de sfeer wat te verlichten door te grinniken. 'Je hebt toch geen geheim verleden als callgirl – of heb je ergens een minnaar verstopt van wie we meer zouden moeten weten?'

Miriam glimlachte om zijn plagerijen en stond op het punt hem antwoord te geven, toen Fiona tussenbeide kwam. 'Kom op, Mim. Laat ons niet langer in spanning.'

Miriam trok de sjaal om haar schouders. Waarom was de jeugd toch zo ongeduldig? 'Er zijn twee dingen die ik jullie moet vertellen,' begon ze. 'Ze zullen alle twee als een schok komen en het spijt me dat ik mijn heerlijke feestje moet bederven. Maar we zijn niet zo vaak allemaal bij elkaar en dit is mijn enige kans.'

Ze zag dat Frank van tafel wilde gaan. 'Niet weggaan, Frank,' zei ze vlug. 'Jij hoort net zo bij deze familie als ieder ander hier en wat ik te zeggen heb, gaat jou ook aan.'

'Als dit familieaangelegenheden zijn, moet jouw bezoeker misschien maar vertrekken,' zei Ralph op zijn gebruikelijke gezwollen toon.

'Jake blijft hier,' antwoordde ze vinnig, terwijl ze de jongere man een verontschuldigende blik toewierp en zijn zwijgende smeekbede om niets te zeggen negeerde.

Miriam zette haar gedachten op een rijtje terwijl haar vingers met de zijden franje van de sjaal speelden. Welk nieuws moest ze als eerste onthullen? Niets van wat ze te zeggen had zou erg welkom zijn, maar de tijd was rijp en ze moest een beslissing nemen.

Ze haalde diep adem. 'Ik heb een ongeneeslijke vorm van kanker,' zei ze recht op de man af.

Kreten van afschuw werden al snel gevolgd door stemmen die zich verhieven en door de eerste tranen.

Miriam stak haar hand op om stilte te vragen terwijl tal van vragen op haar werden afgevuurd. 'Het zit in mijn rug en het zaait zich uit. Ik heb me bij die diagnose neergelegd en ik ben niet van plan mijn waardigheid en de kwaliteit van mijn leven op het spel te zetten door me te laten bestralen en in zo'n verdomd ziekenhuis opgesloten te worden. Dus probeer me alsjeblieft niet op andere gedachten te brengen en ook geen emotionele chantage, alsjeblieft. Geen van tweeën kan me van mening doen veranderen.'

Ze keek naar haar dochter en kleindochters en zag daar de verwarring, de pijn en de tranen. 'Het spijt me dat ik het jullie op deze manier moet vertellen, lievelingen, maar het leek me het beste om het maar recht voor z'n raap te vertellen. Kanker is maar een woord en we moeten allemaal een keer dood. Ik heb een mooi leven gehad, een heel gewoon leven, eigenlijk, waarin ik liefde in al zijn vormen heb leren kennen. Huil niet om mij – ik ben niet bang.'

Ze nam hun handen in de hare toen ze naast haar stoel neerknielden. 'Ik heb pillen tegen de pijn en zoals jullie kunnen zien, ben ik tevreden,' troostte ze. 'Dit is mijn thuis en hier wil ik blijven, bij de mensen van wie ik hou. En als ik er niet meer ben, dan wil ik graag naast Edward begraven worden.'

Die opmerking werd begroet met een nieuwe stroom tranen – en verzoeken om alsjeblieft een second opinion te vragen – en de suggestie een radicale operatie te ondergaan in het beste ziekenhuis dat Australië te bieden had.

'Nee,' zei ze krachtig. Ze maakte zich los uit de greep van de handen en pakte haar glas. Nadat ze een slok had genomen, zette ze het weer terug op tafel. 'Ga alsjeblieft zitten,' zei ze zachtjes. 'Er is nog iets wat ik met jullie wil bespreken.'

Miriam wachtte tot ze allemaal weer aan tafel zaten. De zo geliefde gezichten waren bleek, de opgewekte stemming de bodem ingeslagen door haar onthulling. Ze voelde met hen mee, want ze wist wat een schok het moest zijn, maar ook dat de volgende minuten een verdere beproeving zouden blijken. Ze merkte dat ze bezig was haar servet in haar schoot te verfrommelen en streek hem weer glad. Haar hart ging tekeer en de innerlijke pijn om wat ze op het punt stond te doen, bracht haar bijna tot stilzwijgen. Maar toch was dit iets wat ze niet achterwege kon laten. Daarvoor was ze al te ver gegaan.

Ze zag hoe Fiona en Louise zich aan elkaar vastklampten en hun best deden hun zelfbeheersing te bewaren. Ze zag ook hoe Chloe zich in haar wanhoop weer tot Leo wendde en haar betraande gezicht in zijn jasje verborg. Zag de speculatieve blik in Ralphs ogen terwijl hij haar over de rand van zijn champagneglas aankeek. Frank had de rand van zijn hoed diep over zijn ogen getrokken, maar ze kon zien hoe gespannen hij was aan de manier waarop zijn vuisten gebald op tafel lagen, de knokkels wit onder de door weer en wind getekende huid.

Jakes blik was leeg, alle kleur was uit zijn gezicht getrokken terwijl hij daar zat, afgezonderd van de familie, en ze dacht dat ze eindelijk begreep wat hem achtervolgde.

Toen ze het gevoel had dat ze zich voldoende hadden vermand om naar haar te luisteren, schraapte Mim haar keel en begon te praten. 'Jullie hebben allemaal naar Jake gevraagd,' zei ze. 'En hoewel ik niet helemaal eerlijk tegenover jullie ben geweest, is hij wel heel snel een vriend geworden.' Ze glimlachte over de tafel naar hem. 'Een goede vriend die mij eerlijk advies heeft gegeven. Het spijt me alleen dat ik die niet kan opvolgen, Jake. Maar ik ben nooit goed geweest in dergelijke dingen en ik ben te oud om nog nieuwe kunstjes te leren.'

Ze keek de tafel rond. 'Jake is advocaat. Hij is hier omdat ik heb besloten Brendt Dempster en Shamrock Holdings te vervolgen.'

Die aankondiging werd begroet met een doodse stilte.

'Mam, dat kun je niet doen,' smeekte Chloe ten slotte. 'Je bent ziek en niet in een conditie om oude familievetes op te rakelen. Laat het toch.'

'Lekkere advocaat als hij je heeft overgehaald om het tegen dat stel op te nemen,' snauwde Louise terwijl ze een minachtende blik in Jakes richting wierp. 'Luister niet naar hem, Mim.'

Miriam stak haar hand op en maande hen tot stilte. 'Jake heeft me aangeraden geen verdere stappen te ondernemen, maar daar ben ik het niet mee eens. De Dempsters hebben mijn erfenis gestolen – jullie erfenis – en ik moet ervoor zorgen dat ze daar niet mee wegkomen.'

'Doe niet zo belachelijk,' blafte Ralph boven het daaropvolgende geluid van stemmen.

Miriam keerde zich naar hem toe. 'Wat is er zo belachelijk aan?' wilde ze weten.

'Omdat je niet kunt winnen,' zei hij kortaf.

Miriam hield haar hoofd schuin en keek hem nadenkend aan. 'En waarom is dat?'

'Ze hebben geld, macht en invloed. Je hebt geen schijn van kans.'

'Een reden te meer om ze te vervolgen,' zei ze vinnig. 'Het wordt tijd dat de Dempsters eens een koekje van eigen deeg krijgen.'

'Stom mens,' gromde hij terwijl hij zijn servet op tafel smeet en ging staan. 'Waarom zou je alles in de waagschaal stellen voor een of andere oude vete die jaren geleden gelijk met je vader begraven had moeten worden? Dringt dan niet tot je door dat deze rechtszaak niet alleen jou kan ruïneren, maar mij erbij?'

Miriam proefde de weerzin in haar keel – een bittere smaak. 'Maar ik krijg dan tenminste mijn kans in de rechtszaal,' zei ze gevaarlijk kalm. 'Of ik nou win of verlies, de Dempsters zullen de waarheid onder ogen moeten zien en ontmaskerd worden als leugenaars.'

Ze zweeg even. 'Maar wat me interesseert is hoe het gevolgen voor jou kan hebben als ik de Dempsters aanklaag?' Ze keek hem zo kil aan dat hij zijn mond hield. 'Tenzij je met hen onder één hoedje speelt?'

Er volgde een diepe stilte terwijl alle ogen zich op Ralph richtten.

'Is dat zo?' wilde Miriam weten.

Hij ging met een vinger langs zijn boord en trok, volkomen overbodig, zijn das recht. 'Ik bereid een zakelijke overeenkomst met Shamrock Holdings voor,' zei hij met tegenzin. 'Dat is nog in een pril stadium en zoiets als dit zal voor mij en de bank onnoemelijke problemen veroorzaken. We willen een flinke som geld investeren en dat is al risicovol genoeg zonder jouw herrieschopperij.'

Hij ging opnieuw met zijn vinger langs zijn boord terwijl Miriam hem woedend aankeek. Ze zag de zweetdruppels op zijn voorhoofd en de blik van opstandigheid in zijn ogen. 'Wie met pek omgaat, wordt ermee besmet,' zei ze koud.

'Je moet wel keiharde bewijzen hebben,' zei Fiona, die de hele tijd niets had gezegd. 'Waardoor ben je na al die jaren tot deze beslissing gekomen? En waarom nu? Net nu je zo ziek bent.'

In de daaropvolgende stilte keerden alle gezichten zich naar Mim. Ze slikte heftig. 'Dat is het andere ding dat ik wil bespreken,' zei ze terwijl ze hun blik vermeed. 'Misschien heb ik niet zoveel bewijs als eigenlijk zou moeten, maar...'

'Jezus christus,' vloog Ralph op. 'Wil je me vertellen dat je Dempster voor de rechter sleept zonder enig bewijs? Je bent krankzinnig geworden, vrouw, op het gevaarlijke af. Ze zouden je moeten opsluiten.'

'Zo praat je niet tegen mijn grootmoeder,' snauwde Louise. 'Ga zitten en hou je mond, Ralph. Hier schiet niemand wat mee op.'

Miriam zag de naakte angst in de ogen van Louise die op deze kleine toespraak volgde en hoe Ralph lijkbleek werd van woede terwijl hij haar aankeek. Ze voelde zich misselijk worden toen de waarheid tot haar doordrong en ze vroeg zich af of hij ooit gewelddadig werd – haar ooit sloeg – of erger. Louise moest beschermd worden, maar hoe? Ralph had de touwtjes in handen – ze kon al net zo min bij hem weggaan als ze in staat was een gewapende overval te plegen.

Miriam nam een slok water. Haar zenuwen begaven het. Het was al moeilijk genoeg geweest om de confrontatie met hen allemaal aan te gaan, zonder zich ook nog eens zorgen te moeten maken om Louise. Ze keek naar Fiona en probeerde te glimlachen, maar de spieren in haar gezicht waren verstijfd van smart. 'Ik had op steun gehoopt,' zei ze zachtjes. 'Maar het ziet ernaar uit dat ik dit in m'n eentje moet doen.'

Fiona strekte haar arm over de tafel uit en pakte haar bij de hand. 'Zonder bewijs is er geen zaak,' zei ze vriendelijk. 'Jake heeft gelijk, Mim. Je kunt dit niet doen.'

Miriam keek naar de gezichten om haar heen. Ze gaf een klopje op Fiona's hand en ging weer kaarsrecht zitten. 'Ik heb wel wat bewijs,' kondigde ze aan. 'Maar ik heb meer nodig als ik de Dempsters op de knieën wil krijgen.'

Ze wachtte tot de protesten waren weggestorven en het viel haar op dat ze niet meer zo heftig waren als eerst. Nieuwsgierigheid had duidelijk de overhand gekregen. 'We moeten de eigendomsakten zien te vinden,' zei ze in de stilte die was gevallen. 'Als we die eenmaal hebben, dan is de zaak gewonnen.'

'Akten? Welke akten?' Ralph had nu helemaal geen kleur meer en zijn blik was van staal.

'De eigendomsakten van de mijn. Die zullen bewijzen dat mijn vader en Patrick compagnons waren en dat Patrick deze familie hun rechtmatige erfdeel heeft onthouden.'

Fiona klapte in haar handen. 'Een speurtocht,' lachte ze. 'Wat opwindend. Wanneer beginnen we?'

'Ho even, Fiona.' Chloe zette haar hoed af en schudde haar kapsel los. 'Mam is stervende. Dit is niet het moment om op zoek te gaan naar iets wat vermoedelijk al jaren geleden verloren of vernietigd is. Ze zou het juist kalm aan moeten doen en het beste maken van de tijd die we nog met haar hebben.'

'Toe, mam. Dit is nu precies het soort zaken dat Mim op de been houdt. En stel je eens voor wat het voor haar betekent als we ze vinden en ze eindelijk krijgt waar ze recht op heeft.'

'Ik geloof dat het onbegonnen werk is,' mopperde Ralph. 'Chloe heeft gelijk. De akten bestaan waarschijnlijk niet meer en die hele zoektocht is tijdverspilling.' Hij keerde zich naar Miriam. 'Als je mijn mening wilt...' begon hij.

'Dat is het laatste waar we op zitten te wachten,' snauwde Fiona. 'Ga toch terug naar je bank, Ralph. We redden het prima zonder jou.' Ralph ging staan, zijn rug recht, een adertje kloppend in zijn slaap. 'Louise, neem afscheid. Ik wacht in de auto op je.'

'Ik blijf hier,' zei Louise zachtjes. Ze keek om zich heen op zoek naar steun van de anderen en Chloe boog zich voorover en legde een hand op haar schouder. 'Ik wil hier bij Mim blijven.' Ze sloeg haar ogen neer en keek naar haar handen die nerveus op haar schoot bewogen.

'Uitstekend,' zei Miriam snel voor Ralph zijn mond open kon doen. 'Ik heb Louise hier nodig om me te helpen zoeken, dus ga jij maar, Ralph.'

Hij stond daar met zijn hoed in zijn hand en een woedende blik in zijn ogen. 'Je zult nog spijt krijgen van deze dag, Miriam,' waarschuwde hij zachtjes.

11

De familie zat zwijgend onder de bomen. Ze hoorden het gebrul van een automotor en het gepiep van de stuurbekrachtiging toen Ralph de gehuurde terreinwagen keerde en ermee wegscheurde. Chloe hield Louises hand stevig in die van haar geklemd terwijl ze bemoedigende woorden mompelde en haar best deed de angst voor wat Ralph haar zou kunnen aandoen weg te nemen. Leo kwam terug uit de boerderij met een fles cognac in zijn hand en elk van hen verwelkomde het vuur dat het bracht terwijl ze probeerden de gebeurtenissen van het afgelopen uur te verwerken.

Frank was, verrassend genoeg, de eerste die de stilte verbrak. 'Je bent een echte ouwe taaie, Mim. Maar als het zoveel voor je betekent, dan ben ik bereid je te helpen.'

Miriam glimlachte naar hem. 'Dank je,' zei ze. 'Ik wist dat ik op je kon rekenen, trouwe vriend.'

'En je kunt ook op Leo en mij rekenen,' zei Chloe. 'We hebben helemaal geen haast om naar Brisbane terug te gaan en ik kan de tentoonstelling altijd nog afzeggen. Maar ik wil niet dat dit hele gedoe je uitput, mam. Je zou moeten rusten, in plaats van mensen voor de rechter te slepen.' Ze boog zich over de tafel en pakte Mims handen vast. 'Denk er nog eens goed over na,' smeekte ze. 'Die vete tussen grootvader en Paddy is al lang voorbij – je moet geen slapende honden wakker maken.'

'Dat kan ik niet doen,' antwoordde ze. 'Ik zou mijn vader in de steek laten als ik, nu ik eenmaal het eerste bewijs heb gevonden, niet tot het einde zou volhouden. Hij verdient rechtvaardigheid en ik verdom het om hem nu te laten vallen.'

'Wat is dat bewijs?' Louise zat met een wit gezicht tussen haar ouders. Haar scherpe trekken werden nog benadrukt door een straal zonlicht die tussen de bomen door viel. 'Het moet nogal overtuigend zijn als je zo ver wilt gaan.'

'Op zichzelf bekeken is het nogal indirect bewijs,' gaf ze bedachtzaam toe. 'Maar samen met de eigendomsakten zou het explosief zijn. Daarom is het zo belangrijk dat we die vinden.'

'En als ze er niet meer zijn?' drong Louise aan.

'Dan maak ik gebruik van wat ik heb,' zei Mim vastberaden.

'Dat is niet genoeg,' zei Jake binnensmonds. 'Een rechtbank zou de hele zaak nog voor hij begonnen was seponeren.'

Fiona wendde zich naar Jake en keek hem nadenkend aan. 'Je schijnt er meer van te weten dan wie van ons dan ook,' zei ze. 'Wat is dat bewijs precies?'

'Dat gaat je niks aan,' zei Miriam, die het hele gedoe spuugzat was, kortaf. De prachtige dag was verpest en hoewel ze zelf de oorzaak was van alle commotie, voelde ze de pijn en moest ze nodig gaan rusten. 'En probeer Jake niet uit te horen. Hij heeft me plechtig beloofd geen woord te zeggen.'

'Maar waarom?' De frustratie klonk duidelijk door in Fiona's stem.

Miriam aarzelde. Ze was zelf niet helemaal zeker van het antwoord, maar haar instinct en haar ervaring zeiden haar dat ze haar geheim aan niemand moest toevertrouwen. Niet dat ze oneerlijk waren – wel praatziek – en je wist nu eenmaal nooit wie er meeluisterde. Ralph had zijn ware aard al getoond en Louise was zo geïntimideerd dat ze hem alles zou vertellen wat ze wist. Dat betekende dat ze het niemand kon vertellen, want het zou niet eerlijk zijn het geheim alleen voor Louise verborgen te houden. En wat er zou gebeuren als Dempster hoorde wat ze had gevonden, wist niemand.

Ze keek de tafel rond. 'Vind de akten en dan vertel ik alles,' zei ze ten slotte. 'Er staat een hele stapel dozen en koffers op zolder. Ik heb geen idee wat erin zit, maar volgens mij kun je daar het beste beginnen. De meeste spullen waren van Kate.'

Kate trouwde op een zonnige middag in 1909 met George Armitage. Ze droeg een witte rok en blouse, gemaakt van het fijnste linnen, en in haar hand had ze een bruidsboeket van Cooktown orchideeën. De fijne roze bloemen waren ook in haar donkere haar gevlochten.

Miriam was ervan overtuigd dat dit een huwelijk uit liefde was en fungeerde, gekleed in haar zachtgele jurk, als haar bruidsmeisje. Ze kreeg een corsage van Chinese roos opgespeld en nog een in haar haar. De bruidegom zag er knap uit in zijn nieuwe pak en zijn snor en haar glommen van de pommade. Hij was duidelijk zenuwachtig.

George was een man van weinig woorden en bezat die charmante verlegenheid die eigen is aan mannen die op hun afgelegen boerderij leven. Hij was lang en slank, had bruine ogen en een hangsnor en was gehard door de elementen en gebruind door de uren die hij in het zadel bij zijn vee doorbracht. Zijn lijzige Queensland-accent verhulde een scherpe geest en hij had Kate het hof gemaakt met een hardnekkigheid die hen beiden verbaasde.

Terwijl ze de kerk verlieten en in het rijtuig klommen, bekende hij Miriam zijn verbazing. Hij had nooit verwacht dat iemand zo mooi en levendig als Kate zijn aanzoek zou aannemen. Miriam had hem meteen gemogen. Hij deed haar op een bepaalde manier aan haar vader denken; ze hadden dezelfde rust over zich, dezelfde bedachtzame manier van doen en dezelfde koppige vastberadenheid.

In de wetenschap dat ze de stad verlieten, deden Miriam en Kate hun chique spullen uit en trokken kleren aan die beter geschikt waren voor een tocht naar de binnenlanden. Ze moesten een paar weken reizen voor ze een eerste glimp van de landerijen van George zouden opvangen.

De buggy stopte toen ze boven op de laatste heuvel waren en George schoof zijn hoed achterover. 'Welkom op Bellbird,' zei hij. 'Het is niet veel, vergeleken met dat mooie huis in Sydney, maar het is een thuis.'

Kate stopte haar hand in de zijne en kuste hem op de wang. 'Oost west, thuis best,' zei ze zachtjes. 'En thuis is hier, bij jou en Mim.'

Miriam voelde zich opgelaten door Kates nogal clichématige romantiek, maar ze snapte de emotie erachter wel. Want Kate had eindelijk de liefde gevonden – had eindelijk het verleden achter zich gelaten en was een nieuw leven begonnen.

Miriam zat op het bankje naast hen, onder de indruk van de schoonheid vóór haar. Het was laat in de middag en de hemel was vol vermiljoenkleurige strepen; de zon wierp een onwerkelijke gloed over de vallei onder hen. De boerderij van Bellbird lag in de beschermende schaduw van bomen en de verweerde houten muren leken zachter in het avondlicht. Bijgebouwen stonden her en der over het erf verspreid en uit een schoorsteen kringelde rook. Op de hellingen van het omringende grasland graasde vee enkeldiep in het lange, groene gras. Er hing een gevoel van stilte over het hele schouwspel; het gevoel dat er niets was veranderd sinds de tijd dat de eerste kolonist arriveerde in deze afgelegen hoek van New South Wales en Miriam had het gevoel dat ze eindelijk thuiskwam.

George gaf een klapje met de teugels en het paard begon aan de geleidelijke afdaling naar de bodem van de vallei. Van dichtbij bekeken werd duidelijk dat de boerderij aan het vervallen was en het dak was niet het enige wat gerepareerd moest worden. Miriam kon zien dat Kate terwijl hij haar uit het rijtuig hielp en de door termieten aangetaste treden op leidde, al aan het bekijken was hoe alles weer in orde gemaakt kon worden.

De keuken, die sinds zijn vrouw tien jaar geleden was overleden door geen vrouwenhand meer was aangeraakt, was een puinhoop. Het fornuis was smerig en de muur erachter en de balk erboven waren zwart van de rook. Stoelen en tafels waren bezaaid met catalogussen, oude laarzen en paardendekens en de stenen gootsteen en aanrecht waren in geen eeuwigheid schoongeschrobd. George joeg een paar kippen de houtkist uit en bukte zich om zijn stokoude hond te aaien die voor het fornuis lag te dutten. 'Het spijt me van die troep,' zei hij verlegen terwijl hij de zijdeachtige kop van de Queensland Blue liefkoosde. 'Ik had een van de meiden gevraagd op te ruimen, maar die had er duidelijk geen zin in.'

Kate nam de spelden uit haar haar en rolde haar mouwen op. 'Ik ben niet van plan hier te koken voor het brandschoon is,' zei ze vastberaden. 'Haal water, een borstel en een emmer,' beval ze.

'Wil je de rest van het huis niet zien?' George maakte een aangeslagen indruk, en leek een beetje bang. Als Kate in zo'n stemming was, kon er van alles gebeuren.

'Eén schok is voorlopig genoeg,' mompelde ze. 'Ik ben ervan overtuigd dat de hele tent ontsmet moet worden.' Ze draaide zich om naar Miriam. 'Je moet nog niks uitpakken,' commandeerde ze. 'Voorlopig slapen we in de tent.'

Het kostte weken om het wanordelijke huis om te vormen tot een thuis. Kate en Miriam schrobden en veegden tot er geen spinnenweb meer te zien was, de vloeren glommen van de boenwas en het fornuis er als nieuw uitzag. Met de hulp van een paar inlandse knechts repareerde George het dak, de balustrade om de veranda, de traptreden en de horren. Ze hingen nieuwe gordijnen voor de ramen, schilderijen aan de muur en legden Kates mooie tapijten op de vloer.

De aankomst van de vrachtrijder een paar maanden later werd met gejuich begroet, want nu kon Kate haar mooie porselein in de glazen pronkkast zetten en de zitkamer meubileren met comfortabele stoelen en de lange fluwelen gordijnen die ze uit Sydney had meegenomen ophangen. Haar kristal werd zorgvuldig op het dressoir gezet en de paar ornamenten die ze na de verkoop van het huis in Sydney had gehouden kregen een plekje op bijzettafeltjes. De piano kreeg een ereplaats bij het raam en Kates sjaal van Indiase zijde werd er overheen gelegd.

De bekroning was het ophangen van Henry's schilderij boven de nieuwe stenen open haard en het met champagne klinken op hun verrichtingen. Nu konden Miriam en zij het hier thuis noemen.

Miriam keek toe terwijl de anderen aan hun zoektocht op zolder begonnen. Leo gaf aanwijzingen en hield de ladder vast, terwijl Fiona en Louise met een zaklamp rondscharrelden en dozen en koffers naar beneden doorgaven. Jake was er tussenuit geknepen en Chloe was in de keuken en deed een poging de afwas te doen. Haar familie werkte samen, dacht ze, net als ze altijd hadden gedaan. Hun kracht en hun vertrouwen in elkaar zouden hen helpen om dat wat in het verschiet lag te doorstaan.

Miriam was uitgeput. De pijn nam haar steeds meer in beslag; ze liet ze aan hun lot over en ging naar haar slaapkamer. Ze nam twee pillen, deed haar kleren uit en liet zich in bed zakken. Het was een lange dag geweest – en een traumatische – maar toch had ze gelijk gehad dat ze hen over de kanker had verteld en dat ze hen had gewaarschuwd voor de rechtszaak die zou komen. Want dit waren de mensen van wie ze het meeste hield – en geheimen hadden de neiging veel meer pijn te veroorzaken dan de waarheid.

Ze trok het laken over zich heen en lag daar in de invallende schemering. De nacht viel hier snel en achter de luiken voor het raam kon ze het gerinkel van tuig en het zachte klipklop van hoeven horen terwijl de paarden het erf overstaken. De stem van een man werd meegevoerd door de wind en het geluid droeg de echo van een andere tijd – en gaf weerklank en kleur aan haar herinneringen aan die eerste tijd, en aan een man die Edward heette.

Miriam vierde haar zestiende verjaardag in 1910 op Bellbird Station. Ze kon inmiddels net zo goed paardrijden als willekeurig welke man op de boerderij en ze had de reputatie gekregen van wildebras. Maar ze was zich desalniettemin bewust van de veranderingen in zichzelf, en van de zijdelingse blikken die de veedrijvers en de jongens met wie ze op feesten danste haar toewierpen. Maar, in weerwil van alle romantische boekjes die ze verslond wanneer ze ze maar te pakken kreeg, had ze nog nooit die stormvloed van emoties en verlangen gevoeld die in die verhitte verhalen werd beschreven en ze vroeg zich af of het ooit zou gebeuren.

Edward Strong was tweeëntwintig toen hij op Bellbird Station kwam. Miriam stond in de deuropening van de schuur en zag hoe de vreemdeling het erf kwam oprijden. Hij had een zelfverzekerd air over zich terwijl hij afsteeg en zijn paard naar de watertrog leidde, en ze zag hoe zijn haar vlamde in de zon toen hij zijn vreemd gevormde hoed afzette om het zweet uit zijn ogen te vegen.

Ze leunde tegen de deurpost en bestudeerde hem. Hij was niet erg lang, zag ze toen George uit de gereedschapsschuur tevoorschijn kwam en hem begroette, maar hij was goedgebouwd en zag er goed uit in zijn verreisde broek en geruite hemd. Hij liep met die langzame, slingerende gang van iemand die het grootste deel van zijn leven op de rug van een paard doorbracht; zijn laarzen joegen het stof op en zijn zilveren sporen en de gesp van zijn riem glinsterden in het zonlicht.

Zij stond in de schaduw terwijl de twee mannen het werk bespraken dat voor hen lag en ze raakte gefascineerd, niet alleen door de kleding van de vreemdeling, maar ook door zijn accent. Want hoewel ze er nog nooit een had ontmoet, wist ze zeker dat hij een Amerikaan was.

George bracht hem het erf over naar de slaapzaal waar hij hem voorstelde aan de veedrijvers en schaapscheerders. Miriam ging verder met het oliën van de zadels en legde het tuig klaar voor de volgende dag. Ze zou hem snel genoeg ontmoeten, maar nu was er werk aan de winkel.

De droogte had twee jaar geduurd en vorige maand was er eindelijk een einde aan gekomen. Het verdroogde gras was weer sappig groen, het stroompje in de kreek was weer gezwollen en klotste tegen de oevers en het water gorgelde helder in de stenen beddingen van snelstromende beken. Miriam wist dat het niet mee zou vallen de wilde paarden dit jaar te vinden, want de plekken waar ze konden drinken, waren legio, nu het eenmaal was gaan regenen.

'Wie is dat?' Kate kwam uit de stallen tevoorschijn en hield haar hand boven haar ogen tegen de zon terwijl ze George en de vreemdeling naar de kookschuur zag lopen.

'Paardentemmer, denk ik,' antwoordde ze. 'George zei dat hij deze week zou komen.'

'Ik hoop dat George me dit jaar mee laat gaan,' zei Kate terwijl ze een streng haar terugstopte die was ontsnapt uit de keurige knot in haar nek. 'Ik begin tamelijk goed te worden met paarden en het huishouden is zo verschrikkelijk saai.'

Miriam deelde die hoop, maar hield dat voor zich. Het was niet erg waarschijnlijk dat George zou toestaan dat Kate meeging achter de wilde paarden aan – zijn eerste vrouw was gedood toen ze van haar paard viel toen de kudde op hol sloeg – en hoewel Kate hem veel te beschermend vond, konden ze allebei begrijpen waarom hij zo was.

Miriam keek naar de andere kant van het erf. De paardentemmer was tevoorschijn gekomen uit de kookschuur en was bezig een sigaret te draaien. Hij had brede schouders en smalle heupen en stond nonchalant tegen de deurpost geleund terwijl hij met een paar andere mannen stond te kletsen. Hij leek volkomen op zijn gemak, ondanks het feit dat hij nog maar net aangekomen was, en zo op het eerste gezicht verschilde hij in niets van de andere jongemannen die naar Bellbird kwamen op zoek naar werk. Maar hij had iets wat haar fascineerde en ze merkte naarmate de dag vorderde en zij haar werk deed, dat ze naar hem uitkeek.

'Als je met van die grote ogen naar de temmer blijft kijken, zal George je niet mee laten rijden als we het vee gaan verzamelen,' zei Kate toen ze langsliep met voer voor de kippen.

Miriam klom over het hek en sprong op het erf. 'Ik weet niet waar je het over hebt,' zei ze boos en ze werd knalrood. 'Wordt het niet tijd dat je thee zet? Het is al laat en George zal wel honger hebben.'

Kate wierp haar een begrijpende blik toe. 'Hij is erg knap, dat klopt, maar hij komt uit Texas,' zei ze, alsof dat alles verklaarde. 'Ik heb gehoord dat Edward Strong een dolende ziel is – hij zal niet lang blijven, Mim, dus kijk uit dat je niet met een gebroken hart achterblijft.'

Miriam deed alsof ze druk bezig was het touw te verzamelen waarmee het hooi bij elkaar was gebonden. Edward Strong, herhaalde ze in zichzelf. Die naam paste bij hem.

'Mim,' zei Kate scherp. Ze trok aan Miriams mouw. 'Verspil je tijd niet, schat. Hij is een zwerver – een bevlieging waar elke jonge meid gevoelig voor is. Laat je niet voor de gek houden door het feit dat hij anders is. Hij blijft een man en als puntje bij paaltje komt zijn die allemaal hetzelfde.'

Miriam zette haar handen op haar heupen en draaide zich om om haar aan te kijken. 'Kom op, Kate,' schreeuwde ze. 'Ik heb ook verstand, hoor!'

Kate vertrok haar mond. 'Het is niet je verstand waar ik me zorgen over maak,' zei ze zachtjes terwijl ze haar rokken optilde en zich omdraaide.

Miriam fronste haar voorhoofd. Ze had geen idee waar Kate het over had, maar ze schudde het probleem van zich af door een manier te bedenken hoe ze George zo ver kon krijgen dat hij haar mee liet gaan met de veedrijverij. Ze wachtte tot ze klaar waren met eten en Kate bezig was met de afwas. George zat op de veranda en rookte tevreden zijn pijp. Dit zou de enige kans zijn om hem onder vier ogen te spreken te krijgen. 'Ik wil dit jaar mee achter de wilde paarden aan,' begon ze. Ze was niet iemand die om de zaken heen draaide en ze wist dat George graag zag dat ze meteen ter zake kwam.

'Veel en veel te gevaarlijk,' bromde hij om de steel van zijn pijp heen. 'De paardenjacht is niets voor vrouwen. Ze schoppen en bijten en sturen je het halve land door. Het is een gemeen stelletje, zeker de hengsten.'

Miriam liet zich in een stoel naast hem zakken. Ze had deze reactie wel verwacht en was voorbereid. 'Ik rij al paard vanaf het moment dat ik hier gekomen ben,' zei ze vastbesloten. 'Ik help het vee bij elkaar te drijven, bij het ontsmetten en in de wei. Je weet heel goed dat de vrouwen hier net zo taai zijn als de mannen. Dat moeten we wel zijn.'

Hij keek haar lange tijd aan, terwijl de rook uit zijn pijp omhoog kringelde en zijn snor tot op de stoppels op zijn kin hing. Zijn gezicht was zo bruin en gerimpeld als een boomblad in de herfst en hij had armen als boomstammen, maar zijn ogen twinkelden vol humor.

'Kate had me al gewaarschuwd dat je de discussie met me zou aangaan,' zei hij binnensmonds. Hij nam ruim de tijd om zijn pijp weer aan te steken. 'Ik denk dat je wel gelijk hebt,' zei hij ten slotte op lijzige toon. 'Maar ik wil geen gejammer horen en als je de temmer in de weg loopt, is het meteen de laatste keer. Ik betaal hem meer dan wie dan ook hier en ik kan me niet veroorloven dat hij zijn tijd verdoet met op jou te passen.'

De opwinding over wat er stond te gebeuren joeg door haar lichaam en ze sloeg haar armen om hem heen en kuste hem op de wang. 'Dank je, George. Ik zal je niet teleurstellen.'

'Dat is je geraden ook,' mopperde hij en hij probeerde streng te kijken, maar herinnerde zich misschien wel de keer dat híj voor het eerst meeging met de jaarlijkse drijverij. 'Je zegt niets tegen Kate, hoor,' waarschuwde hij. 'Ze vilt me levend als ze hoort dat jij wel mee mag en zij niet.'

'Laat haar dan ook meegaan,' smeekte ze.

George schudde zijn hoofd. 'We gaan dit jaar geen van tweeën mee, Mim,' zei hij. 'Ik word er te oud voor en Kate is niet bedreven genoeg, wat ze daar zelf ook van denkt.' Hij keek haar aan vanonder zijn borstelige wenkbrauwen. 'Ik wil na al die tijd die het me gekost heeft haar te vinden, niet het risico lopen dat ik haar kwijtraak.'

Miriam lag nog lang wakker nadat George en Kate naar bed waren gegaan en het overal in huis stil was geworden. Toch was ze al voor zonsopgang op, had ze haar spullen gepakt en was klaar voor haar avontuur. Kate wierp haar een onderzoekende blik toe terwijl ze haastig haar ontbijt naar binnen werkte, maar als ze al wist van de beslissing die George had genomen, dan liet ze niets merken.

Edward kwam gewapend met een zadeldeken en tuig de schuur uit. 'Jij moet Miriam zijn, vermoed ik,' zei hij met een zwaar accent. 'Blij je erbij te hebben, juffrouw.'

Miriams handen waren klam toen zijn vingers de hare omklemden en toen ze opkeek zag ze een paar donkere wimpers en ogen met de kleur van wilde viooltjes. Van dichtbij was hij nog knapper dan ze al dacht. Hij had een lange, rechte neus, donkere wenkbrauwen en een kuiltje in de ongeschoren kin. 'Môgge' wist ze uit te brengen.

Hij wachtte tot ze haar eigen zadel had gepakt en liep vervolgens met haar mee naar de paardenkraal. Haar tong leek verlamd en ze voelde zich buitengewoon onbeholpen. Miriam realiseerde zich dat het zijn brede schouders en de manier waarop hij zijn hoofd rechtop hield waren waardoor hij zo lang leek, want in werkelijkheid kon hij niet langer zijn dan één meter vijfenzeventig. Ze probeerde wanhopig onverschillig en volwassen te lijken en zocht naar iets slims om te zeggen.

'Dat is een merkwaardige hoed,' wist ze ten slotte uit te brengen toen ze bij het hek kwamen.

Hij grijnsde terwijl hij de brede rand dieper in zijn ogen trok. 'Dat noemen ze een Stetson,' zei hij lijzig. 'Geen enkele Texaan met enig zelfrespect gaat zonder z'n Stetson de deur uit.'

Miriam was woest op zichzelf vanwege het feit dat ze bloosde en keek gauw de andere kant op. Hij had een vreemd effect op haar en zijn nabijheid maakte dat alleen maar erger, want ze kon de frisgewassen geur van zijn overhemd en zijn warme huid ruiken. Maar het was zijn glimlach die schokgolven tot in haar tenen zond en zijn accent klonk verleidelijk en eindelijk begreep ze het ademloze proza in al die stuiverromannetjes die ze had verslonden.

Nu de paarden uit de kraal waren gehaald, de dieren beslagen waren en de spullen gepakt, steeg de groep drijvers op. Twee pakpaarden waren beladen met bijlen, scheppen, koevoeten, ijzerdraad voor de afzettingen en meters bedrukt katoen. Er ging geen kok mee, elke ruiter moest voor zichzelf zorgen. Het zou ze ongeveer drie dagen kosten om Twelve Mile Creek te bereiken.

Miriam was eraan gewend uren in het zadel door te brengen en had altijd genoten van het gezelschap en de ruwe humor van de mannen die op Bellbird werkten. Maar deze tocht had iets betoverends, want naarmate ze dieper doordrongen in de uitgestrekte vlakten van de binnenlanden, voelde ze zich meer en meer aangetrokken tot de man met de lachende blauwe ogen en het zware Texaanse accent.

Edward Strong zat diep in het zadel, net als de veedrijvers, maar daar hield de vergelijking op. Zijn laarzen waren sierlijk bewerkt en hadden een hak, anders dan de Australische laarzen, die plat en gewoon waren. In plaats van een leren broek, droeg hij leren beenstukken en een spijkerbroek, met om zijn middel een rijk bewerkte leren riem met een zilveren gesp waarin in het midden een turkoois was verwerkt. De rand van zijn hoed was breder dan de standaardhoeden die de anderen droegen en de bol was hoger, omwikkeld met een rand van slangenhuid en versierd met een adelaarsveer.

De volgende drie dagen keek Miriam vaak naar hem terwijl hij op zijn grote ruin reed, met de teugels losjes in zijn gehandschoende handen. Toen ze de derde dag hun kamp opsloegen, besefte ze dat het wel leek of man en paard één waren. Beide hadden kracht in hun pezige gestalten. Beide hielden hun hoofd trots omhoog. Beide pasten uitstekend in het roestbruine landschap van de outback. Het drong tot Miriam door dat ze verliefd aan het worden was – en ondanks alle waarschuwingen van Kate, kon ze er geen weerstand aan bieden.

Twelve Mile Creek was een ondiepe stroom helder water die als een adder door een zanderige bedding kronkelde die uiteindelijk nauwer werd en in de bossen verdween. Zelfs voor een ongeoefend oog waren de sporen van paarden duidelijk te onderscheiden tussen die van kangoeroes, emoes en varanen.

De rustige stem van Edward Strong deed de anderen zwijgen. 'Ik vermoed dat ze hier niet lang meer zullen komen. Zie je die sporen? Daar hebben de mustangs met hun hoeven gaten in het zand gegraven om het laatste water op te kunnen zuigen.'

Hij duwde zijn Stetson naar achteren en keek naar de loodgrijze lucht. Er was al drie dagen geen regen meer gevallen. 'Ze trekken verder naar een plek met voldoende water. Deze kreek heeft, ondanks de recente regen, zijn langste tijd gehad.'

'Hoeveel denk je dat er hier zijn geweest?' vroeg Miriam ademloos.

Zijn blauwe ogen keken haar vanonder zware oogleden lange tijd aan. 'Tussen de vijftig en de honderd, schat ik. Dat is moeilijk te zeggen, nu de grond zo omgewoeld is.' Toen brak er een glimlach door op zijn gezicht, waardoor hij er bijna als een jongen uitzag. 'We kunnen maar beter gaan slapen; het is morgen weer vroeg dag, juffrouw.'

Miriam voelde hoe haar gezicht rood werd en keek de andere kant op. Het leek wel of Edward Strong precies wist wat voor effect hij op haar had – dat stond te lezen in de twinkeling in zijn ogen en in de glimlach die om zijn mondhoeken speelde. Ze sliep die nacht niet best, en dat had niets te maken met de harde grond onder haar deken.

Het ontbijt bestond uit ongedesemd brood en hete thee die nog voor zonsopgang snel en heet naar binnen werd gewerkt. Ze zadelden hun paarden, verlieten het kamp en gingen op onderzoek bij andere waterplaatsen. Ze zochten hun weg voorzichtig door het struikgewas en kwamen langzaam in de buurt van de verst afgelegen waterplaats, toen Edward hun een teken gaf dat ze moesten stilhouden.

'Kijk,' zei hij zachtjes terwijl hij zijn paard naast dat van haar in-hield. 'Kijk daar.'

Miriam keek langs zijn wijzende vinger en onderdrukte een kreet van verrukking. Vijftien tot twintig jonge paarden liepen rond in de rivier-bedding, klauwden in de grond en staken hun neus in het water. Hun vacht was bestoft, maar ze waren geweldig mooi en sterk gebouwd.

'Gaan we er nu achteraan?' fluisterde ze.

Edward boog zich naar haar toe en zijn zadel kraakte door de beweging. Hij schudde zijn hoofd en zijn blauwe ogen keken haar hypnotiserend aan. 'Dat heeft geen zin. We hebben nog geen kraal gebouwd en we zouden die krengen nooit te pakken krijgen.' Hij tikte aan de rand van zijn hoed en kreeg een kleur. 'Excuseer mijn taalgebruik, juffrouw.'

Miriam, die de lessen op de school voor jongedames allang had vergeten, wist niet hoe ze moest reageren, dus richtte ze haar aandacht weer op de wilde paarden.

De hengst die de leider was tilde zijn hoofd uit het water en snoof de lucht op. Hij was een prachtige palomino met een karamelkleu-rige vacht en een staart en manen met de kleur van platina. Zijn neusgaten stonden wijd open en zijn oren lagen plat in zijn nek. Hij waarschuwde de anderen met een schril gehinnik, draaide zich al stei-gerend met de gratie van een danser om en verzamelde zijn harem om zich heen alvorens ze weg te leiden. Sterke spieren glommen in het zonlicht onder de glanzende huid en manen en staarten golfden als vloeibaar zilver terwijl de merries en veulens voor hen langs denderden. Het stof steeg op in een grote wolk die als een gordijn bleef hangen tussen de jagers en hun prooi.

'Hoe moeten we die ooit vangen?' Miriam was in vervoering door de bijna sensuele souplesse van de hengst, maar de gedachte dat zo'n prachtig dier gevangen en getemd zou worden zat haar niet echt lekker.

Edward zette zijn hoed recht en zijn ogen glommen van onuitgesproken plezier. 'Dat zal niet makkelijk worden,' zei hij lijzig. 'Mustangs vinden het maar niks om gevangen te worden. Die hengst heeft ze inmiddels al kilometers verderop gebracht.' Hij nam zijn van zweet doortrokken Stetson van zijn hoofd en ging met zijn mouw over zijn voorhoofd. 'Paarden moeten drinken. Ik denk dat ze snel weer terug zijn, juffrouw.'

Zijn glimlach deed haar hart sneller kloppen en ze keek de andere kant op. Ze moest voorzichtig zijn met deze man. Hij was veel te knap – zich veel te veel bewust van de chaos die hij in haar hoofd aanrichtte – en ze wist dat haar onervarenheid haar ernstig in de problemen kon brengen.

Het kostte de hele volgende dag om vlak onder een overhellende rots een kraal te bouwen. Het dichtstbijzijnde water was maar een kilometer of acht ver en de grond in de omringende vlakte was stevig en goed om over te galopperen en er was voldoende begroeiing om hun dekking te geven. Toen ze klaar waren, hadden ze de beschikking over een grote, driehoekige kraal met afsluitbomen die snel op hun plaats konden worden geschoven. Repen van de kleurige, katoenen stof werden vanaf de ingang van dit bouwsel gespannen en vastgespijkerd aan palen die al eerder in de grond waren geslagen.

Toen ze de volgende ochtend het kamp opbraken, vroor het nog en zou het nog twee uur duren voor de zon opkwam. Miriam was zo gespannen als een veer terwijl ze haar beste paard zadelde en met de rest naar de belangrijkste kreek reed.

Edward Strong had hen zorgvuldig voorbereid en nu, terwijl het langzaam licht werd, hadden ze zich, benedenwinds, over een afstand van enkele honderden meters verspreid. Ze wachtten in toenemende spanning af in de dekking van de spaarzame bomen – hun adem in slierten zichtbaar in de koude lucht – toen een paar jaarlingen, een veulen en twee merries uit de schaduwen tevoorschijn kwamen.

'Waarom kunnen we ze nu niet te pakken nemen?' fluisterde Miriam.

Edward hield een vinger tegen zijn lippen. Hij lag languit langs de nek van zijn paard, net als de rest onzichtbaar in de dansende schaduwen van de bomen. 'Wacht,' zei hij geluidloos.

Terechtgewezen ging Miriam langs de nek van haar pony liggen en deed wat haar was gezegd. Haar hart ging tekeer en haar handen in haar handschoenen waren vochtig, terwijl ze naar de paarden keek en haar best deed de man naast haar te negeren.

Ze kwamen de een na de ander tevoorschijn, in een keurige rij, als huisvrouwen op weg naar de kerk. Er liepen verscheidene mooie jonge hengsten tussen, een paar merries met veulens aan hun zij en de palominohengst. Een familie, want de hengst zou de jongere hengsten hebben weggejaagd als ze niet van hem waren geweest. Ze dronken naar hartenlust terwijl verschillende andere groepen zich bij hen voegden. Ze spetterden en klauwden met hun hoeven en dronken tot hun buiken opzwollen. Tevreden stonden ze nonchalant van de begroeiing te eten, zich niet bewust van hun publiek.

De zweep van Edward knalde. 'Jippee!' brulde hij.

De geschrokken wilde paarden gingen ervandoor en de hengst beet de merries in de zij om ze tot grotere spoed te manen.

Edwards geschreeuw werd overgenomen door de anderen terwijl ze hun zwepen lieten knallen en zich in de jacht mengden. De hengst rende een andere kant uit dan de mannen hadden gewild. De drijver aan die kant zette zijn paard aan tot een woeste galop om hem de pas af te snijden en voor hem te komen. Ze wisten allemaal dat als hij het niet zou halen, ze de kudde kwijt zouden zijn. Want als de hengst wist door te breken, zouden de anderen snel volgen.

Miriam werd tot haar afgrijzen gezien als een groentje en moest in de door de donderende hoeven opgeworpen stofwolken in volle vaart achter de kudde aan om achterblijvers op te jagen. Haar hoed woei af, haar haar ontsnapte aan de spelden en wapperde achter haar aan terwijl de opwinding de overhand kreeg en zij één werd met de wind en de voortdenderende kudde.

Ze was zich ervan bewust dat de vleugelman naast de hengst ging rijden en van het feit dat de overige drijvers het dier dwongen de goede richting te kiezen. Ze kwamen al vlug in de nabijheid van de rots en met kreten en geknal van de zwepen werden de wilde paarden gedwongen de vaart erin te houden. Met de oren plat in de nek en de neusgaten wijd opengesperd vlogen de indrukwekkende dieren over de vlakte en de hoeven en manen flitsten in het vroege ochtendlicht.

Miriam deed met de mannen mee en maakte zoveel mogelijk lawaai toen ze de katoenen stroken in zicht kregen. Edward had uitgelegd dat het belangrijk was dat ze de wilde paarden doodsbang maakten zodat ze bij elkaar zouden blijven en in één rechte lijn zouden lopen – de trechter van bont katoen in en rechtstreeks de kraal binnen.

Edward liet zich terugzakken toen de voorste rijders tussen het katoen waren en hij voegde zich bij Miriam en de overigen in de achterhoede om de rest van de kudde voort te jagen. Miriam reed sneller dan ze ooit had gedaan, nu zij en haar paard waren gegrepen door de opwinding van de jacht en door de sensatie die het galopperen met de wilde paarden met zich meebracht.

De kraal was nog maar een paar meter te gaan toen de paarden in de gaten kregen dat ze in de val zaten. Slippend en bokkend probeerden ze zich uit de kudde los te maken en om te draaien. Met wilde ogen en wapperende manen steigerden en botsten ze en schreeuwden het uit van angst en verontwaardiging.

Maar er waren te veel paarden samengeperst – de mannen maakten te veel lawaai – en ze konden geen kant meer op.

Miriam schreeuwde en liet haar korte zweep knallen terwijl ze de wilde paarden naar het open einde van de kraal dreven. Door hun grote aantal werden de weigerachtige dieren voortgedreven en de een na de ander ging de kraal binnen.

De knechten stonden klaar. Ze ramden de sluitbomen op hun plaats en bonden ze met leren lussen op hun plaats.

Miriam was buiten adem, bezweet en opgetogen. Ze had haar eerste jacht volbracht en zou die nooit meer vergeten. Haar ogen zochten Edward in de hoop dat ze een goedkeurende blik zou krijgen en om het geweldige moment met hem te delen. Maar hij had het te druk.

'Ga naar de zijkant van de kraal en probeer ze weg te houden van de reling,' schreeuwde hij boven het geroffel van de hoeven en het schrille gehinnik uit. 'Ze kunnen ze gemakkelijk kapotmaken en uitbreken.'

Omringd door hun vijand, de mens, begonnen de wilde paarden ten slotte te kalmeren en Miriam liet zich doodmoe uit het zadel glijden.

Edward kwam aangereden en terwijl zijn paard in het stof stond te klauwen, schreeuwde hij haar toe: 'Geen tijd om te rusten. Je wou zo graag mee, dan zul je werken ook. Stijg op en blijf zitten tot de mustangs aan je gewend zijn. Praat tegen ze, of zing voor ze, maar zorg er in ieder geval voor dat ze je zien. Het is belangrijk dat ze gewend raken aan ruiters voor we ze naar de boerderij drijven.'

Miriam bloosde en haar boze antwoord stierf weg toen hij zijn paard wendde. Ze klauterde weer in het zadel en wist zich met moeite te beheersen. Want hoewel hij erg kortaf was geweest, zag ze de logica van zijn bevelen wel in. Maar ze moest nog een uur om de kraal heen rijden voor de wilde paarden waren gekalmeerd en tegen die tijd was ze te uitgeput om er nog iets om te geven.

Het bijeendrijven duurde drie dagen. Dagen waarin Miriam zich vastklampte aan haar zadel, vastbesloten om vol te houden. Ze had geen energie meer over om te flirten of te dagdromen en viel in slaap op het moment dat ze tussen de dekens schoof.

De hengsten werden van de kudde gescheiden om een einde te maken aan hun gevechten. Met uitzondering van een of twee werden ze vrijgelaten. Miriam en de mannen rolden hun dekens in een bundel, pakten hun etenszakken en maakten zich klaar voor de lange tocht naar Bellbird Station. De paarden waren na hun gedwongen verblijf in de kraal aanzienlijk gekalmeerd en toen er eenmaal tamme paarden als trainer bij de kudde werden gedaan, legden de wilde dieren zich redelijk gemakkelijk neer bij het feit dat ze naar het zuiden werden gedreven.

Toen Miriam en de anderen twee dagen later bij Bellbird Station aankwamen, vielen ze bijna uit hun zadel van vermoeidheid. Geen van hen had tijdens de thuisreis geslapen, want het was onmogelijk om een kamp op te slaan zonder kraal en met meer dan tweehonderd wilde paarden op sleeptouw.

Miriam liet de zinken teil vollopen en weekte het stof en zweet uit haar poriën terwijl ze aan één stuk door tegen Kate praatte en vertelde hoe opwindend de jacht was geweest en hoe slim Edward de wilde paarden tussen het bonte katoen had gedreven.

Maar het avontuur was nog niet voorbij, want ondanks het feit dat Edward de bestbetaalde kracht op Bellbird Station was, zou hij nog vijf of zes weken blijven. Hij zou het normale drijversloon van drie pond ontvangen, plus vijfentwintig shilling voor elk paard dat werd getemd. Met het oog op dit vorstelijke salaris beperkte George de temmer tot vier stuks per week, ervan uitgaande dat elk getemd paard méér een haastklus betekende.

Miriam werd in beslag genomen door haar gewone werk, want George en Kate hadden ronduit geweigerd haar te laten fungeren als hulpje van de jonge Amerikaan. Maar Miriam zag gedurende de dag altijd wel een gaatje om even te gaan kijken als Edward aan het werk was.

De oefenmanege was rond en had verschillende hekken die naar andere kralen leidden waar de ongetemde paarden werden gehouden. Er werden er steeds een stuk of twintig de oefenmanege in gedreven waar de jonge Texaan hen aan een kort onderzoek onderwierp. Een paar dieren waren ziek of kreupel, een paar te jong en nog onderontwikkeld. Die zouden dit jaar niet worden getemd.

Sommige wilde paarden droegen al het brandmerk BB van de stoeterij. Dat hadden ze gekregen toen ze nog een veulen waren en hadden vervolgens de vrijheid gekregen tot ze oud genoeg waren om te worden getemd. Deze jonge paarden waren nerveus en de herinnering aan het schroeiende ijzer was duidelijk nog levendig, gezien de manier waarop ze zich tegen het bit in hun mond verzetten. Andere paarden hadden witte haren op hun schoften ten teken dat ze ooit gezadeld en bereden waren geweest. Die werden als eerste uitgekozen en snel afgewerkt, zodat Edward snel aan het serieuze temmen kon beginnen.

Miriam was klaar met haar werk van die dag en zat boven op de omheining van de oefenmanege te kijken hoe Edward de tweede van de twee hengsten die ze mee terug hadden gebracht onder handen nam. Het was de opvallende palomino.

Het paard werd helemaal wild en rende door de manege, terwijl de assistent zijn paard aan de rechterkant hield en de hengst overal volgde terwijl hij bij de omheining probeerde weg te komen. Toen hij eenmaal geen kant meer uitkon bleef de palomino met gespreide benen en met de oren in de nek trillend staan, terwijl Edward dichterbij kwam.

Miriam hield haar adem in toen de assistent zijn paard dichterbij bracht en de hengst tegen de omheining drukte zodat Edward snel het bit in kon doen.

De palomino steigerde met een wilde blik in de ogen terwijl Edward zich aan de teugels vastklampte en zijn hakken in het zand zette. 'Ho, jongen. Rustig, rustig,' zei hij zachtjes. 'Ik doe je niks,' vleide hij.

Maar de hengst wilde er niets van weten. Hij vocht tegen het bit, draaide en keerde, schudde zijn kop, liep achteruit en probeerde te steigeren.

Edward hield vol en de teugels sneden in zijn gehandschoende hand terwijl de hengst trok en bokte en met zijn kop schudde. 'Brave knul,' riep hij zachtjes. 'Je vindt jezelf heel wat, hè, jongen?'

De hengst stond wijdbeens, met gebogen hoofd zwaar te hijgen terwijl het lichtgewicht trainingszadel voorzichtig op zijn rug werd gelegd. Het wit van zijn rollende ogen was te zien, zijn oren lagen plat in zijn nek en zijn neusgaten stonden wijd open terwijl Edward de singel aantrok.

Miriam keek gebiologeerd toe. De vijandigheid van het wilde paard was voelbaar. Hij verstijfde als een gespannen veer. Ze kon de donkere zweetplekken op Edwards hemd zien toen hij de zadelknop beetpakte en zijn been over de huiverende rug zwaaide.

De palomino schoot als een raket de lucht in. Bokkend en schoppend kwam hij met een klap weer op de grond terecht, deed zijn hoofd omlaag en draaide toen in een korte cirkel met grote snelheid rond. Edward verloor zijn hoed en zijn assistent maakte dat hij uit de buurt van de dodelijke hoeven kwam.

'Gooi het hek naar buiten open,' schreeuwde Edward terwijl hij op de een of andere manier houvast kreeg en de teugels iets liet vieren.

De hengst zag zijn kans schoon en schoot in een enorme sprint in de richting van het geopende hek, de vrijheid tegemoet.

Miriam hart ging tekeer terwijl de andere mannen achter hem aan reden. Ze zouden proberen de hengst te laten keren door hem van zijn rechte koers te dwingen, zodat de verandering van richting hem zou afremmen. Maar de hengst was duidelijk woest en ze bad dat Edward sterk en ervaren genoeg was om de dolle rit over de vlakte te overleven.

Ze stond op de bovenste plank van de omheining en probeerde te zien wat er gebeurde, maar dat was onmogelijk door de stofwolk die oprees onder de daverende hoeven. Haar hart bonsde tegen haar ribben en haar mond was droog terwijl ze wachtte op de uitkomst van deze opwindende strijd. Wat wilde ze nu graag dat ze haar eigen paard had gezadeld zodat ze had mee kunnen doen met de pret – maar daarvoor was het nu al veel te laat.

Terwijl ze ongedurig stond te wachten, met één hand boven haar ogen tegen de zon, bad ze in stilte dat hij ongedeerd zou terugkeren. Toen ging er een golf van dankbaarheid door haar heen. Aan de horizon zag ze een nieuwe stofwolk tegen de gloeiende hemel afgetekend, en het onmiskenbare silhouet van Edward en de hengst.

De palomino was dan misschien wel uitgeput, maar zijn drang om vrij te zijn overheerste duidelijk nog al het andere. Iedere keer dat hij het gevoel had dat de man op zijn rug verzwakte, bokte en danste hij en trapte met zijn achterpoten. Op deze manier kwamen ze teruggereden, de een net zo koppig als de ander.

Miriam vergat helemaal dat ze verondersteld werd Kate met het eten te helpen en keek geboeid hoe mens en dier het spelletje beu raakten. De palomino liet zijn hoofd hangen terwijl hij om de kraal sjokte en Edward viel bijna uit het zadel toen hij het paard de kraal binnenleidde. De hengst boog voorover en dronk gulzig uit de trog, zich ogenschijnlijk niets aantrekkend van Edward die de singels losmaakte, het zadel van zijn rug liet glijden en hem droogwreef.

Miriam ging aan de andere kant van de omheining staan terwijl Edward het zadel liet vallen en over het hek klom. 'Goed gedaan,' zei ze zachtjes. 'Ik dacht even dat het met je gebeurd was.'

Edward duwde zijn hoed achterover om het stof en zweet weg te vegen. De blauwe ogen fonkelden geamuseerd, ondanks de zware dag die hij achter de rug had. 'Dat is een geweldige mustang, juffrouw,' zei hij terwijl hij achteromkeek naar de hengst. Toen liet hij zijn blik op Miriam rusten en zijn stem klonk zachter en intiemer. 'Maar ik geloof dat we niet te hard voor hem moeten zijn. We moeten zijn geest niet helemaal breken,' zei hij zachtjes.

Hun ogen ontmoetten elkaar en in dat moment van stilte gebeurde er iets magisch. Want Miriam was, net als de palomino, in de ban geraakt van de temmer.

12

Fiona lag naast haar zus en staarde naar het plafond van hun oude slaapkamer. Het was vreemd om na zoveel jaar samen met haar in bed te liggen, maar nu Ralph was vertrokken was het niet nodig dat ze op de veranda sliep. 'Ik kan maar niet geloven dat Mim stervende is,' zei ze zachtjes. 'Als zij er niet meer is, is niets meer wat het ooit is geweest.'

'Ik weet het,' antwoordde Louise. 'Deze plek is altijd een tweede thuis geweest, maar...' Ze zweeg.

Fiona wist wat ze bedoelde. Bellbird was Mim en ze kon zich de plek niet voorstellen zonder haar. Het wilde er bij haar absoluut niet in dat dit de laatste van hun zomers op Bellbird kon zijn.

'Mim is gewiekst, dat moet ik toegeven,' zei ze ten slotte. 'Die aankondiging van haar over de rechtszaak gaf ons in ieder geval iets anders om over na te denken.' Ze verschoof onrustig op het kussen. Het was een warme nacht en Louise was altijd al iemand geweest die warmte opwekte. 'Geloof jij dat we de akten ooit zullen vinden?'

'Wie weet,' mompelde Louise. 'Mim heeft altijd iets tegen de Demp-sters gehad en ik snap ook wel waarom. Maar we weten niet wat er alle-maal van waar is. Ze was nog maar een kind toen het gebeurde en ze kan in feite alleen maar afgaan op de verhalen die Kate haar heeft verteld.'

Ze zei een tijdje niets. 'Maar ik wil graag geloven dat die akten ergens liggen – het zou Mim zo gelukkig maken als ze in het gelijk gesteld werd.'

'Mmm. Maar er is zoveel om te doorzoeken en nu Mim zo ziek is, zouden we wel eens tijd tekort kunnen komen.' Fiona veranderde van onderwerp; ze wilde niet aan de naderende dood van haar grootmoe-der denken. 'Dat was nogal dapper van je vandaag,' zei ze. 'Ralph was furieus.'

Louise verschoof haar hoofd op het kussen en ging met haar hand door haar kortgeknipte haar. 'Ik wilde gewoon hier blijven,' mompelde ze. 'Daar is niets dappers aan.'

Fiona draaide haar hoofd om en keek naar haar zus. Het maanlicht viel op Louises gezicht dat er daardoor wasbleek uitzag. 'Ik zag hoe je keek toen tot je doordrong wat je had gezegd,' zei ze. 'Waarom ben je zo bang voor hem?' Ze schoot overeind bij de vreselijke gedachte die bij haar opkwam. Leunend op een elleboog zei ze: 'Hij slaat je toch niet, hè?'

'Nee. Hij heeft me nooit een haar gekrenkt.' Ze haalde even diep en beverig adem. 'Dat hoeft hij niet,' fluisterde ze.

Fiona zag hoe een traan zijn weg vond tussen de lange wimpers en over de wang van haar zus biggelde. 'O Louise,' zei ze zachtjes. 'Wat heeft hij je aangedaan?'

De slanke vinger vond de traan en veegde hem weg. 'Niets,' zei ze dapper. 'Ralph is een goede echtgenoot. Ik snap niet waarom jullie allemaal denken dat hij zo'n bruut is.'

Fiona rolde met een zucht van wanhoop weer op haar rug. Eén ogenblik had ze gedacht dat ze eindelijk tot haar zuster had weten door te dringen. 'We hebben dit gesprek al vaker gevoerd,' zei ze zachtjes.

'Doe dat nou niet, Fee,' smeekte Louise terwijl ze haar arm aanraakte. 'Het spijt me dat ik laatst zo akelig deed, maar je overviel me en ik voelde me in de verdediging gedrukt.'

'Waarom? Er is helemaal geen reden voor je om in de verdediging te gaan, of om Ralph tegenover mij te verdedigen. Ik ben je zus – ik hou onvoorwaardelijk van je.' Ze ging op haar zij liggen zodat ze met hun gezichten naar elkaar toe lagen. 'Snap je niet dat mam en pap en ik je alleen maar zo op je huid zitten omdat we om je geven? Ik vind het maar niks dat je zo mager en zo ongelukkig bent. Waarom blijf je bij hem, Louise?'

Louise begroef haar gezicht in het kussen en haar tranen werden opgenomen door het katoen. 'Hij heeft zoveel voor me gedaan. Hij heeft me gevormd tot wie ik ben, heeft me zoveel geleerd. Ik ben bang om bij hem weg te gaan, Fee. Niet om wat hij zou kunnen doen, maar omdat ik me zonder hem geen raad zou weten.'

Fiona gaf geen antwoord. De gedachten tolden door haar hoofd. Louise wist dat ze in de knel zat, maar ze zou niet eerder de moed hebben om een einde te maken aan dit vreselijke huwelijk voor ze doordrongen raakte van haar eigen waarde. Ralph had haar dan misschien wel niet geslagen of haar op een andere manier fysiek iets aangedaan, maar het voortdurende drup-drup-drup van aanmerkingen maken, van haar op alle punten van hem afhankelijk maken, had Louise er even effectief onder gekregen.

'Ik weet dat je het niet begrijpt,' zei Louise zachtjes. 'Maar ik hou van hem. Hij is mijn rots in de branding – de enige persoon van wie ik werkelijk vertrouw dat hij me niet in de steek zal laten.' Ze ging verliggen en legde haar handen onder haar hoofd. 'Hij heeft ooit eens tegen me gezegd dat hij me zou vermoorden als ik vreemdging – en vervolgens zelfmoord zou plegen. Dat is ware liefde, Fiona. En dat zal ik nooit meer meemaken.'

Fiona hield haar mening voor zich. Ralph wist in ieder geval wel aan welke touwtjes hij moest trekken, maar ze betwijfelde ten zeerste of zijn dreigement iets te betekenen had. Hij mocht dan misschien slim en manipulatief zijn, een kandidaat voor moord en zelfmoord was hij zeker niet. Ralph was in wezen een lafaard – dat waren alle bullebakken.

'Beloof me één ding, Louise,' begon ze.

'Wat?' Ze klonk op haar hoede.

'Beloof me dat je terwijl je hier op Bellbird bent nadenkt over wat ik heb gezegd. Dit is je kans om alles eens op een rijtje te zetten, Louise. Een kans om uit zijn schaduw te komen. Ik denk dat je erachter zult komen dat een leven zonder hem helemaal niet zo ingewikkeld is – niet met een familie die je steunt.'

Louise snufte en draaide zich om. 'Welterusten,' mompelde ze.

Fiona lag daar in het maanlicht, klaarwakker en rusteloos. Voorlopig moest ze zich hiermee tevredenstellen, maar misschien dat de komende dagen Louise duidelijk zouden maken wat voor kracht de ware, onvoorwaardelijke liefde van de familie vertegenwoordigde en zou ze zich misschien af gaan vragen waarom ze vasthield aan een huwelijk dat haar langzaam maar zeker onzichtbaar maakte.

Bellbird Station was omgeven door flarden ochtendmist toen Jake het houten huisje uitkwam en keek hoe Eric door het lange gras sloop. Hij rekte zich uit, ademde de frisse, schone lucht in en trok zijn pyjamabroek op. De zoektocht naar de akten kon wel eens een tijdje duren en als ze werden gevonden – wat hij betwijfelde – had hij er geen bezwaar tegen de zaak aanhangig te maken. Maar Miriam had er geen misverstanden over laten bestaan dat ze hoe dan ook verwachtte dat hij alle papieren in orde zou maken en ze bij de rechtbank zou deponeren. En dat kon hij alleen in Brisbane doen.

Hij ging met zijn hand over zijn kin en trok een gezicht. Hij moest zich scheren en onder de douche en dat zou misschien helpen de spinnenwebben van een slapeloze nacht te verjagen. Hij pakte zijn handdoek en toilettas en liep naar het washok achter de kookschuur. Eenmaal onder de messcherpe straal heet water liet hij zich door de kracht ervan verfrissen. Maar zijn gedachten lieten hem niet met rust en hij draaide ten slotte de kraan dicht en sloeg de handdoek om zijn middel.

Hij veegde de condens van de spiegel vol vliegenpoep en begon zich te scheren. Zijn korte verblijf op Bellbird Station hadden herinneringen aan zijn jeugd losgemaakt, en vooral aan zijn moeder en grootmoeder. Ondanks haar scherpe tong en veeleisende manier van doen had Miriam een plekje in zijn hart weten te veroveren en het nieuws van haar ziekte was een geweldige klap geweest. Hij leek voorbestemd om die mensen te verliezen van wie hij het meeste hield.

Zijn hand stopte en hij keek naar zijn evenbeeld in de spiegel. Waarom liet hij zich zoveel gelegen liggen aan een vreemde? Waarom moesten Mim en haar familie zijn leven ingewikkeld maken? Hij had het prima naar zijn zin gehad voor hij deze kant opkwam. Het ging uitstekend met zijn carrière en hij was nog maar vorig jaar vennoot geworden van zijn advocatenkantoor. En nu stond hij op het punt iets te doen wat alles kon ruïneren – alleen maar vanwege een recalcitrante oude vrouw die waarschijnlijk nog niet eens dankjewel zou zeggen.

Hij schudde zijn hoofd, alsof hij de donkere gedachten op de vlucht wilde jagen, en ging verder met scheren.

Miriam was niet de enige die hij zou missen, realiseerde hij zich met een schok terwijl hij de deur uitliep en zag dat Fiona op hem stond te wachten. 'Môgge,' zei hij met een overdreven vrolijke glimlach op zijn gezicht terwijl hij de handdoek stevig om zijn middel hield en een schietgebedje deed dat hij zou blijven zitten.

'Hoe gaat het?' antwoordde ze terwijl ze haar blik van zijn blote voeten, via de handdoek omhoog naar zijn blote borst liet glijden.

'Prima,' stotterde hij, terwijl hij zich langs haar heen probeerde te wurmen. 'Hebben jullie al wat gevonden?' Hoe kwam het toch dat de vrouwen hier hem steeds wisten te overvallen, dacht hij, terwijl hij worstelde met zijn toilettas, de handdoek en zijn pyjamabroek. Hij had kunnen weten dat hij zou afgaan – waarom had hij verdorie zijn pyjamabroek niet weer aangetrokken?

Fiona blokkeerde zijn uitweg. Ze kneep haar ogen dicht tegen het vroege zonlicht en deed duidelijk haar best om niet in lachen uit te barsten omdat hij zich zo opgelaten voelde. 'Niets dat oma's zaak kan helpen,' zei ze met die heesheid in haar stem die hem rillingen bezorgde.

Jake voelde zich een malloot zoals hij daar stond, spiernaakt met alleen maar een lap badstof tussen hem en het verlies van zijn waardigheid. 'Was er iets speciaals dat je wilde?' drong hij aan. 'Ik heb nogal haast, zie je.'

Ze keek glimlachend naar hem op en in haar ogen glansde een duivelse glimlach. 'Mim wil je spreken,' zei ze met onvaste stem. 'Maar ik zou eerst m'n broek maar aantrekken als ik jou was. Niet iedereen is onder de indruk van het mannelijke figuur, weet je.'

Jake kreeg een kleur, pakte de handdoek beet en liep met grote stappen naar het huisje. Hij hoorde haar giechelen terwijl ze wegliep. 'Pokkenwijven,' mopperde hij terwijl hij een broek en overhemd aantrok en zijn voeten schoonmaakte. 'Hoe lukt het ze toch om een vent zich een complete idioot te laten voelen terwijl hij alleen maar schoon probeert te worden?'

Pas toen hij was aangekleed, zijn laarzen aanhad en al halverwege het erf was, zag hij de humor van de situatie in. Hij glimlachte en wreef over zijn kin terwijl hij de treden naar de veranda nam. Fiona had dan misschien wel gezegd dat ze niet onder de indruk was, maar hij had de glans in haar ogen gezien toen ze hem bekeek. Misschien was dat nog niet zo slecht.

De familie zat in de keuken te ontbijten. Hij werd begroet met een plotselinge stilte en Jake zag de vrolijke blik van verstandhouding die Chloe met haar dochters wisselde. Dus Fiona had het ze verteld, dacht hij wanhopig. Hij hoorde het onderdrukte gegiechel, voelde hoe zijn gezicht warm werd en draaide zich snel om en schonk een kop thee voor zichzelf in.

Miriam verbrak de stilte. 'Let maar niet op hen,' beval ze. 'Ze trappen maar een lolletje – en je zou blij moeten zijn dat je hun dag wat opgevrolijkt hebt.'

'Mooie boel als je niet eens meer rustig een douche kunt nemen,' mompelde hij.

'Kom op, Jake,' riep Fiona uit. 'Je vroeg er zelf om door zo over het erf te paraderen.'

'Dat doe ik geen tweede keer, geloof dat maar,' zei Jake binnensmonds terwijl hij op een stuk toost kauwde.

Miriam keek hem met strakke blik aan. 'Ik moet je onder vier ogen spreken,' zei ze. 'Kom naar de andere kamer als je klaar bent met ontbijten.'

Een uur later had Jake de pick-up ingepakt en was hij op weg. Terwijl hij het laatste hek dichtdeed en weer in de auto stapte, keek hij naar het pakket dat naast Eric op de stoel lag. Miriam had hem met een zware verantwoordelijkheid opgezadeld. Hij hoopte maar dat hij haar vertrouwen niet zou beschamen.

Ze waren de hele volgende week bezig met het doorzoeken van een eindeloze reeks dozen. Miriam vond brieven en foto's waarvan ze het bestaan allang had vergeten en had een hoop tijd verspild met ze te lezen, ze voor de familie te verklaren en erbij weg te dromen. Ze stond ervan te kijken hoeveel van de spullen in de koffers en dozen van haarzelf waren en het was net alsof ze een schatkamer vol herinneringen had ontdekt.

Hier had ze een oud fotoalbum met plaatjes uit de goudzoekerkampen en lang vergeten gezichten. Daar de dagboeken die ze de eerste jaren in Sydney had bijgehouden en de dagboeken die ze hier op Bellbird had bijgehouden tijdens de donkere dagen van beide wereldoorlogen. Ze legde ze apart om later te lezen, want haar familie hoefde al die persoonlijke details van haar leven niet te weten – de pijn en het verdriet die ze had meegemaakt. Haar dagboeken waren haar in die lange, eenzame nachten tot troost geweest.

Chloe pakte dromerig de kleine babykleertjes uit die in vloeipapier verpakt in een hutkoffer hadden gezeten en pinkte een traan weg toen ze de eerste schoentjes van de meisjes vond, hun doopjurk en de ragfijne sjaal waar ze alle drie ooit in gewikkeld waren geweest. Fiona en Louise diepten lievelingsspeelgoed en -boeken op en ruzieden goedmoedig over wat van wie was geweest terwijl ze zich soortgelijke kibbelpartijen uit hun jeugd herinnerden.

Leo zat tevreden te midden van de chaos met een glas cognac naast zich en snuffelde in oude kranten die berichtten over de dood van Victoria, de troonsafstand van Edward en de kroning van George. 'Een hele eeuw in kaart,' bromde hij terwijl hij voorzichtig de pagina's omsloeg van een exemplaar uit de oorlogsperiode. 'Je zou deze fatsoenlijk moeten opbergen, Mim. Die worden ooit nog wel eens wat waard.'

Miriam haalde haar schouders op. 'Neem maar mee, als je wilt,' zei ze. 'Ik doe er niets mee.'

'Kijk eens wat ik heb gevonden,' zei Louise en ze haalde een doos onder uit de hutkoffer. 'Wat zou daar in zitten?'

Miriam boog zich voorover. Ze kende die doos. Daar had ooit chocola in gezeten. 'Die was van mij,' zei ze zachtjes terwijl ze haar hand uitstak. 'Daar bewaarde ik mijn speciale spulletjes in. Ik wist niet meer dat ik die op de vliering had gezet.'

'Maak open dan,' zei Fiona gretig.

Miriam haalde het deksel eraf en voelde een vleugje weemoed. De brieven zaten er nog steeds in, samengebonden met een strik en geel geworden door de jaren die voorbij waren gegaan. Ze haalde ze uit de doos en hield ze bij haar gezicht. Ze kon nog steeds de lavendel ruiken die ze erbij had gedaan.

'Wat zit er nog meer in?' Louise knielde naast haar.

Miriam legde de dierbare brieven in haar schoot. Ze wist niet of ze de moed kon opbrengen ze nog een keer te lezen, want ze zouden alleen maar de pijn weer oprakelen, de verloren hoop en de verschrikkelijke onontkoombaarheid van de levenscyclus waarin ze allemaal meedraaiden. Ze legde de inhoud van de doos weer terug en wou dat die nooit was gevonden – de herinneringen die hij opwekte waren plotseling echter dan het heden.

'Dit vinden jullie misschien wel interessant,' zei ze terwijl ze een kleiner pakketje pakte. De strik was verschoten en het dikke perkament van de enveloppen voelde breekbaar aan. 'Doe voorzichtig, ze zijn erg teer,' waarschuwde ze terwijl Louise ze aanpakte.

'Wel verdorie,' zei Fiona ademloos toen de inhoud van de enveloppen aan het licht kwam. 'Dit moet een klein fortuin waard zijn, Mim. Waarom heb je dat al die tijd verborgen gehouden? Spul als dit brengt op een veiling honderdduizenden dollars op.'

Miriam pakte ze weer terug en stopte ze bij de brieven. 'De uiterste prijs is al betaald,' zei ze zachtjes. Ze ging voorzichtig met haar vingers over de broze herinneringen aan een tijd dat het leven zo eindeloos leek. Ze was zo jong geweest, zo gelukkig – maar donkere wolken pakten zich al samen aan de horizon en haar wereld werd maar al te snel in duisternis gehuld.

Edward bleef bijna acht weken op Bellbird. Afgezien van een paar korte, oppervlakkige gesprekjes en het uitwisselen van verlegen blikken terwijl Miriam en hij aan het werk waren, hadden George en Kate ervoor gezorgd dat ze niet de kans kregen alleen te zijn. Nu was zijn contract afgelopen en morgen zou hij vertrekken.

Miriam wachtte tot Kate bezig was in de keuken en George in zijn gebruikelijke stoel op de veranda zijn pijp zat te roken. Ze borstelde haar haar tot de krullen glansden als de vleugels van een kraai, glipte vervolgens door het raam naar buiten en rende blootsvoets door het gras naar de omheinde wei achter de stallen.

Wat ze deed ging tegen alle regels in, maar ze moest weten of Edward hetzelfde voelde als zij – en de enige manier om daar achter te komen was het hem te vragen.

Edward zat tegen een eucalyptus geleund met zijn Stetson achterover geschoven een sigaret te roken en naar de paarden te kijken. Hij ging staan toen Miriam de hoek bij de stallen om kwam. 'Goedenavond, juffrouw,' zei hij lijzig terwijl hij tegen de rand van zijn hoed tikte en zijn peuk met de hak van zijn laars uittrapte.

Miriam aarzelde. Stond ze op het punt zichzelf volledig voor gek te zetten? Edward leek het wel leuk te vinden om haar te zien, maar was dat genoeg? Ze propte haar handen in de zakken van haar werkbroek en kwam tot de conclusie dat ze behalve haar trots niets te verliezen had. Ze kon maar beter te waarheid weten, dan was dat achter de rug. 'Ik kwam om afscheid te nemen,' zei ze ten slotte.

'Dat is verrekte aardig van je, jongedame,' antwoordde hij. Hij glimlachte en maakte een uitnodigend gebaar naar het stukje gras onder de boom. 'Ga zitten en blijf even praten,' stelde hij voor. 'Tenminste, als je daar zin in hebt?' Hij draaide zich om zodat hij haar recht in de ogen kon kijken.

Miriams hart ging tekeer en ze wist zeker dat hij het bonzen tegen haar ribbenkast kon horen. Ze ging met haar handen over haar broek en hield haar ogen neergeslagen. 'Ik denk het wel,' wist ze uit te brengen.

Hij liet een zacht lachje horen en leunde achterover op zijn elleboog. Zijn ogen leken in de dieper wordende schaduwen wel paars en het kuiltje in zijn kin kwam extra goed uit door zijn baard van een dag. 'We hebben eerder niet veel kans gehad om eens te praten,' zei hij zachtjes. 'En dat is jammer, vind je niet?'

Ze zag hoe hij een wenkbrauw optrok. Ze zag de kleur van zijn ogen en de manier waarop zijn mond bewoog wanneer hij sprak. 'Ja,' zei ze zachtjes. Ze begon aan het gras te plukken en de sprieten tussen haar vingers rond te draaien. 'Kom je nog een keer terug?' vroeg ze. Terwijl ze wachtte op een antwoord, vochten hoop en angst om voorrang.

Hij bleef een ogenblik stil en zijn blik was met een vreemde intensiteit op haar gericht. 'Ik ben een zwerver, Miriam,' zei hij zachtjes. 'Gewoon een ouwe nietsnut die toevallig goed met mustangs overweg kan.' Zijn hand bedekte haar vingers, maande ze tot rust. 'Het is beter dat we het daar bij laten.'

Miriam dacht dat haar hart brak toen de volle betekenis van zijn toch liefdevolle afwijzing tot haar doordrong. 'Je weet wat ik voel, hè?' vroeg ze, terwijl ze de tranen wegslikte. 'Neem me niet kwalijk dat ik me zo aanstel, maar ik dacht dat jij hetzelfde voelde.'

'Ik heb nooit iets anders beweerd,' mompelde hij. 'Maar ik ben niet precies wat je betrouwbaar noemt.' Zijn gezicht was heel dicht bij dat van haar en ze kon zijn aantrekkingskracht voelen. 'Je vader en moeder vinden mij maar niks en ze hebben nog gelijk ook. Ik ben een nomade, Miriam. Een man die niets liever doet dan zwerven. Je ouwelui hebben andere plannen voor een dame als jij.'

Hij nam haar kin in zijn hand en trok haar zo dicht naar zich toe, dat ze nog maar een ademtocht van elkaar verwijderd waren. Miriam zag de kleine sproeten op zijn neus en hoe zijn ogen verschillende kleuren blauw weerspiegelden. 'Het kan me niet schelen wat zij ervan vinden,' zei ze ademloos. 'Of wat voor plannen ze hebben. Ik wil bij jou zijn.'

Hij gaf haar een vluchtige kus en trok zich terug. Hij ging staan, sloeg zijn hoed tegen zijn dij en zette hem weer op zijn hoofd. 'Mij kan het wel wat schelen,' zei hij, terwijl hij vastberaden over het grasland uitkeek. 'Het heeft geen zin om te proberen de zaken te veranderen, Miriam. Ik ben er nog niet aan toe om me ergens te vestigen.'

Miriam ging zachtjes met haar vinger over de welvingen van haar lippen. Ze kon die kus nog steeds voelen. Het was net of ze gebrandmerkt was. 'Dus je voelt wel iets,' hield ze aan.

Hij keek haar eindelijk weer aan terwijl ze daar aan zijn voeten in het gras zat.

'O ja,' zei hij zachtjes.

Toen was hij plotseling een en al zakelijkheid. Hij trok haar overeind en draaide zich om. 'Maar daar komen we allebei wel overheen,' zei hij vastbesloten en hij liep weg.

Een halfjaar later zat Kate op de veranda en was bezig met de laatste van haar brieven, zodat ze op tijd zouden aankomen voor Kerstmis. Ze schreef nog steeds regelmatig naar huis en bleef in contact met haar wijdvertakte familie. Ze waren nu allemaal getrouwd, met uitzondering van haar jongste broer die onlangs de gelofte had afgelegd en priester was geworden. Wat triest dat pa en ma niet meer in leven waren – want ze zouden trots zijn geweest op hen allemaal.

De sloppen van Dublin lagen ver achter hen, nu ze Kates voorbeeld hadden gevolgd en de wijde wereld in waren getrokken. Nu woonden drie zussen in Amerika, twee in Canada en een broer maakte naam als meestertimmerman in Londen. Een andere zus was met een Italiaan getrouwd en woonde nu in Venetië, waar ze een hotel uitbaatte en voor haar rijke kinderschare zorgde.

Ze zat daar met de stapel brieven aan een kant terwijl ze aan de jaren dacht die waren verstreken sinds ze haar ouderlijk huis had verlaten en de veranderingen die die tijd teweeg had gebracht. Van dienstmeid tot zakenpartner – van vrijgezelle vrouw tot echtgenote en meesteres van Bellbird Station; het leven had haar veel goeds gebracht.

Nadat Isaac was overleden en haar alles had nagelaten, had de rijkdom alles draaglijker gemaakt, behalve de eenzaamheid, en na Henry's onverwachte verdwijning had ze al haar liefde in Miriam gestoken, zijn enig kind. Toen was George in hun leven gekomen en ze besefte toen dat ze nooit eerder echt had liefgehad – niet zo diep en vol vertrouwen – en het enige wat zij betreurde, en wat een diepe pijn vormde die haar weigerde los te laten, was dat ze samen geen kinderen hadden.

Haar blik dwaalde over de omheinde weiden, de stallen, de kralen. Bellbird Station was haar toevluchtsoord geworden, haar thuis, en hoewel het leven hier geregeld en gelukkig was, voelde ze af en toe nog de roep van het avontuur. Er waren nog zoveel plaatsen die ze moest ontdekken – nog zoveel reizen te maken – en de laatste paar weken was ze gaan beseffen dat Bellbird Station haar gevangenis dreigde te worden. Dus was ze plannen gaan maken, geheime plannen die ze pas openbaar zou maken als alles in kannen en kruiken was.

Ze sloeg haar armen om zich heen en grijnsde. Wat zou George opkijken als ze hem liet zien wat ze had gedaan – en wat een opwindend vooruitzicht om weer eens in een stad te kunnen winkelen, want ze zou een hele nieuwe garderobe moeten hebben en er was niets dat Kate zo leuk vond als kleren en schoenen en hoeden kopen. Het was allemaal leuk en aardig om elke dag in werkkleding rond te hobbelen, maar ze wilde er zo nu en dan toch graag vrouwelijk uitzien.

Ze zag beweging aan de rand van haar gezichtsveld. Het was Mim, die met gebogen hoofd en afgezakte schouders emmers water naar de stallen sjouwde. Het was een vreselijk halfjaar voor het meisje geweest, maar ze zou zich toch wel realiseren dat het nooit wat had kunnen worden tussen hen? Edward was verstandig geweest voor zijn leeftijd door haar af te wijzen en hoewel Kate het verdrietig vond voor Mim, was ze de jonge Amerikaan dankbaar dat hij was vertrokken. Volgend jaar zouden ze een andere temmer in dienst nemen – een oudere man met vrouw en kinderen om voor te zorgen.

Kate stapte uit de schaduw van de veranda en was samen met Miriam bezig onkruid te wieden in de moestuin, toen ze een ruiter hoorden naderen.

Miriam schermde haar ogen af tegen de zon en keek hoe een ruiter zijn paard inhield, eerst tot draf en vervolgens tot stap. Pas toen hij uit de waterige luchtspiegeling tevoorschijn kwam, herkende ze hem.

'Edward,' zei Miriam beleefd. 'We hadden je niet verwacht.'

Hij klom van zijn paard en nam zijn hoed af. 'Ik moest wel terugkomen, mevrouw,' zei hij tegen Kate. Toen gleed zijn blik naar Miriam die naast haar stond. 'Ziet u, ik heb iets heel kostbaars achtergelaten.'

Kate keek naar het gezicht van Miriam en zag de hoop in de ogen en de kleur van vreugde op haar wangen. Ze nam Edward op, klaar om hem weer weg te sturen, maar toen ze de blik in zijn ogen herkende, hield ze haar mond. Miriam was oud en wijs genoeg om zelf haar beslissingen te nemen.

'We controleren de slaapzaal regelmatig,' zei Miriam aarzelend. 'Daar was niets te zien. En zeker niet iets waardevols.'

'Ik heb het al gevonden,' zei hij zachtjes. 'Hier vlak voor me.'

Miriam keek hem aan. 'O,' was het enige wat ze kon uitbrengen.

'Miriam Beecham, ik ben voor jou teruggekomen. Ik kan je niet beloven dat het leven met mij gemakkelijk zal zijn, maar ik zal je liefhebben en koesteren zolang ik leef.' Zijn haar glinsterde in het zonlicht toen hij voor haar knielde en haar hand pakte. 'Wil je met me trouwen, Miriam? Wil je me je leven toevertrouwen en me weer gelukkig maken? Want zonder jou ben ik verloren.'

Miriam stond te tollen op haar benen en de tranen stroomden langs haar wangen toen ze haar hand tegen zijn wang hield. 'Ja, o ja,' zuchtte ze.

Kate trok zich terug toen de twee jonge mensen elkaar omhelsden. Ze zouden haar niet missen, realiseerde ze zich terwijl ze zich terug haastte naar de boerderij. Ze hadden waarschijnlijk zelfs geen idee waar ze op dit moment waren. Ze voelde zich emotioneel worden en veegde haastig een paar tranen weg, want dit moment deed haar denken aan het moment dat ze eindelijk 'ja' zei op het aanzoek van George.

'Edward is terug,' zei ze ademloos toen ze weer bij haar echtgenoot op de veranda achter kwam. 'Hij heeft Miriam een aanzoek gedaan en ze staan nu verliefd te doen in de moestuin.'

George lachte en sloeg zich op de knieën. 'Goed gedaan,' zei hij. 'Ik wist wel dat die knul hersens had.' Hij liet de krant die hij had zitten lezen vallen en ging staan. 'Dat moet gevierd worden. Haal de champagne, Kate.'

'Doe je nu niet een beetje overhaast?' vroeg ze. 'Edward is paardentemmer. Mim zit óf de hele tijd alleen terwijl hij van baantje naar baantje trekt, óf ze wordt een zigeunerin en gaat met hem mee. Dat is geen makkelijk leven voor een meisje – en bovendien is ze te jong.'

George pakte haar bij de handen en liefkoosde haar wang met zijn neus. 'Ik zal nooit vergeten hoe je keek toen je voor het eerst hier kwam,' ze hij zachtjes. 'Ik was zo bang dat je je zou omdraaien en weglopen.' Hij legde een vinger onder haar kin zodat ze hem aan moest kijken. 'Maar dat deed je niet. Mim en jij rolden jullie mouwen op en maakten er het beste van. En dat zal Mim nu ook doen.'

Kate keek van hem weg, verblind als ze was door de tranen. 'Dat zal wel,' gaf ze mopperend toe. 'Maar ik had op zoveel meer voor haar gehoopt.'

George sloeg een arm om haar middel en drukte haar tegen zich aan. 'Bedoel je die jongen van Taylor?' Een diepe lach rommelde in zijn borst. 'Dat zou nooit wat geworden zijn, mijn liefste. De Taylors zijn vastbesloten dat hij met de dochter van Pearson zal trouwen. Hun landerijen hebben gemeenschappelijke grenzen en het is voor de hand liggend dat die twee families een verbond vormen.'

Kate maakte zich los uit zijn omhelzing. 'Jullie mannen hebben ook geen gevoel voor romantiek,' mopperde ze. 'Verbonden, land, gezamenlijke grenzen. Mijn meisje wil met een Texaanse zwerver trouwen.'

'Stil maar, Kate,' fluisterde hij terwijl hij haar weer naar zich toe trok. 'Als dat is wat ze wil, dan moeten we haar onze zegen geven. Ze is ook míjn dochter geworden, weet je – en ik wil haar niet meer zo ongelukkig zien als de laatste paar maanden.'

Hij pakte zijn zakdoek en depte haar tranen. 'Nou, kom op, laten we feestvieren en plannen maken voor een kersthuwelijk.'

Tot Kates grote teleurstelling wilde geen van beide jongelui een uitgebreide bruiloft in de stad, maar kozen er in plaats daarvan voor een priester naar Bellbird Station te laten komen om hen te trouwen. De ouders van Edward sloegen de uitnodiging om te komen af, en wezen op de moeilijkheden die een dergelijke lange reis met zich meebracht, maar maakten dat ruimschoots goed door een groot pakket te sturen waarin twee handbewerkte Mexicaanse zadels zaten met zilver beslagen zadelknoppen die door de veedrijvers vol bewondering werden bekeken.

De veranda was behangen met bloemen en linten en op de schoongeveegde vloer lag rood tapijt. Op een tafel aan de ene kant was een altaar ingericht en aan de andere kant stonden niet bij elkaar passende stoelen voor de gasten. Ze zouden het bruiloftsontbijt gebruiken op het gras onder de takken van de breed uitwaaierende poinciana en daarna zou er onder het baldakijn worden gedanst.

Miriam stond in het wit gekleed naast Edward terwijl ze de huwelijksgelofte aflegden en hij de ring aan haar vinger schoof. Haar jurk was speciaal voor haar in Sydney gemaakt, samen met de schoenen en de ragfijne sluier. Ze droeg een boeket rozen uit Kates tuin waar ondanks de hitte de dauw nog op zat.

Ze keek hem in de ogen en herhaalde de gelofte, en wist dat dit de man was met wie ze oud zou worden. Dit was de man van haar hart, de vader van hun ongeboren kinderen. En ze hield zoveel van hem dat het bijna pijn deed.

Er waren veel gasten, want een bruiloft was een mooie gelegenheid om oude vrienden weer te ontmoeten en nieuwe te maken – een gelegenheid om te roddelen en geruchten uit te wisselen en partners te zoeken voor hun nageslacht. De outback was een uitgestrekte wereld achter de kusten van Australië, maar de gemeenschap was klein en hecht.

Toen de champagne was gedronken en de taart gesneden, nam Edward Miriam mee naar de speciaal voor deze gelegenheid aangelegde dansvloer onder het baldakijn. De musici hadden iedereen al snel op de been en het was al bijna vier uur in de ochtend voor Kate eindelijk haar verrassing bekend kon maken.

'Aangezien meneer en mevrouw Strong besloten hebben niet op huwelijksreis te gaan,' begon ze, 'heb ik besloten dat we hen een tijdje met rust moeten laten en daarom zal ik nu mijn eigen echtgenoot een geheimpje verklappen.'

Ze draaide zich naar George die naast haar zat en probeerde weer op adem te komen na een bijzonder snelle polka. 'We gaan voor een paar jaar weg van Bellbird, in de wetenschap dat Mim en Edward er tijdens onze afwezigheid goed voor zullen zorgen.'

'Weg?' sputterde George. 'Waar moeten we twee jaar naartoe, vrouw? Wat voor verwrongen plannen zijn er in dat Ierse hoofd van jou opgekomen?'

'Daar kom je snel genoeg achter, George. Hou nu je mond en laat me uitpraten.'

Die uitspraak werd begroet met gelach en gejoel en iedereen nam nog wat te drinken. Het duurde even voor ze hen zover had dat ze weer luisterden.

'Ik ben tot de conclusie gekomen dat het lang genoeg geleden is dat ik mijn familie heb gezien,' vertelde ze haar gehoor. 'We vertrekken over drie weken uit de haven van Sydney en reizen langs Singapore, Ceylon, Aden, Port Said en Lissabon waar we van boord gaan en de Oriënt Express nemen. Na een bezoek aan Zuid-Frankrijk en Venetië gaan we naar Londen waar we mijn broer gaan opzoeken. Dan maken we de oversteek naar Ierland voor een kort bezoek, waarna we weer teruggaan naar Londen voor een heel speciale afspraak.'

Ze keek glimlachend naar de verbijsterde George. 'Dan varen we naar Amerika, niet alleen om de rest van mijn familie te bezoeken, maar ook die van Edward.' Ze hief haar glas. 'Op de toekomst,' zei ze duidelijk hoorbaar in de verbaasde stilte die was gevallen. 'Of, zoals een heel goede vriend van me altijd zei: *l'chaim* – op het leven.'

Miriam en Edward kwamen bij de sprakeloze George staan. 'Wanneer heb je dit allemaal bekokstoofd?' vroeg ze verwonderd.

'Ik was daar allang voor Edward terugkwam en je een aanzoek deed mee begonnen,' zei Kate giechelend. 'Ik realiseerde me plotseling dat ik nog lang niet alles had gezien wat ik ooit wilde zien, of alle dingen had gedaan die ik had willen doen.'

'Maar het geld...' protesteerde George. 'Dat moet een vermogen kosten.'

Kate haalde haar schouders op. 'In een doodshemd zitten geen zakken, George. Je kunt het niet met je meenemen, dus waarom zouden we er niet van genieten zolang het nog kan? Je weet maar nooit wat de toekomst zal brengen.'

Miriam keek naar Kate en herkende de schittering van geheimzinnigheid in haar ogen. 'Wat is die heel speciale afspraak in Londen, Kate?' vroeg ze en ze lachte. 'Of is dat privé? Alleen voor George bestemd?'

Kate nipte van haar champagne en wachtte zo lang dat ze begonnen te protesteren. Eindelijk zette ze haar glas neer en maakte het met kralen bezette tasje open dat aan haar pols bungelde. Met het weidse gebaar van een goochelaar haalde ze een brief en twee sierlijk uitgevoerde tickets tevoorschijn.

'Ik heb passage geboekt op een heel bijzonder schip dat ons naar Amerika zal brengen,' zei ze in ademloze opwinding. 'Het heet de *Titanic*.'

13

Miriam legde de brieven en ansichtkaarten die Kate en George tijdens hun historische reis hadden gestuurd terug in de chocoladedoos en deed het deksel dicht. 'Ik kan me nog goed herinneren hoe opgewonden Edward en ik waren toen we ze kregen,' zei ze. 'Kate en George hadden zoveel plekken bezocht, hadden zoveel gezien en zoveel vriendschappen gesloten tijdens die reis, dat deze aandenkens onvervangbaar zijn geworden. Ze komen uit een tijd die helaas nooit meer zal terugkeren.'

'Maar de tickets en het briefpapier met het briefhoofd van de *Titanic* zijn een fortuin waard, Mim,' wierp Louise tegen. 'Als je ze dan niet wilt verkopen, zorg er dan tenminste voor dat ze verzekerd en veilig opgeborgen worden.'

Miriam zette de doos naast zich op tafel. 'Ze vallen waarschijnlijk onder de inboedelverzekering van de boerderij en omdat niemand weet dat ik ze heb – en omdat we hier van God en alleman verlaten zitten – is het niet waarschijnlijk dat hier wordt ingebroken.' Ze glimlachte hen toe. 'Wanneer het jullie beurt wordt om voor ze te zorgen, kunnen jullie doen wat je goeddunkt.' Ze pauzeerde. 'Aan de andere kant; als je je er zo bezorgd om maakt, waarom neem je ze dan niet mee als je teruggaat naar Brisbane? Ze zijn binnenkort toch van jullie.'

Louise keek verbijsterd. 'Dat bedoelde ik niet,' protesteerde ze.

Leo schoot haar te hulp. 'Ik denk dat we ons allemaal prettiger voelen als ze in een brandvrije kluis of iets dergelijks worden opgeborgen,' bromde hij. 'Bosbranden komen vaak genoeg voor, zoals je weet.'

Miriam was het onderwerp beu. 'Ik stel voor dat we deze koffer weer inpakken en terugzetten op zolder. Het is duidelijk troep van mij en tenzij jullie iets speciaals willen hebben, kan het net zo goed blijven waar het is.'

Louise pakte een versleten teddybeer en Fiona haalde er een paar boeken uit. Leo stapelde de oude kranten zorgvuldig op en wikkelde ze in bruin papier, terwijl Chloe met een weemoedige blik de babykleertjes weer opvouwde en teruglegde in de koffer. De koffer werd vervolgens de kamer uit gezeuld en in de hal gezet tot Frank tijd zou hebben om Leo te helpen hem weer terug op de vliering te zetten.

'Oké,' zei Mim. 'Waarom gaan jullie allemaal niet iets anders doen? Ik moet even uitrusten en voorlopig hebben we wel genoeg gedaan.'

Chloe maakte zich onmiddellijk zorgen. 'Voel je je niet goed, mam? Ik zei toch dat dit te veel zou zijn.'

'Helemaal niet,' loog Miriam. 'Ik voel me prima. Het is een prachtige dag, dus waarom gaan Leo en jij niet een eindje wandelen, net als toen jullie nog verkering hadden?' Ze wendde zich tot de meisjes. 'Er zijn een paar paarden die wel wat beweging kunnen gebruiken. Schiet op, wegwezen, laat me met rust. We eten vanavond kliekjes van gisteren, dus we kunnen allemaal wat pakken als we daar zin in hebben.'

Ze wachtte tot ze klaar waren met protesteren, maar kon zien dat het idee wel aanlokkelijk leek en dat ze nauwelijks konden wachten om weg te gaan. Haar dochter en kleindochters waren er nooit de mensen naar geweest om op een dag als deze binnen te zitten en ze was ingenomen met zichzelf dat ze een manier had weten te bedenken om van ze af te komen.

Toen ze weg waren, nam ze nog twee pillen en spoelde die weg met een slok whisky. Die combinatie was waarschijnlijk dodelijk, maar wat maakte het uit, dacht ze. Ik ga toch dood.

Haar slaapkamer gloeide in het getemperde licht dat door de katoenen gordijnen viel. Miriam legde de bonbondoos naast de speeldoos met de Harlekijn en Columbine op het dressoir, liet zich vervolgens op het bed vallen en legde haar hoofd met een zucht van verlichting op het kussen. Ze zou de brieven vanavond lezen, wanneer ze er zeker van was dat ze niet gestoord zou worden, maar nu had ze rust nodig. De pijn maakte haar moe, knaagde voortdurend en sloopte haar.

Ze deed haar ogen dicht en wachtte tot de pillen hun werk deden. De laatste paar dagen waren te veel geweest, gaf ze in stilte toe. Misschien tartte ze het lot door te proberen alles te regelen voor ze ging. Maar het waren nu eenmaal onafgemaakte zaken en haar ordelijke geest stond haar niet toe de dingen op hun beloop te laten.

Miriam zuchtte toen ze aan de brieven van Kate dacht. Die waren pas aangekomen lang nadat de priester het vreselijke nieuws had gebracht dat geen van beiden de ramp had overleefd en het had een hele tijd geduurd voor ze de moed kon vinden om ze te lezen.

Kate had zo gelukkig geklonken, zo opgewonden, zo vol bewondering voor het onzinkbare drijvende paleis. Ze gaf een beschrijving van hun hut en van de schitterende balzaal en verheugde zich op het diner die avond aan de tafel van de kapitein, voor ze in Ierland zouden aanleggen. Wat triest dat aan dat alles een einde was gekomen in de ijskoude oceaan. De enige troost was dat ze samen waren gestorven, maar die wetenschap had de pijn en de leegte die ze achterlieten niet weggenomen.

Edward was in die donkere dagen haar steun en toeverlaat geweest. Hij had de zaken met de bank en de advocaten afgehandeld en had Frank in dienst genomen als voorman om te helpen bij de bedrijfsvoering op Bellbird. Zijn dagen van rondtrekken en paarden temmen waren voorbij.

Kate had net als George voor ze uit Sydney vertrokken een testament opgesteld. Mim vroeg zich af of ze had geweten dat ze nooit zou terugkeren, of dat ze het gewoon had gedaan omdat ze nu eenmaal georganiseerd was. Ze gaf er de voorkeur aan te denken dat het laatste de oorzaak was, want Kate was zo blij en opgewekt geweest toen ze Bellbird voor de laatste keer verliet. Miriam erfde Bellbird, samen met Kates vermogen, maar door haar verdriet was de betekenis van de oude speeldoos niet tot haar doorgedrongen, net zo min als die van de brief die Kate op haar bureau voor haar had achtergelaten.

De brief was een persoonlijke boodschap aan Mim, waarin stond hoeveel ze van haar hield, en hoe trots ze op haar was. Op het laatste kantje had Kate geschreven dat ze een verrassing voor haar had als ze eenentwintig werd, een verjaardag die ze zouden vieren als ze terug waren. Ze schreef niet wat het was, maar gaf wel de hint dat de speel-doos er iets mee te maken had.

Miriam kon niks vinden in de speeldoos en had aangenomen dat Kate er nog niet echt aan toegekomen was iets aan haar verjaardag te doen. Ze had de brief, samen met Kates overige bezittingen, op de vliering weggestopt, zonder hem echter ooit echt te vergeten. De herinneringen waren nog te levendig en de wond van het verlies nog te vers. Ze moest verder met haar leven – en dat kon alleen maar als ze zich op de toekomst richtte, en op Edward.

Miriam doezelde weg, maar haar gedachten weigerden haar met rust te laten en toen de pijn eindelijk zakte, klom ze uit bed en pakte haar hoed en laarzen. Daar een beetje liggen vol morbide gedachten deed haar ook geen goed, realiseerde ze zich terwijl ze haar geweer pakte. Ook zij had frisse lucht en zonneschijn nodig en wilde van deze prachtige dag genieten.

Nadat ze zich ervan had vergewist dat het geweer geladen was, vroeg ze zich af of ze misschien een kangoeroe zou kunnen verschal-ken. Het was al lang geleden dat ze had gejaagd en misschien was het wel leuk om het nog eens voor de laatste keer te proberen. Toen ze het erf bij de stallen op liep, botste ze bijna tegen Frank die net de tuigkamer uitkwam. 'Tuig Old Blue maar op,' zei ze en ze negeerde de uitdrukking van afschuw op zijn gezicht. 'Ik haal de buggy.'

'Als je het maar uit je hoofd laat,' mopperde Frank. Hij pakte een passerende stalknecht in zijn kraag. 'Haal de buggy voor mevrouw Strong en kijk of het wiel goed zit.' Hij draaide zich weer om naar Miriam. 'En als dat niet zo is, blijf je hier,' zei hij vastbesloten.

Ze keek hem in zijn treurige gezicht en deed haar best om niet te glimlachen. Lieve Frank, hij deed net alsof hij haar vader was, terwijl er in werkelijkheid maar een paar maanden tussen hen lag. 'Ik heb het pas nog gecontroleerd,' zei ze tegen hem. 'Dat wiel is gerepareerd.'

De oude Blue was een kastanjebruine draver die in zijn hoogtij-dagen menige race had gewonnen, zowel hier als in Amerika waar harddraverijen populair waren. Nu was hij gewoon een van de vele oude paarden die Miriam niet verkocht of liet afmaken, omdat ze dat niet over haar hart kon verkrijgen. Hij schudde zijn kop en deed zijn mond open in een paardenlach waardoor een hele rij tanden als grafstenen zichtbaar werden, terwijl Miriam hem het bit voorhield en wachtte tot de stalknecht het paard voor de buggy had gespannen.

'Zo, ouwe sufferd,' zei ze liefkozend terwijl ze hem een appel voerde. 'Jij kunt er tenminste de lol van inzien, al geldt dat niet voor Frank.'

'Je bent gek, Mim,' mopperde Frank terwijl hij gefrustreerd aan de rand van zijn hoed trok. 'Je hebt niks te zoeken in een buggy. Blue is dan misschien wel oud, maar hij krijgt af en toe nog steeds de kriebels en dan wil hij ervandoor. Je bent gewoon niet sterk genoeg om hem in de hand te houden.'

Miriam negeerde hem, stopte het geweer in het leren foedraal aan de zijkant van de buggy en klom op de bok. Het was een overblijfsel uit de vroegste dagen en had veel weg van de buggy waarmee George hen de eerste keer hierheen had gebracht. Het ooit glanzende rode leer was gebarsten door hitte en veelvuldig gebruik, het houtwerk kon wel een nieuwe laag lak gebruiken en de vering piepte reumatisch van de roest. Miriam vond dat hij prima aan haar doel beantwoordde: ze waren allebei op leeftijd en geen van beide was sterk genoeg om erg ver te gaan.

'Welke kant zijn de anderen op gegaan?'

Frank propte zijn handen in zijn zakken en keek haar onheilspellend aan. 'Chloe en haar man zijn die kant daar op gegaan en de meisjes zijn met de twee merries naar de kreek gereden.'

'In dat geval,' zei ze terwijl ze de teugels op het achterwerk van Blue liet neerkomen, 'ga ik die kant op.' Ze reed het erf af en ging in de richting van het grasland.

Het geruis van het gras onder Blues hoeven voegde zich bij het ritme van de twee wielen en het zachte gekraak van de vering. Ze zette haar hoed goed en leunde achterover tegen het gecapitonneerde leer. Het was inderdaad een fantastische dag, de zon scheen, maar het was niet te heet, de wind koel zonder koud te zijn. De pillen en de whisky hadden hun werk gedaan en de vermoeidheid verdrongen – alles in haar wereld klopte. Ze zette het oude paard aan tot wat meer snelheid en genoot van de zon en de wind in haar gezicht en van de geur van gekneusd gras die vanonder zijn hoeven opsteeg.

Blue leek ook te genieten van die zeldzame bevrijding uit de omheinde wei en met beweeglijke oren en geheven hoofd pikte hij het bekende ritme weer op en draafde in de richting van de heuvels die in een blauw waas zichtbaar waren aan de horizon.

Miriam keek om zich heen, de teugels losjes in haar hand. De regen had het land weer groen gemaakt en de bomen leken niet langer te verdorren en de velden waren een kleurrijk geheel door alle wilde bloemen die waren verschenen. Het gebeurde ieder jaar als de regen kwam en ze raakte de aanblik van de witte en gele madeliefjes, de roze parakeelya en tere orchideeën nooit beu. Kangoeroeklauw wuifde rood en groen tussen het hogere gras en hier en daar kon ze de kleine blauwe sterren zien van de grasklokjes die in groepjes onder slanke, tamelijk elegante gombomen stonden.

Ze werd zich er plotseling van bewust dat Blue een doel voor ogen had. Hij was sneller gaan draven en racete nu over het open land zonder acht te slaan op het gehots en gebots van de buggy die hij met zich meevoerde. 'Ho,' schreeuwde ze en ze trok aan de teugels. 'Kalm aan, idioot, voor je ons allebei iets aandoet.'

Blue negeerde haar en rende onverstoorbaar verder.

Miriam voelde een steek van angst toen ze zich realiseerde dat ze recht op de beek afrenden die aan het einde van het open veld stroomde. Die was maar smal, maar had steile oevers en vanwege de buggy zou het oude paard er niet overheen kunnen springen.

Ze greep de teugels stevig beet en trok er zo hard aan dat ze dacht dat haar polsen zouden breken. 'Blijf staan, stomme idioot,' gilde ze. 'Ho, daar, hooo!'

De beek slingerde zich glinsterend door de nauwe geul. Blue aarzelde. Miriam trok hard aan de linkerteugel in een poging hem van richting te doen veranderen. Toen vloog een witte kaketoe uit een boom in de buurt en schreeuwde woedend omdat hij was gestoord.

Blue, inmiddels half afgewend van de beek, schrok en sloeg op hol.

Miriam, allang blij dat ze in ieder geval niet meer op de beek afrenden, klampte zich vastberaden vast aan de teugels. Ze werd heen en weer geslingerd als een erwt in een glazen pot en wist dat zij dit net zo min als de buggy lang zou volhouden. Het enige wat ze kon doen was bidden dat het wiel gerepareerd was en dat Blue aan het eind van zijn Latijn zou raken.

'Wel verdomme, verdomme,' vloekte ze tussen opeengeklemde kaken. 'Als ik hier heelhuids uitkom, beloof ik dat ik nooit meer zal liegen.' Ze negeerde het feit dat deze belofte in de loop der jaren al vele malen was gedaan – en steeds weer was gebroken.

Blue ging eindelijk langzamer lopen en stond toe dat Miriam hem inhield. Ze klauterde uit het rijtuigje en leunde tegen zijn zwoegende zij terwijl ze probeerde zelf weer op adem te komen. 'Stomme idioot,' zei ze boos. 'Je hebt ons bijna allebei vermoord.'

Blue schudde zijn kop en liet zijn tanden zien voor hij haar in het gezicht brieste.

'Kom, laten we maar naar huis gaan voor er vandaag nog ergere dingen gebeuren,' mompelde ze. 'Je hebt me behoorlijk van m'n stuk gebracht, ouwe gek.'

Ze reden met een bedaard gangetje terug naar Bellbird, alsof er helemaal niets was voorgevallen tijdens hun uitstapje, maar Mim wist dat het paard, de buggy en niet te vergeten zijzelf een dergelijke tocht nooit meer zouden maken. Het markeerde het einde van een tijdperk – en dat maakte haar verdrietig.

Maar ze weigerde zich terneer te laten slaan door sombere gedachten en keek uit naar een kop thee en een dutje voor het eten. Pas toen ze het rijtuigje het erf opdraaide realiseerde ze zich hoe lang ze weg was geweest. Het erf was stil en verlaten en de mannen en de paarden waren de laatste rit van de dag aan het maken. De kok stond waarschijnlijk achter zijn fornuis, maar aan hem had ze niet veel, want hij was net zo mager en zwak als zij. Zelfs de zwarte knechten waren verdwenen, constateerde ze boos terwijl ze met de gespen worstelde en uiteindelijk Blue uit zijn harnas bevrijdde. Nadat ze hem even had drooggewreven, liet ze hem los in de omheide wei en liet de buggy staan zodat de mannen hem konden terugbrengen naar de grote schuur – zij had haar portie wel gehad voor één dag.

Ze bleef met haar geweer in de hand een ogenblik staan om op adem te komen. Het was een helse rit geweest en ze stond nog steeds te trillen van de inspanning die het had gekost om te voorkomen dat Blue er met haar vandoor ging. Frank had gelijk, dacht ze grimmig. Ik ben een stomme oude vrouw en ik zou eens moeten leren naar goede raad te luisteren. Als dat wiel eraf gevlogen was, had dat het einde van het verhaal betekend – dan zou ze het recht nooit zien zegevieren.

Ze leunde met haar armen op de bovenste plank van de omheining van de kraal en bewonderde haar omgeving, opgelucht dat ze dat nog steeds kon doen. De boerderij was ter ere van haar verjaardag geschilderd en het dak van golfplaat zag er keurig uit met de nieuwe laag rode verf. De heldergele geveerde bladeren van de peperboom hingen over het dak en het paars van de jacaranda overschaduwde de veranda. Het gezoem van bijen vormde een zacht achtergrondkoor voor het scherpe getsjirp van de krekels en het geklets van de kanaries terwijl het warme gras en de eucalyptusbomen de lucht vulden met hun heerlijke geur.

Mim glimlachte en was dankbaar dat ze nooit een of ander vreselijk bejaardenhuis vanbinnen zou zien. Dit was de plek waar ze thuishoorde. Ze keek om naar de verlaten slaapzaal en het kookhuis, naar de schuren, de stallen en de werkplaats. Het was zo stil, nu de mannen met de paarden weg waren – een zeldzaam vredig moment in een omgeving waar het normaal gesproken gonsde van bedrijvigheid.

Een paar merries graasden met hun veulens in de wei onder de brede kroon van een poinciana en zwarte zwanen vlogen boven hen in de richting van de kreek. De honden in de kennels blaften, varkens knorden in hun hok achter de stallen en haar moestuin deed het geweldig, nu de nieuwe jongen zich ermee bezighield. Ze had hier alles en als ze op dit moment dood zou neervallen, kon ze zich geen mooiere plek bedenken om dat te doen.

'Maar dat zou op dit moment wel een beetje ongelegen komen,' mompelde ze in zichzelf terwijl ze in de richting van de boerderij liep.

Miriam stond op het punt de treden naar de veranda op te gaan toen ze een onbekende pick-up zag die geparkeerd stond tussen het groepje bomen aan de andere kant van het erf. De auto betekende bezoek. Onwelkom bezoek. Want bezoek dat niets te verbergen had, zou zijn best niet hebben gedaan om zijn aanwezigheid geheim te houden.

Ze aarzelde en keek over haar schouder. De mannen waren nog niet terug en er was geen spoor te bekennen van haar familie. Dit zou ze in haar eentje moeten opknappen.

Miriam had nooit angst gekend en had haar hele leven gedaan wat haar gevoel haar ingaf. En dat haar nog nooit in de steek gelaten. Ze schoof de grendel naar achteren en spande haar geweer.

Ze pakte de leuning beet en hees zich voorzichtig de treden naar de veranda op. Het geweer lag vast in haar vrije hand en wees in de richting van de hordeur. Ze wachtte en bleef een ogenblik staan luisteren, maar het enige wat ze kon horen was het gebons van haar hartslag. Met haar voeten stevig op de veranda geplant, bleef ze staan wachten. 'Kom naar buiten,' beval ze. 'Kom tevoorschijn of ik schiet.'

Er volgde een ogenblik stilte, dat al snel werd gevolgd door het geschuifel van laarzen binnen in de boerderij.

Miriam likte het zweet van haar bovenlip, maar ze hield het geweer met beide handen stevig vast. Er waren er minstens twee. 'Kom naar buiten, stelletje tuig. Laat je gezicht eens zien.'

De hordeur sloeg met een klap tegen de muur van de boerderij. Miriams vinger kromde zich om de trekker. Een stevige gestalte dook op uit het schemerduister, rende recht op haar af en gooide haar tegen de balustrade van de veranda. Het schot uit het geweer echode over het erf terwijl de adem uit Miriams longen werd geperst en ze op de vloer viel.

De kogel raakte met een scherp geluid een overhangende tak en er daalde een regen van bladeren en takjes neer. Vogels vlogen geschrokken op en verduisterden de zon.

Miriam hoorde stampende voetstappen toen de mannen de trap afrenden en het erf overstaken. Ze lag op haar rug, versuft, buiten adem en furieus. Het leek alsof ze niet overeind kon komen, net als zo'n verdomde schildpad. Toen gaf haar boosheid haar kracht en ze rolde zich op haar zij, duwde een nieuwe patroon in de kamer en vuurde voor de tweede keer.

De terugslag beukte haar schouder en ze gilde het uit van pijn en frustratie. Die klootzakken gingen ervandoor en ze kon er niets tegen doen, behalve herladen en schieten tot ze geen kogels meer had.

Ze lag daar vloekend en tierend terwijl het stof onder de wielen van de pick-up opstoof en de wagen van het erf scheurde. De kogels floten en ketsten af, maar de pick-up was al snel buiten bereik en verdween in de richting van het open veld.

Naar adem snakkend en vastbesloten niet in zulke vernederende omstandigheden te worden aangetroffen, gebruikte ze haar laatste restje kracht om de oude rieten stoel te grijpen en zich erin te hijsen. Achterovergeleund in de kussens deed ze haar uiterste best weer op adem te komen en haar hartslag op een normaal niveau te krijgen. De schok, zo kort na de vreselijke rit in de buggy, was bijna te veel voor haar en ze had pijn op plekken waarvan ze het bestaan vergeten had.

'Als ik jonger was geweest, waren ze er niet mee weggekomen,' hijgde ze terwijl ze naar de vervagende stofwolk keek die boven het spoor van de pick-up hing. 'Klootzakken,' siste ze en ze schudde haar vuist in hun richting. 'Dat is geen manier om een oude vrouw te behandelen.'

Ze deed haar ogen dicht. De schok kwam nu pas goed aan en ze voelde zich kwetsbaarder dan ooit tevoren. De pijn in haar rug speelde weer op, strekte tastend zijn vingers, zocht zijn weg naar haar ribben en schouders en naar de kneuzing op haar heup. Ze moest huilen van de gruwelijkheid van wat er was gebeurd en haar handen trilden toen ze de tranen probeerde weg te vegen. Tranen zouden het probleem niet oplossen – net zo min als zelfmedelijden – maar mijn god, wat was ze bang.

De hitte werd minder toen de zon was gezakt en Miriam terug-keerde naar de veranda nadat ze de politie had gebeld. Maar de kilte die de voorgevoelens met zich meebrachten had weinig te maken met het einde van de dag. Zoiets als dit was nog nooit gebeurd – maar ze was ook nog nooit eerder een proces tegen de Dempsters begonnen. Die twee dingen móésten met elkaar te maken hebben.

Jake zat in zijn kantoor met uitzicht op de rivier op de zestiende ver-dieping van de wolkenkrabber en dacht aan van alles behalve zijn werk. Brisbane glansde in het laatste zonlicht en terwijl overal in de huizen lichtjes aangingen, dwaalden zijn gedachten af naar Bellbird Station. Toen hij daar aankwam, had hij het gevoel gehad dat hij thuiskwam en nu hij was opgenomen in de familiekring van Miriam, kon hij het niet helpen dat hij aan ze moest denken.

Hij glimlachte toen tot hem doordrong dat hij zichzelf voor de gek hield. Het was Fiona die steeds in zijn dromen opdook en in zijn gedachten wanneer hij wakker was. Hij bleef haar glimlach voor zich zien, de manier waarop haar haar bij tegenlicht een stralenkrans vormde en haar zachte, sensuele gegiechel waarvan zijn tenen kromden en dat vreemde dingen deed met zijn ingewanden. Hij zuchtte. Zijn werk leed eronder, dat stond vast, maar hij kon haar niet uit zijn gedachten krijgen.

Hij draaide zijn stoel om naar zijn bureau. De documenten waren opgesteld en bij de rechtbank gedeponeerd, de dagvaardingen ondanks zijn bedenkingen verstuurd. En de rechter had er in verband met Miriams gezondheidstoestand mee ingestemd dat de voorbereidende zitting al binnen een week zou worden gehouden. Het enige wat hij nu nog kon doen was wachten. Als de eigendomsakten niet opdoken, dan zou de zaak waarschijnlijk niet in behandeling worden genomen, en zou hij Miriam onder ogen moeten komen met zijn eerste verloren proces.

Hij besloot er voor die dag een einde aan te maken en begon de dossiers op te stapelen en de wetboeken terug te zetten waar ze thuishoorden op de boekenplanken die drie zijden van het kantoor in beslag namen. Zijn secretaresse was al naar huis en het kantoor was verder verlaten. Hij zou naar huis gaan, naar Eric, een eenzame maaltijd genieten en dan ergens een biertje gaan drinken. Hij had geen zin in een bezoekje aan het fitnesscentrum en hij was zeker niet in staat om te gaan hardlopen langs de rivier, zoals hij anders altijd deed.

Toen hij op het punt stond de deur achter zich dicht te doen, ging de telefoon. Hij aarzelde even of hij hem zou opnemen of niet. Het was een lange dag geweest, hij was moe, had er genoeg van en voelde zich licht gedeprimeerd – hij had geen behoefte aan nog meer dingen om over na te denken. Maar het gerinkel van de telefoon leek iets dringends te hebben. Het klonk in ieder geval nadrukkelijk, dacht hij, terwijl hij bij de twintigste keer dat de telefoon overging opnam. 'Jake Connor,' zei hij kortaf.

'Met Fiona.'

Hij glimlachte en stond op het punt te vragen hoe het met haar was, toen ze ademloos verderging: 'Er is bij ons ingebroken. Mim is gewond en ze zijn ontsnapt.'

Hij omklemde de hoorn. 'Wat hebben ze met Mim gedaan? Is alles in orde?'

'Ze is zo gespannen als een veer, maar op wat blauwe plekken na beweert ze dat er niets aan de hand is. Maar je kent Mim, dus hebben we de dokter gebeld en hij is onderweg.' Ze giechelde. 'Miriam heeft met haar oude jachtgeweer op ze geschoten. Het is haar zelfs twee keer gelukt te herladen. Helaas heeft ze die zakken niet geraakt. Dat oude ding heeft een vreselijke terugslag. Je zou de blauwe plekken op haar schouder eens moeten zien.'

Jake glimlachte. 'Annie Oakley is weer terug,' mompelde hij. De oude dame had wel lef, dat moest gezegd worden. 'Hebben ze iets gestolen?'

'Dat weten we niet en aan de politie hadden we ook niet veel, dat is een ding dat zeker is.' In Fiona's stem klonken frustratie en bezorgdheid door. 'Het is net alsof er een wervelwind door het huis is getrokken. Alles ligt her en der. We weten nauwelijks waar we moeten beginnen. De politie geeft ons niet veel hoop dat er iemand wordt gepakt, er zijn honderden achterafweggetjes en paadjes, ze kunnen wel overal zijn.'

'Rustig aan, Fiona,' zei Jake beslist. 'Hebben jullie de akten gevonden, of iets anders wat met de zaak te maken heeft?'

'Nee,' antwoordde ze timide. 'Maar we zijn nog maar een week aan het zoeken. Er staan nog steeds koffers en dozen en er zijn nog wel duizend andere plekken waar we nog niet gezocht hebben.' Haar stem brak. 'Ze moeten op zoek zijn geweest naar die papieren toen Mim ze stoorde.'

'Ik heb de papieren vanmorgen pas bij de rechtbank gedeponeerd,' zei hij om haar gerust te stellen. 'Daar kan het niets mee te maken hebben gehad. Niemand wist wat Mim van plan was.' Hij dacht aan het pakket dat Mim aan zijn zorg had toevertrouwd en haalde diep adem uit dankbaarheid dat ze zo'n vooruitziende blik had gehad. Dat was tenminste in veiligheid.

'Het is anders niet gebruikelijk dat hier wordt ingebroken,' zei ze vinnig. 'We zitten overal kilometers vandaan en er is geen dief bij zijn volle verstand die een plek als deze, waar het risico dat hij gepakt wordt zo groot is, uitkiest. Op een normale dag lopen hier minstens dertig mensen rond en er is bijna altijd iemand in het huis.'

De gedachten die door zijn hoofd spookten stonden Jake niet aan. 'Als je het zo bekijkt, dan lijkt dat wel de enige mogelijkheid,' gaf hij toe. 'Het klinkt alsof de boel in de gaten werd gehouden en dat ze op het juiste moment hebben toegeslagen.' Hij zweeg even. 'Waar was iedereen toen het gebeurde?'

'Mim wilde ons het huis uit hebben,' zei ze met een snik. 'Ik denk dat ze moe was en een beetje rust wilde. Louise en ik zijn gaan paardrijden en mam en pap waren een lange wandeling aan het maken.' Haar stem trilde. 'Mim is weggeslopen en is in de buggy weggegaan met Blue en omdat ze terugkwam toen de mannen weg waren voor de avondrit, was er niemand die haar kon helpen. Had ik er maar niet op aangedrongen dat we zo lang bij de kreek zouden blijven. Hadden mam en pap maar niet zo'n lange wandeling gemaakt.'

'Het is zinloos jezelf verwijten te maken,' troostte hij. 'Je kon niet weten wat er zou gebeuren.'

'Dat weet ik. Maar dat maakt het allemaal nog niet makkelijker.' Ze wachtte even en Jake hoorde hoe ze haar neus snoot voor ze verderging. 'Ik denk wel dat je gelijk hebt,' zei ze ten slotte. 'Als ze de boel in de gaten hielden, dan was dat hét moment om in te breken. Niet dat het ze veel moeite heeft gekost. Het huis is nooit op slot.'

'En voorzover jullie weten is er niets gestolen? Geen waardevolle juwelen, niets van dat kostbare porselein of de beeldjes?'

'Niets.' Fiona zuchtte. 'En als ze al bewijsstukken hebben gevonden, dan zullen we dat nooit te weten komen omdat ze die zullen vernietigen.'

Jake vertelde haar over de hoorzitting die over een week zou worden gehouden. 'Ik zou niet weten hoe iemand geweten kan hebben wat Mim van plan was – maar als ze dat wel wisten, dan heeft deze inbraak, of wat het dan ook was, wel iets bewezen.'

'Wat?' Haar stem klonk sceptisch.

'Het bewijst dat iemand gelooft dat er bewijs tegen de Dempsters bestaat – en dat de inbrekers gestuurd waren om het te vinden – waarom zou iemand anders al die moeite doen en dat risico lopen?'

Haar stem aan de andere kant van de lijn klonk opgewonden. 'Dus we zouden wel eens dichter bij genoegdoening voor Mim kunnen zijn dan we denken?' Ze zweeg even. 'Dat wil zeggen, als ze niets hebben gevonden.'

Haar stem ging omhoog. 'Je moet terugkomen. We hebben alle hulp nodig die we maar kunnen krijgen en jij bent de enige die kan zien of iets bruikbaar is.'

'Ik kan niet zomaar alles laten vallen,' protesteerde hij terwijl hij in zijn agenda bladerde en probeerde vast te stellen welke zaken hij aan andere vennoten kon overdragen en welke afspraken hij kon verzetten. Gelukkig hoefde hij de komende paar dagen niet in de rechtbank te verschijnen, dus misschien kon het wel.

'Mim vraagt naar je,' zei Fiona aandringend. 'En aangezien zij je betaalt, kun je het allemaal opvoeren als onkosten. We hebben je hier nodig, Jake.'

Hij kon niet weigeren.

Brigid Dempster-Flytte zat op het puntje van haar stoel, met rechte rug en haar kin dominant naar voren, en luisterde naar Brendts kant van het telefoongesprek.

'Het is ze niet gelukt.' Haar stem klonk vlak toen Brendt de hoorn op de haak legde.

'Ja, verdomme,' vloekte haar zoon terwijl hij zijn handen in de zakken van zijn broek stopte en zich omdraaide om naar de oceaan te staren. 'Ze werden gestoord door Miriam en hadden onvoldoende tijd om goed te zoeken.'

Brigids dunne wenkbrauwen gingen omhoog. 'Ik zou toch gedacht hebben dat twee mannen iemand als Miriam gemakkelijk de baas zouden kunnen,' zei ze kil. 'Tenzij ze veel veranderd is, kan ze toch niet meer hebben gewogen dan een natte dwergpoedel. Waarom hebben ze haar niet gewoon vastgebonden en zijn ze niet verdergegaan met zoeken?'

Brendt stootte een lach uit – die klonk schel en zonder humor. 'Miriam schoot op ze,' zei hij. 'Ze heeft een van hen in een dij geraakt en een gat in de radiator geschoten. Ze hebben nog mazzel gehad dat ze de dichtstbijzijnde stad hebben bereikt.'

Die twee mannen konden Brigid niet veel schelen. Ze werden goed betaald en kenden de risico's. 'Ik heb je gewaarschuwd,' zei ze stijfjes.

'Nu we ons in de kaart hebben laten kijken, valt niet te voorspellen wat ze zullen doen.' Ze zweeg. 'We zijn geen stap dichter bij het vinden van de eigendomspapieren. En misschien liggen die nu allang veilig bij haar advocaat,' zei ze na een moment van nadenken. 'Die akten zijn misschien helemaal niet wat we zoeken. Toch moet ze op de een of andere manier het eigendomsrecht kunnen bewijzen. Waarom zou ze anders naar de rechter stappen? Zet Black erop.'

Brendt keerde zich met een meedogenloze uitdrukking op zijn gezicht om. 'Heb ik al gedaan,' zei hij terwijl hij een sigaar uit de humidor pakte en het cellofaan eraf haalde. 'Maar er zijn vele wegen die naar Rome leiden en ik heb een reserveplan.'

Zijn moeder glimlachte. Het was altijd interessant om te zien hoe het brein van haar zoon werkte en ze werd slechts zelden teleurgesteld. 'Ga verder,' zei ze zachtjes.

Brendt stak zijn sigaar aan, trok vervolgens een stoel bij en ging naast haar zitten. Toen hij uitgesproken was, zaten ze elkaar in stilte een tijdje aan te kijken.

'Het zou kunnen werken,' zei Brigid ademloos. 'En ik zou graag het gezicht van dat kreng willen zien als ze erachter komt hoe het allemaal in zijn werk is gegaan.'

Hij glimlachte voor het eerst die ochtend. 'Ik wist wel dat je mijn plannen zou waarderen, moeder.' Hij klopte even op haar hand voor hij opstond en de kamer uit liep.

Brigid keek op naar het portret van haar vader. Net als haar moeder, Teresa, was ze nooit bang voor hem geweest, want ze had begrepen hoe hij dacht en was een gewillige handlanger geweest bij de uitvoering van zijn plannetjes. Ze glimlachte; een dun glimlachje dat nauwelijks haar lippen bereikte. Paddy was niet zo slim geweest als hij zelf had gedacht. De bewijzen hadden al jaren geleden opgespoord en vernietigd moeten worden – nu konden ze hun ondergang betekenen.

Ze beet op haar lip toen ze aan de laatste keer dacht dat ze Miriam en Kate bij de goudvelden had gezien. Was ze er toen maar in geslaagd de papieren te vinden toen ze Miriams tent doorzocht. Had ze toen maar tijd genoeg gehad om Kates spullen grondig te doorzoeken – maar dat mens had na Henry's verdwijning zo snel haar spullen gepakt en was er zo vlug vandoor gegaan dat ze slechts kans had gezien alles oppervlakkig te doorzoeken.

Paddy was woedend geweest, maar er was niets dat ze eraan konden doen. Toen ze in de loop der jaren niets van Kate hoorden en Miriam geen aanspraak maakte op een deel van het Dempsterfortuin, hadden ze aangenomen dat de akten verloren waren gegaan en er niets te eisen viel. Kate en Miriam verdwenen uit Sydney en het zou nog jaren duren voor Brigid haar op een foto in de krant herkende toen ze de Melbourne Cup had gewonnen.

Toch was er iets wat deze rechtszaak in gang had gezet – en als dat niet de eigendomspapieren waren, wat kon het dan in hemelsnaam zijn?

Met een weloverwogen inspanning dwong Brigid zich tot een rustiger gedachtegang en onderzocht elke gedachte op zichzelf. De herinneringen aan die lang voorbije dagen waren helder en ze wist dat ze daar naar aanwijzingen moest zoeken. Misschien dat ze, als ze aan die laatste dag op de goudvelden dacht, zich zou realiseren dat een bepaalde handeling, een eerder terzijde geschoven gebeurtenis of een terloops gesprek de sleutel tot de oplossing zou zijn.

Ze glimlachte meedogenloos. Miriam Strong zou er snel achter komen wat voor machtige vijand ze had gemaakt en Brigid was vastbesloten ervoor te zorgen dat haar voorgoed het zwijgen werd opgelegd.

14

Miriam vond het goed dat de dokter haar onderzocht, maar deed er het zwijgen toe toen hij haar langdurig de les las over hoe stom het was om in haar eentje indringers te lijf te gaan, over de gevaren van het gebruik van alcohol in combinatie met pijnstillers en over de volstrekte waanzin van een tochtje met een antieke buggy.

Ze sloeg haar armen over elkaar en wachtte tot hij was uitgesproken. Ze kende hem al lang en wat hij zei kwam niet als een verrassing. Eigenlijk, dacht ze, hoorde hij alleen maar zichzelf graag praten.

Maar toen hij eindelijk wegging, liet ze zich in de kussens zakken en gaf ze toe aan de vermoeidheid, de schok en de pijn. Ze keek de dood in de ogen – ze werd gedwongen te beseffen dat ze niet alles meer kon wat vroeger zo vanzelfsprekend was gegaan – had zich er eindelijk bij neergelegd dat ze het kalmer aan zou moeten doen als ze de rechtszaak tot het einde toe wilde doorzetten.

'Maar ik zal het niet opgeven,' mompelde ze terwijl ze de doos met haar herinneringen pakte.

De brieven waren vergeeld van ouderdom, de inkt vervaagd en de vouwen zo teer dat ze gevaar liepen uit elkaar te vallen. Ze liet ze in de doos en haar vingers rustten lichtjes op de brieven terwijl ze werd teruggevoerd naar een tijd dat het zonlicht werd verduisterd door de dreiging van oorlog.

Er waren dingen veranderd op Bellbird Station, nu Miriam en Edward de leiding hadden. Er liepen nog steeds uitgestrekte kuddes vee te grazen in de velden, het gedoe en de opwinding rond het jaarlijkse bijeendrijven van het vee en de lange tocht naar de markt waren er nog steeds – maar Edward was iets nieuws begonnen. Zijn kennis van en ervaring met het temmen van paarden kwamen goed van pas en nu ging hij ze ook trainen.

Miriam had bij zichzelf een natuurlijke aanleg ontdekt voor de omgang met die pasgetemde paarden en hoewel het merendeel werd verkocht aan fokkers en veedrijvers, bleven er een paar op Bellbird die werden opgeleid tot renpaard. Toen hun goede resultaten bekendheid kregen, stelden Miriam en Edward een fokprogramma op en Bellbird kreeg al snel een uitstekende reputatie vanwege de sterke stambomen en veelbelovende veulens.

Frank trouwde met Gladys die hij tijdens de picknickrennen van 1912 had ontmoet en hun eerste kind werd geboren in het houten huisje dat Frank aan de rand van het erf had opgetrokken. Dat huisje werd uitgebouwd toen de tweeling kwam en Miriam vroeg zich af wanneer het haar beurt zou zijn om de baby te krijgen waar ze zo naar verlangde.

Na twee miskramen werd Chloe geboren tijdens een hete zomernacht in februari 1914. Maar er hingen al dreigende schaduwen boven hun paradijselijke outback, want er was sprake van grote onrust in Europa.

Edward zat aan de keukentafel en was verdiept in de kranten die die ochtend eindelijk samen met de post waren aangekomen. Ze waren, net als de brieven, weken oud, want ze kwamen met paard en wagen van het dichtstbijzijnde sorteercentrum dat bijna vierhonderd kilometer verderop lag.

'Het ziet ernaar uit dat de hele wereld in moeilijkheden zit,' zei hij terwijl hij een pagina omsloeg en de krant op de verweerde tafel legde. 'Engeland heeft te maken met een opstand in Ierland én een mijnwerkersstaking. Duitsland begint moeilijk te doen over een mogelijk Frans-Russisch bondgenootschap, want de Fransen financieren de aanleg van Russische spoorlijnen langs de Duitse grens. De Oostenrijkers hebben nog meer problemen in Bosnië-Herzegovina en dreigen elke onrust van Servische kant binnen hun grenzen de kop in te drukken.'

'Kate zei altijd dat een korte, maar krachtige oorlog de lucht kon doen opklaren en de spanning wegnemen.' Miriam zat bij het vuur en gaf Chloe de borst. Het gezuig van dat kleine mondje aan haar tepel zond golven van liefde en tederheid door haar heen die iedere gedachte aan een wereld buiten Bellbird Station uitbanden. 'En het wordt tijd dat de Ieren zelfbeschikking krijgen.'

'Dat geloof ik ook,' zei Edward, maar hij klonk niet erg overtuigd.

Hij staarde in het vuur en Miriam zag hoe het licht in zijn haar weerspiegelde en de scherpe trekken in zijn gezicht wat verzachtte. Ze voelde een plotseling verlangen om hem aan te raken en strekte haar hand uit. 'Maak je geen zorgen, liefste,' zei ze zachtjes. 'Europa is ver weg van Bellbird. De wereld mag zijn oorlogen en ruzietjes over grenzen uitvechten zoveel als hij maar wil. Wij zitten hier veilig.'

'Niet als de Britten besluiten een steentje te gaan bijdragen,' antwoordde hij.

Ze keek hem aan, verbaasd over zijn heftigheid. 'Maar waarom zou jou dat dwarszitten, Ed? Jij bent Amerikaan. Groot-Brittannië heeft niets over je te zeggen.'

Hij grijnsde en de vermoeide lijnen verdwenen uit zijn gezicht waardoor het weer het jeugdige uiterlijk van een zesentwintigjarige kreeg. 'Je zult wel gelijk hebben, schat,' zei hij terwijl hij haar hand beetpakte en er een kus op drukte. 'Maar wij Texanen zijn net zo vechtlustig als de Aussies en als er oorlog komt, blijf ik hier niet stilletjes zitten. Ik woon al te lang in Australië om dit niet als mijn thuis, mijn land te beschouwen.'

Miriam zag de schittering in zijn ogen en kreeg een akelig voorgevoel.

Dat voorgevoel werd sterker vlak na haar twintigste verjaardag.

Op 28 juni 1914 werd de Oostenrijkse kroonprins Frans Ferdinand in Sarajevo doodgeschoten en vier weken later werd Servië de oorlog verklaard. Rusland mobiliseerde zijn legers tegelijkertijd met de Oostenrijks-Hongaarse Alliantie. Duitsland verklaarde eerst Rusland en vervolgens Frankrijk in augustus de oorlog. De invasie van het neutrale België was aanleiding tot de eis van Groot-Brittannië tot terugtrekking en toen daar geen gevolg aan werd gegeven verklaarde ook dat land Duitsland op 4 augustus de oorlog.

Miriam keek ernstig toen ze in de zitkamer naar het nieuws zaten te luisteren dat via de zenderontvanger tot hen kwam. 'Je mag niet gaan,' zei ze vastbesloten toen hij de verbinding met de afgelegen nederzettingen verbrak. 'Onze regering heeft al een wet aangenomen zodat ze de hele graanoogst en alle wol kan kopen – en het is maar een kwestie van tijd voor dat ook geldt voor vlees. Ik heb je hier hard nodig.'

Zijn blauwe ogen werden donker en stonden nadenkend terwijl hij uit het raam naar het erf staarde. 'Ik heb al een bestelling binnen van het leger voor paarden,' zei hij. 'Het ziet ernaar uit dat ze er niet genoeg te pakken krijgen.'

'Verander niet van onderwerp,' zei ze kortaf. 'Waarom zouden wij oorlog voeren voor Engeland? We zijn een nieuwe federatie, we hebben nog maar achtenvijftig jaar een democratisch gekozen regering, Groot-Brittannië wil te veel van ons.'

Edward ging staan en leunde tegen de schoorsteenmantel. Zijn rijk bewerkte laarzen speelden met de as in de open haard. 'Duitsland is een gevaar voor de wereldvrede, liefje,' zei hij met bestudeerde zorgvuldigheid. 'Groot-Brittannië en Australië hebben gezamenlijke belangen – ons leger en onze marine zijn getraind door de Britten – en als Groot-Brittannië verslagen mocht worden, zijn we de bescherming van de Royal Navy kwijt. Australië ligt te geïsoleerd. Ze is een te makkelijke prooi.'

Miriam zag de logica van zijn redenering, maar weigerde zich te laten overtuigen. 'Je hebt hier belangrijk werk,' zei ze koppig. 'We zullen de kudde moeten uitbreiden en ik red dat niet in m'n eentje – niet met een baby van zes maanden om voor te zorgen.'

Edward knielde aan haar voeten. Hij nam haar handen in de zijne en bracht ze even naar zijn lippen. 'Amerika en Australië lijken heel erg op elkaar,' begon hij. 'Maar Amerika heeft zijn vuurdoop al ondergaan tijdens de burgeroorlog en de inwoners zijn er trots op deel uit te maken van een bijzondere natie. Australië is nog te nieuw, de mensen moeten nog een gezamenlijke trots ontwikkelen en hebben nog nooit een echte beproeving hoeven doorstaan. Deze oorlog geeft ons niet alleen de gelegenheid het "moederland" zoals jij het noemt, te helpen, maar ook om een onderlinge band te scheppen tussen ons, Australiërs.'

Ze keek hem aan en zijn boodschap was zo deprimerend dat ze moest huiveren. 'Wat je eigenlijk bedoelt, is dat het je een beetje opwinding zal bezorgen. Het is een avontuur – een manier om te laten zien hoe taai en dapper je bent en verder kan iedereen die misschien om je geeft de pot op.'

Edward grijnsde. 'Dat speelt ook wel een rol, denk ik. Maar, Mim, mijn Amerikaanse afkomst betekent hetzelfde als die van willekeurig welke Australiër. De pioniersgeest is hier net zo sterk als in Texas. We hebben onze vindingrijkheid te danken aan de woudlopers, de goudzoekers en veeboeren, en gaan zelfs de strijd aan met de overheid om ons doel te bereiken. Onze overtuiging is in de eerste plaats dat je je maat te hulp komt – opkomt voor de zwakkere, wat er ook gebeurt. Deze oorlog geeft Australië de kans de wereld te laten zien uit welk hout we gesneden zijn en tegelijkertijd om onszelf tot een machtige natie te vormen waarmee op een dag rekening zal worden gehouden.'

Miriam herinnerde zich de vreselijke verhalen die haar vader en Kate haar hadden verteld over hun ervaringen met de Engelsen. Haar loyaliteit lag nergens anders dan in Australië. Ze werd verblind door tranen en ze maakte haar handen los. 'Engeland is niet mijn "moederland",' zei ze ademloos. 'En ook niet het jouwe.'

Ze ging staan, sloeg haar armen over elkaar terwijl de tranen eindelijk over haar wangen rolden. 'Ga niet weg, Edward,' fluisterde ze. 'Ga alsjeblieft niet weg.'

Zijn handen waren teder toen hij haar bij haar armen pakte en haar naar zich toe draaide. 'Zou je liever hebben dat ik hier bleef terwijl mijn vrienden in Europa vechten? Zou je de andere vrouwen aan durven kijken als ze mij beschuldigen van lafheid? Hoe zou je je voelen als ze mij een witte veer stuurden en ons allebei zouden mijden als we de stad in gaan om voorraden te halen?'

Ze keek hem aan, de afschuw deed alle kleur uit haar gezicht verdwijnen. 'Dat zouden ze toch niet doen?'

'Jawel,' antwoordde hij. 'Dat zouden ze wel. In de krant staan al verhalen van mannen die ten overstaan van hun vrouw en kinderen te schande worden gezet door een legertje vrouwen die vastbesloten zijn ervoor te zorgen dat ze hun steentje bijdragen.' Hij haalde diep en huiverend adem. 'Maar dat is niet waar het om gaat,' voegde hij er scherp aan toe. 'Ik ga omdat ik dat wil. Mijn plichtsgevoel ten opzichte van mijn land staat me niet toe hier te blijven en niks te doen.'

Ze stond op het punt te protesteren toen hij haar met een vluchtige kus het zwijgen oplegde.

'Ik blijf niet lang weg,' zei hij zachtjes. 'Ze verwachten dat de oorlog tegen Kerstmis afgelopen is.'

Hij hield haar tegen zich aan, sloeg zijn armen zo ver om haar heen dat ze haar hoofd tegen zijn borst moest leggen. Ze kon het regelmatige kloppen van zijn hart horen, de geur van de stallen ruiken die in zijn kleren hing en de zeep van zijn pasgewassen haar.

'Hoe weet je dat zo zeker?' vroeg ze ten slotte.

'Onze wereld is de afgelopen tien jaar in snel tempo veranderd,' zei hij in haar haar. 'Mobilisatie, het wapentuig, de telegraaf en spoorwegen zorgen ervoor dat een oorlog van korte duur is.'

Ze maakte zich los uit zijn omhelzing en keek hem onderzoekend aan. 'Hoe komt het dat je er zoveel van af weet?' vroeg ze bewonderend.

Hij grijnsde verlegen. 'Geschiedenis was op school mijn hoofdvak en daardoor is het mijn gewoonte geworden de kranten van voor tot achter te lezen en als het maar even kan naar het nieuws te luisteren. Mijn familie is altijd in politiek geïnteresseerd geweest en hoewel je de jongen wel uit Texas kunt halen, kun je Texas niet uit de jongen halen – niet als mijn moeder me stapels knipsels over politiek stuurt.'

'En ik maar denken dat je een eenvoudige paardentemmer was,' plaagde ze, terwijl ze opnieuw in tranen dreigde uit te barsten.

Fiona sloop de kamer binnen en keek naar de fragiele gestalte op het bed. Mim leek te slapen, maar er lag een glimlach op haar gezicht alsof ze zoete dromen had. Ze stond op het punt de deur weer dicht te doen toen ze werd tegengehouden door Mims stem.

'Kom binnen, kind. Ik ben wakker en ik kan wel wat gezelschap gebruiken.'

Ze voelde een steek van wroeging, maar deed wat haar werd gezegd. 'Ik wilde je niet wakker maken,' zei ze terwijl ze naast het bed bleef rondhangen. 'Het spijt me. Je zag eruit alsof je een heerlijke droom had.'

'Dat was zo, en ook weer niet,' antwoordde ze. 'Maar het is een droom die ik vaak heb, dus het maakt niet uit of hij onderbroken wordt.' Miriam klopte op het bed. 'Ga zitten. Laten we weer eens net als vroeger kletsen. Of ben je daar nu te groot voor geworden?'

Fiona ging op de rand van het bed zitten, voorzichtig, zodat ze de benen van haar grootmoeder niet zou raken. 'Je wordt nooit te oud om het kleine meisje binnenin te vergeten,' zei ze zachtjes. 'Hoe voel je je, Mim? Heb je erg veel pijn?'

Miriam haalde haar schouders op. 'Ik heb me wel eens beter gevoeld,' gaf ze zuur toe. 'Maar genoeg over mij. Hebben jullie de akten al gevonden?'

Fiona schudde haar hoofd. 'We hebben vijf dozen en verschillende koffers doorzocht. Er is niets dat zelfs maar in de verte iets met overgrootvader te maken heeft, behalve een paar oude foto's en wat brieven.'

Fiona keek naar haar vingers. Die lagen gevouwen in haar schoot. De recht afgeknipte nagels droegen geen spoor van nagellak. 'Dat waren geen erg fraaie brieven,' zei ze uiteindelijk. 'Ik begrijp niet waarom hij ze heeft bewaard.'

'Om hem eraan te herinneren dat hij hier beter af was,' legde Mim uit terwijl ze met het kussen worstelde en probeerde een comfortabeler houding te vinden. 'Hij schreef zijn moeder tamelijk vaak. Niet rechtstreeks, natuurlijk, maar via zijn schoonzus, Emma. Miriam beantwoordde de brieven en bracht hem op de hoogte van familienieuwtjes, de plaatselijke roddels en hoe het er op Beecham Hall voor stond.'

'Maar zijn vader heeft hem nooit vergeven. Hij kwam erachter dat ze hem schreef en maakte er een einde aan.' Fiona had het simpele briefje gelezen en het had haar zo boos gemaakt dat ze in de verleiding was gekomen het in stukken te scheuren.

' "Je vader heeft mijn dubbelhartigheid ontdekt en heeft gedreigd van me te scheiden. Ik moet hem wel gehoorzamen, want een schandaal zou me tot de bedelstaf brengen. Maar ik zal altijd van je blijven houden, Moeder",' droeg Mim voor. 'Vader was er kapot van. Zijn moeder was altijd zo sterk geweest, maar ze was te oud en te zwak geworden om zich nog te verzetten – en hij wist dat ze niet door kon gaan, nu haar een scheiding boven het hoofd hing.'

'Ik zou al jaren eerder zijn weggegaan bij die ellendeling,' mompelde Fiona.

'Zo spreekt een moderne vrouw,' zei Mim nuffig. 'Dat was wel anders toen ik nog een klein meisje was – en dat geldt nog meer voor lady Miriam. Vrouwen hadden geen stem, geen geld en geen positie meer als ze hun echtgenoot kwijtraakten. Ze zou haar laatste jaren hebben moeten slijten als gouvernante of als gezelschapsdame – met andere woorden, ze zou een bediende zijn geweest. Vader begreep dat. Hij kon haar vergeven.'

Fiona was blij dat dit de vrijgevochten jaren zestig waren en dat vrouwen de vrijheid hadden om hun eigen keuzes in het leven te maken. Er werden wel vergissingen begaan, zoals was gebeurd met Louise – maar hopelijk zou ze sterk worden en inzien dat ontsnapping de enige mogelijkheid was om een leven te leiden dat niet werd beïnvloed door de manipulaties van Ralph.

'Ben je nooit nieuwsgierig geweest naar je Engelse familieleden? Heb je er nooit naartoe willen gaan om ze te ontmoeten?'

Miriam keek haar verrast aan. 'Waarom zou ik dat willen?' Ze hoestte van afkeuring. 'Ze wilden niets met mijn moeder te maken hebben en ik wilde zeker niks met hen te maken hebben,' zei ze ijzig. 'Zelfs toen ik het geld en de gelegenheid ervoor had, is het nooit bij me opgekomen om contact met ze te zoeken.'

Fiona wist dat ze nu een risico nam, maar de vraag knaagde al jaren. 'Maar je had toch zeker recht op een deel van de erfenis?' vroeg ze. 'Je was een wettig kind, het huwelijk tussen Henry en Maureen was volgens de regels – en afgaande op de brieven van Miriam Beecham-Fford heeft Henry's broer nooit wettige kinderen verwekt.'

Miriam zuchtte en sloot haar ogen. 'Ik denk het wel,' zei ze vermoeid. 'Maar er is meer in het leven dan geld alleen – en alles wat ze hadden kunnen nalaten zou besmeurd zijn geweest met mijn moeders bloed. Nou, als je uitgevraagd bent, laten we dan over iets anders praten.'

Fiona bloosde en keek opnieuw naar haar handen. Koppige trots zat er diep in bij de familie en Mim had waarschijnlijk een fortuin de rug toegekeerd, maar Fiona kon wel begrijpen waarom. Bloedgeld had haar ook nooit zo aangetrokken.

'Ralph heeft gebeld,' zei ze toen ze weer aan het telefoontje dacht. 'Hij wilde weten hoe het met de speurtocht ging en wanneer Louise terugkwam naar Brisbane. Ik heb niet gereageerd op die vraag over de speurtocht en tegen hem gezegd dat ze volgende week terugkomt, op tijd voor de hoorzitting.'

'Dat kind is veel te mager,' zei Mim vinnig. 'Het zou haar wel eens goed doen om wat frisse lucht in haar longen te krijgen en fatsoenlijk eten in haar maag. En het zou ook geen kwaad kunnen als ze eens een tijdje wegging bij Ralph. Ik heb hem nooit vertrouwd.' Ze keek Fiona vanonder haar wenkbrauwen aan. 'En hoe zit het met jou?' vroeg ze. 'Zit er een speciale jongeman op je te wachten in Brisbane?'

Fiona schudde haar hoofd. 'Ik ben nog steeds jong, wild en vrijgezel,' zei ze opgewekt. 'En het is de bedoeling dat dat zo blijft. Er zijn nog een heleboel dingen die ik wil doen voor ik me bind.'

'Zonde.' Miriams gezicht was uitdrukkingsloos. 'Ik hoopte eigenlijk dat je een oogje zou krijgen op onze meneer Connor.'

Fiona stond op van het bed toen ze voelde hoe het bloed naar haar verhitte gezicht steeg. Ze keerde Miriam haar rug toe en keek uit het raam naar het grasland. 'Ik ken de man nauwelijks,' zei ze scherper dan haar bedoeling was geweest. 'Trouwens, is er niet zoiets als een regel die verbiedt dat advocaten en klanten iets met elkaar beginnen?'

'Dat gaat ook op voor dokters en patiënten,' antwoordde Mim.

De stilte duurde voort en Fiona staarde uit het raam en probeerde iets te bedenken om te zeggen. Maar in haar hoofd spookten beelden rond van donker haar en ogen, van een naakte, gespierde borst en smalle heupen. Alleen al de klank van zijn stem aan de telefoon had vreemde dingen met haar gedaan.

Ze deed verwoede pogingen om zich te concentreren en keerde zich af van het raam. 'Over Jake gesproken, ik heb vergeten je te vertellen dat ik hem gisteren aan de telefoon had. Hij komt terug om ons te helpen zoeken. Hij zou hier morgenochtend zijn.'

'Dat is fijn, schat.'

Miriams veelbetekenende glimlach irriteerde Fiona om de een of andere reden. Ze liep om het bed en pakte de speeldoos, terwijl ze haar rug naar Miriam gekeerd hield. 'Die heb ik nog nooit gezien,' zei ze. 'Waar komt die vandaan?'

Miriam vertelde haar over Isaac. 'Het is een prachtig ding,' zei ze terwijl Fiona het deksel omhoog deed. 'En waarschijnlijk erg zeldzaam. Een zwarte Harlekijn is erg ongewoon.' Ze zuchtte. 'Hij deed me te veel aan vroeger denken, daarom had ik hem weggestopt. Ik was tot een paar dagen geleden bijna vergeten dat ik hem had.' Ze keek spijtig naar de barst aan de onderkant. 'Zo jammer dat ik hem kapotgemaakt heb – hij zal nooit meer dezelfde zijn.'

Fiona keek naar de dansende figuurtjes. Het was een pakkende, klokjesachtig klinkende melodie waarvan ze niet meer kon zeggen dan dat het een wals was. 'Dus hier heb je de verborgen aanwijzing gevonden,' mompelde ze. 'Dat moet nogal een verrassing zijn geweest.'

'Zo gemakkelijk lok je me niet uit m'n tent, schat,' zei de oude dame met een uitgekookte glimlach.

Fiona kreeg plotseling een akelige gedachte en ze deed het deksel met een klap dicht. 'Waar heb je het verborgen?' vroeg ze. 'De aanwijzing? De inbrekers hebben het toch niet te pakken gekregen, hè?'

Miriam schudde haar hoofd. 'Ik ben niet zo stom dat ik zoiets zomaar laat rondslingeren,' zei ze kalm. 'Het is in veilige handen. Jake heeft het.'

Fiona zette de speeldoos voorzichtig terug op het dressoir. 'Je stelt nogal vertrouwen in hem,' zei ze. 'Hoe weet je zo zeker dat hij je niet teleur zal stellen?'

'Omdat ik zijn vader kende, en zijn grootvader,' antwoordde Miriam.

'Hoe dan? Ik dacht dat hij een vreemde voor je was?' Fiona plofte weer op het bed en trok haar voeten onder zich. Dit was een aardig nieuwtje en ze wilde er meer van weten.

'Dat was hij eerst ook,' gaf ze toe. 'Maar we raakten aan de praat en ik kwam een paar dingen van hem te weten en toen realiseerde ik me waarom hij me zo sterk aan iemand anders deed denken.' Ze stootte een korte lach uit. 'Ik dacht eerst dat het om jouw grootvader ging, maar toen besefte ik dat het om zíjn opa ging.'

Ze glimlachte bij de gedachte aan de knappe man met de donkere ogen met wie ze bij verschillende gelegenheden had gedanst voor Edward in haar leven kwam. 'Hij en ik brachten ons vee samen weg en we kwamen elkaar vaak tegen op de dansfeesten en zo. We zijn op elkaars bruiloft geweest en later ging ik naar die van zijn zoon. Ik kan me Jake nog herinneren toen hij als baby met al die andere op bed in de boerderij lag toen ik een keer een feest gaf. Ze lagen als sardines in een blikje en dat zag er zo leuk uit dat je ze wel op wilde vreten. Jake gilde zo hard dat hij bijna barstte en was zo rood als een biet en woedend omdat ze hem daar achterlieten.'

Fiona giechelde. 'Ik denk niet dat hij daaraan herinnerd wil worden,' proestte ze.

Miriam keek Fiona vanonder haar wenkbrauwen aan. 'Jij was toen een jaar of twee, drie en had het op je genomen om voor hem te zorgen. Je tilde hem op en ik kon hem nog net te pakken krijgen voor je hem op zijn hoofd liet vallen.'

Fiona trok een gezicht in een poging om haar lachen te verbergen. Ze kon zich de gebeurtenis niet herinneren, maar het was toch leuk om te weten dat ze elkaar al eens hadden ontmoet – en interessant om te ontdekken dat ze een paar jaar ouder was dan hij.

Miriam raapte haar gedachten bij elkaar. 'De ouders van Jake waren altijd op de feesten en bals en ik kan me de schok nog herinneren die we voelden toen we hoorden dat ze was gestorven. Ze was nog maar begin dertig toen ze die drie kleine kinderen zonder moeder achterliet. Er was er toen nog niet één ouder dan negen.'

Fiona verwerkte deze informatie en voelde een steek van medelijden voor de kleine jongen die op zo jonge leeftijd zijn moeder had verloren. 'Arme Jake,' zei ze zachtjes.

Miriam scheen moe te worden, want ze gleed van haar kussens naar onderen. 'Geef me mijn pillen, schat,' beval ze. 'Ik geloof dat ik nu wil slapen.'

Fiona hield het glas water bij haar lippen en Mim nam de pillen in. Vervolgens schudde ze de kussens op en stopte het laken in onder haar kin. 'Mim,' zei ze aarzelend. 'Ik wil niet dat je doodgaat. Vertel me alsjeblieft dat het allemaal een vreselijke vergissing is en dat je nog een eeuwigheid bij ons blijft.'

Miriam pakte haar hand. 'Over zoiets zou ik nooit liegen, schat,' zei ze zachtjes. 'Laten we gewoon het beste maken van de tijd die ons nog rest en die niet verpesten met tranen.'

Fiona boog zich voorover om de zachte wang te kussen en Miriam pakte met verbazingwekkende kracht haar arm beet. 'Doe wat je hart je ingeeft, schat,' fluisterde ze. 'Dat liegt ook nooit.'

Miriam nestelde zich in de kussens. Ze was uitgeput, maar het was fijn geweest om met Fiona te praten. Goed om haar hart te luchten en bepaalde dingen kwijt te raken. Ze glimlachte bij de herinnering aan het gezicht van het meisje toen ze over Jake spraken – haar gevoel had haar niet bedrogen. Fiona en Jake konden zich de ontmoeting uit hun jeugd dan misschien niet herinneren, maar ze wist zeker dat de vonk was overgesprongen, zelfs toen al. Dat zouden ze nu, nu ze volwassen waren, misschien weer beleven.

De brieven zaten nog steeds in de doos naast haar op bed en terwijl ze overmand werd door slaap voelde ze Edwards nabijheid, hoorde ze zijn stem en wist ze dat hij nog steeds bij haar was – net buiten het gezichtsveld op haar wachtte tot het voor haar tijd was om zich bij hem te voegen.

De buggy was gepoetst en het leer op de bok glanzend in de was gezet. Het paard was geroskamd tot zijn huid glom in het vroege ochtendlicht en zelfs vanuit de slaapkamer kon ze het gerinkel van het gareel horen.

Miriam stond voor de langwerpige spiegel en bekeek haar spiegelbeeld. De lange rok en het mooie korte jakje waren heel lichtgrijs van kleur, een vreselijke kleur voor de lange, stoffige reis die voor hen lag, maar het waren haar mooiste kleren en ze wilde er voor Edward goed uitzien. Ze plukte even aan de waterval van kant bij haar keel voor ze er Kates broche met de camee opspeldde en deed de oorbellen met de parels in.

Edward kwam naast haar staan en sloeg zijn armen om haar middel zodat ze gedwongen werd tegen hem aan te leunen. Hij kuste haar oor. 'Je ziet er nog mooier uit dan op onze trouwdag,' zei hij zachtjes.

Miriam deed haar ogen dicht en dwong zichzelf om niet te gaan huilen. Het was al moeilijk genoeg voor hem en als hij zag hoe radeloos ze was, zou dat het alleen maar moeilijker voor hem maken. 'Ik zal je missen,' antwoordde ze zachtjes. 'Beloof me dat je voorzichtig zult zijn en dat je zo snel mogelijk terugkomt.'

Hij draaide haar in zijn armen naar zich toe en keek haar aan. 'Ik beloof dat ik nooit zal ophouden van je te houden,' zei hij voor hij haar op het puntje van haar neus kuste. 'Nou, kom mee, anders zijn we nooit op tijd in Baringun.'

Miriam nam Chloe op en ze gingen het huis uit. Het was haar wel opgevallen hoe Edward haar vraag slim had ontweken, maar ze zei niets. Want hoe zou hij zoiets nou kunnen beloven terwijl alleen het lot wist wat het voor hen in petto had?

Het paard stampte en snoof in de kilte van de ochtend en Frank hield hem stevig vast om te voorkomen dat hij ervandoor zou gaan. 'Môgge,' zei hij lijzig. 'Ik geloof dat het wel droog blijft tijdens de reis.'

Miriam pakte hem even bij de hand en keek hem in zijn lange gezicht. Frank zou ook spoedig vertrekken en afgezien van een paar oude mannen zouden er, tot de oorlog was afgelopen, alleen maar vrouwen en kinderen op Bellbird zijn. 'Wanneer vertrek jij, Frank?'

Hij nam zijn hoed af en veegde met een mouw zijn voorhoofd af. 'Ik denk volgende week,' zei hij. 'De vrouw en ik gaan een paar dagen op bezoek bij haar ouders in Burke en dan ga ik in m'n eentje verder naar Baringun.'

Miriam klom in het rijtuigje, zo overmand door emoties dat ze geen woord meer kon uitbrengen. Ze legde Chloe in de grote rieten mand op de vloer en keek door haar tranen naar de twee mannen die elkaar de hand schudden.

'Tot kijk, kameraad,' bromde Frank.

Edward knikte en het zonlicht wierp een koperkleurige gloed over zijn haar. 'Ja, tot ziens, maat,' antwoordde hij.

De vrouw van Frank, Gladys, kwam hun huis uit met op elke heup een baby. Het oudste meisje gluurde vanachter haar rokken. Ze haalde een zakdoek tevoorschijn, veegde daarmee haar neus af, zwaaide kort en verdween weer in de schaduw van het huis.

Edward ging naast haar zitten en pakte de teugels. Hij bleef lange tijd stilzitten, keek naar het huis, het erf, de weiden en de stallen en liet vervolgens zonder een woord te zeggen de teugels op de rug van het paard neerkomen en weg waren ze. De reis naar Baringun zou de hele dag in beslag nemen.

De zon was al aan het ondergaan toen ze eindelijk over de onverharde weg naar het hotel reden. Er waren aan beide zijden van de weg vuurpotten neergezet die een vreemde, dansende gloed op de rondlopende menigte wierpen. Vrolijke vlaggen en slingers wapperden in de wind en het lawaai dat uit de bar van het hotel kwam was aan de andere kant van de straat te horen. Vrouwen hielden borden omhoog met teksten die hun mannen aanspoorden om voor de vlag – de Britse Union Jack – te gaan vechten en gaven luidkeels hun mening over het gevaar van drank en de duivel die lafheid heet. Overal langs het trottoir hingen aanplakbiljetten en in elke etalage langs het trottoir stond een portret van de koning.

Edward manoeuvreerde het paard naar de achterkant van het hotel waar de stallen waren en ze klommen omlaag. Terwijl de stalknechten zich haastten om de buggy van hen over te nemen, dronk het paard gretig uit een emmer water en schudde het zweet van hun lange reis van zich af.

Edward klopte hem op de nek en ging met zijn hand door de manen. Hij praatte zachtjes tegen hem, nam afscheid van het paard. Hij gaf de knecht een flinke fooi voor de moeite en zei dat het paard goed afgewreven moest worden en alleen de beste haver te eten mocht krijgen. Toen draaide hij zich snel om, nam de mand met Chloe in zijn ene hand en de hand van Miriam in zijn andere en liep in de richting van het hotel.

Toen ze die nacht vrijden gebeurde dat heel teder en liefdevol en het voelde zo dierbaar dat het bijna pijn deed. Miriam klampte zich aan hem vast zoals hij zich aan haar vastklampte, en ze putten kracht uit hun vereniging. Ze fluisterden in het donker, kusten elkaar, genoten van elkaars aanraking en prentten elkaars geur en de manier waarop hun lichamen samensmolten in hun geheugen en beminden elkaar tot de ochtend grijze schaduwen in de hoeken van de kamer wierp.

Hun gefluister stierf weg terwijl ze uitgeput in elkaars armen lagen en keken hoe de zon door de luiken drong. Miriam wist dat hij net zo leed als zij – wist dat ze nooit van hem zou eisen dat hij bleef – wist dat hij terug móést keren. Want een liefde als die van hen kon niet worden weggevaagd op het slagveld. Daarvoor was hij te sterk.

De zon viel in bundels door de blinden en maakte okerkleurige confetti van de om hen heen dansende stofdeeltjes. Het lawaai dat van de straat tot hen doordrong vertelde hun dat het tijd werd dat ze hun veilige haven verlieten om de vreselijke dag onder ogen te zien.

Edward trok met tegenzin zijn arm onder haar hoofd vandaan en gooide de lakens van zich af. Naakt bukte hij zich naar de mand die naast het bed stond en pakte Chloe op. Hij hield haar tegen zijn borst en ademde haar warmte in, genietend van het slaperige gewicht van haar hoofdje op zijn schouder en de ontroerende manier waarop haar vingertjes zijn duim omklemden. Hij kuste haar donzige hoofd en vertelde haar zachtjes hoeveel hij van haar hield terwijl de tranen in zijn wimpers schitterden.

Miriam zat rechtop in het bed dat nog warm was van het vrijen en kon de tranen die over haar wangen rolden niet tegenhouden. Ze hield zoveel van hem dat het gewoon pijn deed. Ze waren sinds hun bruiloft nog nooit van elkaar gescheiden geweest – hoe kon ze al die maanden die het misschien zou duren voor hij weer thuiskwam zonder hem leven? Hoe kon ze alleen achterblijven op Bellbird zonder hem in elke hoek, op elke wei en erf te zien? Het vooruitzicht was verschrikkelijk en het vereiste al haar wilskracht om niet in huilen uit te barsten en hem te smeken op zijn besluit terug te komen.

Edward gaf Chloe aan haar en schonk water van de lampetkan in de schaal. Hij zeepte zich in en begon zich te scheren; zijn hand die niet zo vast was als anders en de tic in zijn gezicht waren de enige uiterlijke tekenen van spanning.

Miriam keek hoe hij zich aankleedde terwijl ze de baby de borst gaf. Haar gezicht ging schuil achter haar haar dat als een sluier tot op haar schouders viel. Kwam die spanning door zenuwen of was het van opwinding? vroeg ze zich af. Maar ze vroeg het hem niet. Edward vocht zijn eigen innerlijke strijd – het zou niet eerlijk zijn hem met die van haar te belasten.

Ze had haar haar opgebonden met een lint en stond op het punt op te staan en zich aan te kleden, toen Edward haar tegenhield.

'Kom alsjeblieft niet met me mee naar beneden,' smeekte hij. Hij ging op de rand van het bed zitten en streelde een haarlok alvorens die los te laten zodat hij op haar borst neerdaalde. 'Ik wil geen afscheid nemen terwijl honderden mensen staan te kijken,' zei hij zachtjes. 'Dit is ons moment, onze laatste ogenblikken samen voor lange tijd en die wil ik niet met anderen delen.'

Miriam sloeg haar armen om zijn nek terwijl hij haar kuste. Het verlangen naar hem kwam weer in haar op en ze klampte zich aan hem vast. Ze wilde zijn geur bij zich houden, het gevoel van zijn armen om haar heen, de herinnering aan de manier waarop zijn haar net onder zijn oren krulde. Ze moest het geklop van zijn hart nog één keer voelen, net als zijn warmte en zijn kracht.

Hij maakte zich veel te snel zachtjes van haar los. Nu stond hij voor haar, knap in zijn uniform van de AIF, het Australische Keizerlijk Leger. Zijn haar glansde onder de bruine vilten hoed, maar zijn ogen waren donker van de pijn en zijn gezicht was doodsbleek. 'Het is tijd,' zei hij zachtjes.

Miriam klom uit bed, naakt op het lint in haar haar na. Ze liet zich langzaam opnemen in zijn omhelzing. Hij kuste haar hard terwijl hij haar gezicht in zijn handen hield en haar nog steviger tegen zich aantrok, alsof hij haar in zich op wilde nemen. Toen was hij weg.

Miriam staarde naar de deur die achter hem dichtsloeg. Stond daar in het stof dat om haar heen danste, alleen en verlaten, terwijl ze zijn laarzen de trap af hoorde roffelen.

Na lange tijd haalde ze diep en trillend adem en begon zich aan te kleden. Ze friemelde aan de knopen van haar blouse, vervloekte de klitten in haar haar en wurmde zich ten slotte in haar laarzen en worstelde met de haakjes. Ze pakte Chloe van het bed en deed de louvredeuren open. Edward had haar gevraagd niet mee naar beneden te gaan om hem uit te zwaaien, maar hij had niks gezegd over op het balkon gaan staan – en ze kon niet binnen blijven zitten wachten tot hij vertrokken was – niet zonder hem nog een laatste keer te zien.

Van haar positie hoog boven de straat had ze een prima uitzicht. Het lawaai en het stof kwamen haar tegemoet toen ze aan de balustrade stond met Chloe in haar armen.

Een fanfare speelde marsmuziek, paarden stampten en briesten en trokken aan de leidsels, en rammelende vrachtauto's braakten wolken stinkende rook uit over de menigte. Mannen schreeuwden hun afscheidswoorden en vrouwen stonden in hun eenzame ellende met hun kinderen die zich aan de rokken vastklampten. De paarden schrokken van het vuurwerk dat werd afgestoken en de vlaggen wapperden en klapperden in de wind. Op de renbaan stonden de kleurige tenten van de vrijwilligers die wol en breinaalden uitdeelden zodat de achterblijvende vrouwen hun steentje konden bijdragen voor de dappere jongens die ze de oorlog instuurden.

En legerfiguren noteerden al die tijd namen, schreeuwden bevelen, deelden rantsoenen uit en wezen de vrachtwagens aan waarin ze zouden worden weggevoerd uit dit dorp in de binnenlanden. De taaie boerenjongens vormden het puikje van de mannelijke bevolking van Australië. Ze waren bruinverbrand en sterk, kenden hun gelijke niet op het gebied van paardrijden en omgaan met een geweer – en hadden een gevoel van kameraadschap dat nooit zou wijken, zelfs niet op de donkerste momenten.

Miriam nam de gezichten in zich op in de hoop dat ze nog een glimp van Edward zou opvangen. Maar het enige wat ze van hierboven kon zien was een bruine zee van kaki vermengd met een caleidoscoop van kleurige hoeden, vlaggen en spandoeken. Als Edward nog daar beneden was en had vermoed dat ze vanaf het balkon zou staan kijken, dan liet hij dat niet merken. Want niet één gezicht keek naar haar op. Niet één bekend, geliefd gezicht zocht haar blik voor dat laatste afscheid.

Ze werd verblind door tranen terwijl ze haar kin zachtjes op Chloes hoofdje liet zakken en de zon langs de hemel voortbewoog en de trucks een voor een in een wolk van stof vertrokken.

En spoedig, veel te spoedig, waren ze allemaal weg. Het was stil geworden in de straten en de drukke menigte stond op het punt naar huis te gaan. 'En dat moeten wij ook doen,' fluisterde ze tegen Chloe. 'We moeten naar huis gaan en ervoor zorgen dat alles tiptop in orde is voor als pappa thuiskomt.'

15

Jake had de hele nacht gereisd. Hij had zich naar huis gehaast, de meest noodzakelijke dingen in een tas gegooid, een ontstemde Eric gepakt en het inbraakalarm ingeschakeld. Onderweg was hij een paar keer gestopt voor koffie en eten en om Eric uit te laten en had een paar uur gerust op de parkeerplaats van een cafetaria voor hij weer op weg ging. Het was al avond toen hij Bellbird Station in zicht kreeg en de ondergaande zon legde een gouden waas over de heuvels en vallei en die daardoor een bijna surrealistische aanblik boden.

Hij bleef een ogenblik bij de indrukwekkende poort staan genieten van het uitzicht terwijl hij de vermoeidheid voelde wegvloeien. Het was een mooie plek en deed zijn naam eer aan, dacht hij toen hij de enkele, perfecte noot van de klokvogel hoorde en de paarden onder de wilga's, de wilde sinaasappelbomen, zag grazen. Hier heerste een rust die in de stad niet te vinden was – een kalme acceptatie van het leven en de voortgang van de seizoenen die de afgelopen twee eeuwen niet was veranderd. Deze uitstraling van evenwichtigheid en kalmte vervulde hem met een gevoel van welbehagen en levenslust. Het was bijna alsof hij thuiskwam.

'Doe niet zo belachelijk,' mompelde hij terwijl hij de hekken achter zich dichtdeed en de lange laan opreed. 'Je bent hier nog maar één keer geweest – dat is nauwelijks thuiskomen te noemen.' Toch bleef hij het gevoel van 'thuis' houden toen hij naar het paarse waas van de jacaranda en naar de scharlakenrode bloesem van de poinciana keek. Hun vertrouwdheid heette hem welkom, omarmde hem als de omhelzing van een dierbare vriend. Hij besefte dat hij het gevaar liep sentimenteel te worden en riep zijn gedachten tot de orde terwijl hij het erf opreed en voor de veranda parkeerde.

Miriam stond Frank bevelen te geven. Overeind gehouden door de kussens in de versleten rieten stoel zat ze met een opgewonden uitdrukking in catalogussen en gidsen te bladeren en ondertussen interessante zaken aan te wijzen.

Jake kon niet horen wat ze zei, boven het gemiauw van Eric uit die eiste dat hij uit de pick-up werd gelaten, maar maakte van de gelegenheid gebruik om haar te observeren. Haar donkere, grijzende haar was in golven uit haar gezicht geborsteld en de blauwe plek op een van haar fijne jukbeenderen benadrukte hoe breekbaar ze was. Maar de geest was duidelijk nog sterk – dat kon hij aan haar ogen zien – en toen hij uit de auto stapte, begroette ze hem met een brede glimlach en een zwaai met haar hand.

Eric sprong het erf op en slenterde weg. Hij had duidelijk een doel en Jake hoopte maar dat hij niet van plan was in nog meer gevechten verzeild te raken. Ik had hem moeten laten castreren, realiseerde hij zich, maar de gedachte dat een andere man aan te doen, zelfs al ging het dan om een kater, deed hem huiveren.

'Dat is alles, Frank,' zei Miriam tegen de man naast haar. 'Kijk eens wat je kunt doen en laat me dat dan weten.'

Jake en Frank keken elkaar aan met een begrijpende blik, een knik van het hoofd en een 'goeiedag'.

'Is het stadsleven te saai voor je?' plaagde ze. 'Blij je weer te zien, Jake.'

Hij had het gevoel dat hij gehoor gaf aan een koninklijk bevel en kreeg de neiging haar hand te pakken en die te kussen, maar in plaats daarvan zette hij zijn hoed af en gooide hem in een stoel. 'Verdorie, ik ben kapot,' zuchtte hij. 'Dat is me een reis.'

Fiona dook op uit de schemering van het huis en klapte de hordeur open terwijl ze een dienblad met theespullen de veranda op droeg. 'Hoi, ik ben blij dat je kon komen,' zei ze, terwijl ze het dienblad op tafel zette. 'Er is overigens een telefoontje voor je gekomen.'

Ze keek ongewoon ernstig. 'Er is bij je ingebroken.'

'Wanneer?' Jake ging gealarmeerd overeind zitten.

'Gisteravond ergens,' antwoordde ze terwijl ze thee inschonk. 'Het ziet ernaar uit dat onze gemeenschappelijke vriend vastbesloten is iets te vinden.'

'Waarom denken ze dat ik iets heb wat interessant voor ze is? Het is niet erg waarschijnlijk dat ik belangrijke bewijsstukken in een lege flat achterlaat, ook al heb ik dan een inbraakalarm.' Jake nam de hem aangeboden kop aan en zette die op tafel. 'En dat is ook zoiets,' voegde hij eraan toe. 'Dat alarm is het nieuwste van het nieuwste, hoe hebben ze dat in vredesnaam weten te omzeilen?'

Fiona haalde haar schouders op. 'Je buurvrouw zag licht branden en wist dat je er niet was, dus belde ze de politie. Daarvoor had ze helemaal niets gehoord, dus misschien is je alarm niet zo goed als jij denkt.'

Jake wist dat het dat wel was, maar deed er het zwijgen toe. Alleen een zeer bedreven beroepsinbreker die bovendien wist hoe het in elkaar zat, kon het alarm hebben uitgeschakeld. Hij dacht daar een tijdje over na terwijl ze hun thee dronken, maar het leek hem verstandiger om zijn opvatting dat iemand een tip had gegeven, niet te delen.

'Het lijkt erop dat onze meneer Dempster zenuwachtig begint te worden. Het verbaast me alleen dat ze het kantoor ook niet overhoop hebben gehaald.'

Er viel een doodse stilte en hij zag Fiona's gezicht langzaam rood worden. 'Dat is wel gebeurd,' gaf ze schoorvoetend toe. 'Ongeveer een uur na de inbraak in de flat. De politie is ingelicht, maar volgens je partners wordt er niets vermist.'

Ze strekte haar arm uit en raakte bijna zijn hand. 'Het spijt me, Jake. Ik had het je eerder moeten vertellen, maar...'

'Verdomme,' vloekte hij zachtjes. Hij zag Mims blik en bloosde. 'Sorry. Maar dat is nogal iets om te horen als je honderden kilometers ver weg bent en helemaal niks kunt doen. Ik moet Bill morgen bellen.'

'Ik hoop dat je niets hebt achtergelaten dat ze hadden kunnen vinden,' zei Miriam.

'Ik ben niet achterlijk,' snauwde hij. 'Sorry,' voegde hij daar vlug aan toe – zijn tweede verontschuldiging in minder dan twee minuten, het begon een gewoonte te worden. 'Het was niet mijn bedoeling om zo grof te zijn.' Hij wreef met zijn handen over zijn gezicht en zuchtte. 'Hoe gaat het met de zoektocht naar de eigendomspapieren?'

'Niet.' Louise kwam door de deur, op de voet gevolgd door haar ouders. 'We hebben hutkoffers doorzocht, gewone koffers, dozen en zakken. Er is niets te vinden behalve een verzameling rommel en herinneringen die helemaal niks te betekenen hebben, behalve voor iemand van de familie.'

'Dus, wat nu?' Fiona zette haar kopje neer en keek hem aan.

Jake was zich bewust van vijf paar ogen die zich naar hem keerden en verschoof in zijn stoel. Hij had niet echt een idee, maar het zag ernaar uit dat hij gebombardeerd was tot leider en bron van kennis en wijsheid – niet iets waar hij blij mee was – en hij wilde hen niet teleurstellen.

'We blijven zoeken tot we zeker weten dat die akten niet bestaan,' zei hij zelfverzekerder dan hij zich voelde. 'Maar Dempsters reactie lijkt me erop te wijzen dat dat wél het geval is – in ieder geval lijkt híj ervan overtuigd dat ze bestaan.'

Hij hees zich overeind en rekte zich uit. Hij was hondsmoe en verlangde naar zijn bed. 'Dat is in ieder geval de positieve kant van de zaak. We zullen hem te slim af moeten zijn – we moeten hem steeds een stap voorblijven. Als de akten ergens liggen, dan moeten we ze vinden voor hij dat doet.'

Hij zweeg een ogenblik en zijn gedachten gingen alle kanten op. 'Ik heb contact gehad met het ministerie van Mijnbouw in de hoop dat daar misschien ergens een kopie van de originele papieren was weggestopt. Maar veel van het archief is vroeger verloren gegaan door bosbranden, overstromingen en regelrechte achteloosheid. De stukken werden meestal ter plaatse bewaard en de gevestigde orde besloot pas veel later tot centralisatie van de mijnbouwvergunningen.'

'Hoe zit het met dagboeken, journalen, brieven? De kolonisten waren er bijzonder goed in om dat allemaal te bewaren en het zou me verbazen als Henry noch Kate een soort dagboek van die tijd heeft bijgehouden.' Chloes stem bleef hangen in de stilte terwijl de zon eindelijk onderging en de nacht met de gebruikelijke snelheid inviel.

'Kates dagboeken!' De plotselinge kreet van Mim deed hen opschrikken. 'Nu weet ik het weer. Ik heb ze in de hoedendoos gestopt.'

'Welke hoedendoos?' vroeg Louise. 'We hebben de hele vliering overhoopgehaald en er is daar helemaal niks meer – laat staan een hoedendoos.'

'Hebben jullie achter de schoorsteen gekeken? Dat was altijd mijn favoriete verstopplek, zelfs als kind al. Ik weet bijna zeker dat ik hem daar heb verstopt.' Miriam worstelde om uit haar stoel overeind te komen, maar kreeg in niet mis te verstane bewoordingen te horen dat ze moest blijven waar ze was.

Jake stond snel op en liep achter de twee zussen aan de hal in.

'Je zult dit nodig hebben,' zei Fiona terwijl ze hem een zaklantaarn in handen drukte. 'Zo donker als de nacht daarbinnen.'

Jake keek haar glimlachend aan, zag hoe mooi haar ogen waren en keek gauw de andere kant op. Ze betekende een complicatie en dat was het laatste wat hij kon gebruiken als hij zijn hoofd erbij wilde houden.

De ladder was aan de kant gezet en hij zeulde hem weer terug naar het vlieringluik en klom naar boven. Fiona had gelijk, zag hij. Het was pikdonker en ondanks het feit dat de nacht viel bijna ondraaglijk heet onder het lage golfplaten dak. Hij voelde het zweet al over zijn rug lopen en op zijn gezicht parelen. Het was maar goed dat hij geen last had van claustrofobie.

Hij stond bijna dubbelgevouwen en scheen met de zaklamp op de verste muur en de stenen schoorsteen. Als er al iets achter lag, kon hij dat niet zien, maar toen hij met de lantaarn op de vloer scheen, zag hij dat de oversteek van hier naar daar bezaaid was met hindernissen. De smalle houten binten waren droog van ouderdom en zaten waarschijnlijk vol houtworm en de bepleisterde betengeling ertussen zag er zo breekbaar uit als porselein. Eén verkeerde beweging en hij zou een verdieping lager belanden – waarschijnlijk met een gebroken nek, dacht hij somber. En dan zou hij nog geluk hebben gehad.

'Zie je iets?' riep Fiona van beneden. 'Wat ben je aan het doen?'

Jake likte het zweet van zijn bovenlip terwijl hij op twee dwarsbalken balanceerde. 'Rustig, vrouw,' schreeuwde hij terug. 'Dit is niet zo simpel, weet je.'

'Schiet een beetje op, Jake. Je zit daar al een eeuwigheid.'

Hij wankelde toen hij met de zaklamp in de richting van het luik scheen. Fiona was de ladder opgeklommen en zat met bungelende benen op de rand van het trapgat. 'Ik zou dit sneller voor elkaar krijgen als je je er niet mee bemoeide,' zei hij tussen opeengeklemde kaken.

Hij was zich bewust van haar geamuseerd kritische blik, nam de volgende drie stappen een beetje te snel en haalde het vloertje dat rondom de schoorsteen was gelegd maar net.

'Zie je al wat?'

Jake klemde zijn kaken op elkaar. Als ze hem dat nog één keer vroeg, dan... dan... De zaklamp flikkerde even en ging uit. 'Fantastisch,' mopperde hij. 'Dat kon ik er nou net bij hebben.'

'Ik pak wel even een andere,' bood Fiona giechelend aan.

'Laat maar,' kreunde hij terwijl hij plat op zijn buik lag en zijn armen naar de hoedendoos uitstrekte. 'Ik heb hem,' zei hij triomfantelijk.

'Goed gedaan,' zei ze. 'Schuif maar hierheen.'

Jake veegde het zweet van zijn gezicht en plukte aan zijn doorweekte, smerige overhemd. Ze kon de boom in, besloot hij terwijl hij tastend een weg zocht naar het luik. Hij was al zo ver gekomen, geen schijn van kans dat hij haar er met haar lange tengels aan liet komen.

Hij kwam eindelijk bij Fiona met de onhandige hoedendoos tegen zijn borst geklemd. Zijn vastberaden blik smoorde elke opmerking die ze had willen maken in de kiem en ze liet zich langs de ladder naar beneden glijden om de weg voor hem vrij te maken.

'Poeh, blij dat ik daar uit ben,' hijgde hij terwijl hij met zijn hand door zijn haar ging om de spinnenwebben en het stof er uit te krijgen. 'Het is daar verdorie net een oven en die binten worden eerder door het vuil bij elkaar gehouden dan door wat anders.'

'Laat nou maar,' zei Louise ongeduldig. 'Laat eens zien wat er in die doos zit.'

Jake hield de hoedendoos in zijn armen geklemd terwijl ze terugliepen naar de veranda, waar Leo, Mim en Chloe over de komende paardenmarkt in Burke zaten te praten. Hij zette hem voor Mim op tafel neer.

Er viel een verwachtingsvolle stilte terwijl ze toekeken hoe ze met haar vinger over het oude leer ging. De hoedendoos was aan drie zijden afgerond en de vierde was vlak. Hij was duidelijk bestemd voor een dameshoed, want hij was groter dan een doos voor een bolhoed of hoge hoed.

Miriams vingers volgden een patroon in het stof terwijl ze zich er weer mee vertrouwd maakte. 'Dit is een van de twee enige koffers van

Kate die ze hebben gevonden nadat de *Titanic* was gezonken. De inhoud was uiteraard geruïneerd, maar het leek niet juist om hem weg te doen – niet als je wist wat ermee was gebeurd. Daarom heb ik hem gebruikt om Kates dagboeken en journalen in te bewaren.'

Alle ogen waren op haar gericht terwijl ze met de sloten zat te rommelen. Ze waren verroest en gaven niet erg mee tot Jake ze met behulp van een zakmes wist open te krijgen.

'Potverdorie,' zei Fiona ademloos. 'Het kost ons maanden om dat allemaal te lezen.'

Ze staarden allemaal naar de verzameling dagboeken en schriften en de bundels brieven. 'Dan kunnen we maar het beste meteen beginnen,' zei Miriam. 'We hebben nog maar vijf dagen voor we naar Brisbane moeten.'

Chloe hielp haar moeder zich klaar te maken om te gaan slapen. Toen ze het licht uitdeed en de deur sloot, voelde ze een bijna ondraaglijke droefheid over zich komen. Mim was zo'n rots in de branding, zo'n drijvende kracht in haar leven – hoe moest ze in vredesnaam verder zonder haar? Vijfenzeventig was nog niet zo heel oud. Het leven was niet eerlijk.

'Slaapt ze?' Bij het horen van de vertrouwde stem van Leo draaide ze zich om. Ze knikte. 'Het is een lange dag geweest,' fluisterde ze. 'Een lange week, om precies te zijn – en het is allemaal nog niet voorbij.'

Leo sloeg zijn arm om haar schouder. 'Jij bent ook uitgeput,' zei hij zachtjes. 'Dat zijn we allemaal. Zelfs Louise heeft het bijltje er voor vanavond bij neergegooid.'

Chloe draaide zich in de deuropening van haar slaapkamer om en keek naar haar knappe echtgenoot. Ze waren dan wel gescheiden, maar ze hield nog steeds van hem – vertrouwde nog steeds voor zoveel dingen op hem. 'Geloof jij dat we die akten ooit zullen vinden?' vroeg ze. 'Of is de wens de vader van de gedachte?'

Hij keek haar glimlachend aan en gaf haar zachtjes een kus op haar voorhoofd. 'Wie weet? Maar het heeft er in ieder geval voor gezorgd dat we weer allemaal samen zijn, en dat is niet verkeerd, of wel soms?'

Ze glimlachte terug en schudde haar hoofd. 'We zijn altijd al een hechte familie geweest, maar dit heeft de banden nog versterkt. We praten met elkaar in plaats van ruzie te maken, Louise eet en ziet er gelukkiger uit dan ze in eeuwen heeft gedaan en Fiona is bezig verliefd te worden, al heeft ze dat zelf nog niet door.'

Hij trok een sneeuwwitte wenkbrauw op. 'Dus jij hebt het ook gezien,' zei hij met een twinkeling in zijn ogen. 'Het werd tijd dat ze eens iemand tegenkwam. Het leven hoort niet alleen geleefd te worden.' Hij zweeg even en zijn blik werd intens. 'Eenzaamheid heeft de neiging ons egoïstisch te maken,' mompelde hij zachtjes. 'Dat is geen leven voor mensen zoals wij.'

Ze deed een stapje achteruit en hield haar hand klaar om de slaapkamerdeur dicht te doen. 'Jij bent nog nooit alleen geweest,' antwoordde ze vinnig. 'Om eerlijk te zijn, niemand zou je ervan kunnen beschuldigen ooit eenzaam te zijn geweest – niet met die horde vrouwen met wie je in de loop der jaren geweest bent.'

Hij leunde tegen de deurpost en zorgde er met zijn lichaam voor dat ze de deur niet kon sluiten. 'Ik verlang naar jou,' zei hij. 'Die andere vrouwen waren meer het tegengif, de afleiding van wat er werkelijk toe deed. Ze hadden niet veel te betekenen.'

'Alsjeblieft, zeg,' siste ze. 'Zolang als we getrouwd waren had je andere vrouwen – dus kom nu niet bij me slijmen, Leo. Daar trap ik niet in.'

Zijn gezicht was een studie van berouwvol verdriet. Hij legde zijn hand op zijn hart en schudde zijn hoofd. 'Ik ben maar een zwak en onstandvastig mens, Chloe,' zei hij bedroefd. 'Kan ik het helpen dat vrouwen zich aan mijn voeten werpen en me van mijn werk houden?'

'Welterusten, Leo,' zei ze terwijl ze vastbesloten de deur dichtdeed.

'Ik ben veranderd,' zei hij door de deur. 'Ik heb ingezien dat ik verkeerd bezig was en ik vraag je vergiffenis. Neem me terug, Chloe, alsjeblieft. Het leven is zo leeg zonder jou.'

Chloe leunde tegen de deur en knipperde haar tranen weg. Leo was haar enige echte liefde, maar hij had het vermogen haar hart te breken – niet één keer, maar telkens weer. Ze moest zichzelf tegen hem beschermen. Ze moest de behoefte aan zijn omhelzing uitbannen, net als het verlangen om de dingen weer te laten zijn zoals ze vroeger waren.

'Ga naar je eigen bed, Leo,' zei ze door de deur. 'Morgen denk je er weer heel anders over.'

Zijn voetstappen stierven weg terwijl hij naar de veranda en zijn veldbed liep. Ze moest zichzelf blijven voorhouden dat Leo nooit zou veranderen, dat zijn smeekbede om het weer goed te maken slechts gedeeltelijk voortkwam uit zijn genegenheid voor haar, waar ze nooit aan had getwijfeld, en voor het grootste deel uit de wetenschap dat hij ouder werd en dat jonge meiden niet langer in hemzelf geïnteresseerd waren, maar in zijn naam en geld. Misschien had de ziekte van Mim hem doen beseffen dat hij sterfelijk was.

Arme Leo, dacht ze terwijl ze zich begon uit te kleden. Hij zat midden in een midlifecrisis, maar ze kon haar hart en haar geestelijke gezondheid niet langer voor hem in de waagschaal stellen. Maar toch zou er niet zoveel voor nodig zijn om haar van mening te doen veranderen, dacht ze terwijl ze in het eenpersoonsbed lag en naar het plafond staarde. Ze was wat Leo betreft zo zwak, zo plooibaar en stom – want de jaren dat ze uit elkaar waren hadden niet de scherpe kantjes afgehaald van de eenzaamheid die ze voelde als ze zonder hem in bed lag, hadden niet de kou weggenomen die ze nog steeds voelde zonder de beschutting van zijn omhelzing. En ze wist dat als hij het haar nog een keer zou vragen, ze hem weer in haar bed zou toelaten.

Fiona keek op van het dagboek dat ze zat te lezen en glimlachte. Jake was in slaap gevallen met het journaal op schoot en zijn kin was op zijn borst gezakt. Ze bekeek hem, zag hoe donker en dik zijn haardos was en hoe zijn wimpers zich op zijn wangen krulden. De baard van een dag verduisterde zijn kin, deed het gleufje beter uitkomen en de vierkante kin nog steviger lijken. Hij was mooi, dacht ze vol verlangen – maar daar was hij zich waarschijnlijk volledig van bewust, dacht ze nuffig terwijl ze het dagboek met een klap dichtsloeg waardoor Eric geschrokken van haar schoot sprong.

'Hè, wat...?' Jake deed zijn bloeddoorlopen ogen open en zag nog net kans het journaal te grijpen voor het op de grond viel.

'Het is al laat,' zei ze. 'Iedereen is al naar bed en je lag te snurken.'

'Ik snurk niet,' zei hij verdedigend. 'Zelfs mijn vrouw had daar geen klachten over.'

'Vrouw? Welke vrouw?' Fiona kreeg een gevoel alsof ze aan een parachute in een jungle werd gedropt – iets wat ze ooit eens had gedaan op een reis naar Brazilië en wat ze absoluut niet wenste te herhalen.

Hij keek haar lange tijd aan en zijn slaperige ogen gaven hem een sensuele, bijna kwetsbare aanblik. 'Het is al laat,' ze hij ten slotte en geeuwde. 'Kom, Eric. Bedtijd.'

'Welke vrouw?' wilde ze weten.

Hij draaide zich om en glimlachte haar over zijn schouder toe. 'De vrouw met wie ik bijna tien jaar geleden ben getrouwd,' antwoordde hij. 'Welterusten.'

Fiona bleef staan terwijl ze de hordeur hoorde piepen en de hakken van zijn laarzen op de vloer van de veranda bonkten. Ze hoorde geroezemoes toen Leo en hij elkaar welterusten wensten en vervolgens werd het stil.

'Nou,' zei ze ademloos. 'Dat zet me verdomme wel op m'n plaats, of niet soms?' Ze pakte haar vest van de bank en deed het licht uit. 'Klootzak,' siste ze. 'Dat loopt de hele tijd maar een beetje naar me te lonken en me op te vrijen. Wie denkt hij verdomme wel dat hij is. Onze-Lieve-Heer?'

'Wat is er verdorie met jou aan de hand?' mopperde Louise toen haar zus in bed stapte. 'Ik lag te slapen, als je het weten wilt.'

'Neem me niet kwalijk,' snauwde Fiona. 'Ga maar weer slapen.'

Louise kwam overeind en leunde op een elleboog. 'Nu ben ik wakker. Wat zit je dwars, Fiona?'

'Mannen,' zei ze boos. 'Pokkenkerels.'

Louise ging weer liggen. 'O,' zei ze zachtjes. 'Je bedoelt Jake?' Ze giechelde. 'Wat heeft hij nou weer gedaan?'

'Niks,' zei Fiona kortaf.

'Misschien is dat juist het probleem,' mompelde Louise.

Fiona schoot overeind. 'Nee, dat is het verdomme niet,' tierde ze. 'Hij is getrouwd, Lou. De klootzak is getrouwd.

'Ja, dat weet ik,' begon Louise. 'Maar...'

'Waarom heb je me verdorie dan niet gewaarschuwd?' Fiona liet zich achterovervallen in de kussens en sloeg haar armen over elkaar. Ze kookte van woede.

Louise keek naar haar en begon weer te giechelen. 'O jee, je hebt het goed te pakken, hè?' Ze ontweek de klap die haar zus haar wilde geven. 'Hij wás getrouwd,' zei ze tussen haar lachbuien door. 'Maar Mim heeft me verteld dat hij al een eeuwigheid gescheiden is. Ik snap niet waar je je zo over opwindt, Fee. Je bent toch zeker niet verliefd op hem of zo? Nou?'

Fiona ging rechtop zitten en keek woedend voor zich uit. 'Gescheiden? Waarom gaf hij me dan de indruk dat hij nog steeds getrouwd was?'

Louise haalde haar schouders op. 'Geen flauw idee.'

Fiona viel weer terug in de kussens. 'Klootzak,' zei ze zachtjes.

'Kom op, Fee. Het is bij jou ook nooit goed.' Haar gegiechel werd gesmoord door het kussen dat Fiona haar op het gezicht drukte. Toen ze weer tevoorschijn kwam, ging ze overeind zitten en leunde op een elleboog. 'Die arme knul weet waarschijnlijk ook niet waar hij met jou aan toe is,' zei ze, ondertussen een paar veren uitspugend. 'Misschien heeft hij nog wat tijd nodig om alles op een rijtje te zetten. Jij kunt nogal... overdonderend zijn.'

Fiona lag nog lang nadat Louise weer in slaap was gevallen wakker. Als Jake Connor dacht dat hij een spelletje met haar kon spelen, dan vergiste hij zich. Maar het was misschien wel interessant om eens te kijken hoever hij zou willen gaan met die misleiding – en misschien kon ze hem zelfs afleren spelletjes met haar te spelen.

Miriam lag in het donker te luisteren naar de geluiden van de anderen terwijl ze zich klaarmaakten voor de nacht. Ze hoorde het diepe gebrom van Leo's stem bij de deur van Chloes slaapkamer en na een korte woordenwisseling zijn voetstappen terwijl hij door de hal liep. Wanneer zouden die twee erachter komen dat ze niet zonder elkaar konden? dacht ze verdrietig. Het was zo'n verspilling van een kans op geluk. Zo'n verspilling van leven om niet bij degene te zijn van wie je hield terwijl het enige wat in de weg zat je trots was.

Ze hees zichzelf overeind in de kussens toen ze Jake en Fiona hoorde praten. Het geluid van zijn laarzen op de houten vloer en het gepiep van de hordeur kondigden zijn vertrek aan. Een paar minuten later hoorde ze de meisjes praten, giechelen en misschien zelfs ruziën.

Ze kon niet verstaan wat er werd gezegd, maar Fiona klonk alsof ze de smoor over iets in had.

Ze glimlachte. 'Eén tegen honderd dat het iets met Jake te maken heeft,' zei ze in zichzelf.

Terwijl ze achterover in de kussens leunde, besefte ze hoe heerlijk het was om het huis weer vol te hebben. Haar familie zou altijd kibbelen en met elkaar wedijveren, maar dat verlevendigde de boel alleen maar tussen deze oude muren en verjoeg de echo's uit de duistere hoekjes. Er waren te veel jaren van stilte geweest, van lange eenzame perioden waarin ze iemand nodig had gehad om mee te praten. Frank was een vriend, een goede vriend, maar dat was niet hetzelfde als familie en zo nu en dan had ze ernaar verlangd ze allemaal wat dichter bij haar te hebben.

Miriam deed haar ogen dicht. Dit zou de laatste keer zijn dat ze allemaal samen op Bellbird waren. De laatste keer dat ze kracht kon putten uit hun aanwezigheid en de geest van jeugdigheid en vitaliteit kon vangen die haar deze laatste dagen in gang had gehouden. Haar tijd was bijna gekomen en als er iets was wat ze betreurde, dan was het dat ze hen achterliet en dat ze zonder haar verder moesten. Hen achterliet om ouder, en hopelijk wijzer, te worden. Hen achterliet en hen hun eigen weg liet zoeken, hun eigen successen en mislukkingen en de verschillende soorten liefde die ze ongetwijfeld zouden beleven.

Wat zou ze graag aan hun zijde willen blijven en overal getuige van willen zijn. Wat zou ze graag willen weten hoe het hen verging en haar achterkleinkinderen ter wereld zien komen. 'Je begint te malen,' mompelde ze en ze nam nog een pil. 'Dat jij op het punt staat het loodje te leggen, wil nog niet zeggen dat ze niet zonder jou kunnen overleven.'

Terwijl ze wachtte tot de pijnstillers begonnen te werken, dacht ze na over leven en dood en het vermogen van de menselijke geest om daarmee om te gaan. Tijd en afstand heelden alle wonden – en hoewel de pas getroffenen dat weigerden te geloven, was het oude adagium waar. De pijn werd minder, de tranen hielden op en op een dag slaagde je erin vierentwintig uur niet te denken aan degene die je had verloren. Die paar uur werden uiteindelijk dagen en vervolgens weken, maanden en jaren. Je zocht niet langer naar hem op de bekende plekken, dacht niet langer dat je zijn stem hoorde. De herinnering bleef levend in je geheugen, maar het gezicht ging verloren, vervaagde naarmate de tijd verstreek, net als oude foto's die verbleekten in het zonlicht.

Frank kwam met Gladys en de kinderen terug van hun bezoek aan Burke en ging vervolgens alleen naar Balingun om zich bij het tweede leger van de AIF te voegen.

De twee vrouwen stonden te kijken hoe de stofwolk in de verte verdween en toen die eenmaal helemaal uit zicht was, draaiden ze zich om en gingen de boerderij binnen. Ze zaten met doodsbleke gezichten, maar met droge ogen thee te drinken terwijl de kinderen aan hun voeten speelden. Die dag werd er een vriendschap geboren. Die zou hen tot steun zijn tot Gladys vijftig jaar later in haar slaap overleed.

Bellbird Station zinderde die zomer van 1914 in de hitte en toen Kerstmis kwam en weer voorbijging, beseften ze dat hun mannen nog niet naar huis zouden komen. Via kranten en radio-uitzendingen vernamen ze dat deze oorlog anders was dan alle voorgaande. Hij werd met vreselijke, nieuwe wapens uitgevochten door legers van niet eerder geëvenaarde omvang. Machinegeweren, tanks, gifgas, vliegtuigen en onderzeeërs waren de werktuigen van de slachting en een enkele veldslag kon aan beide zijden honderdduizenden levens eisen.

Voor het eerst in de geschiedenis werd de bevolking van de strijdende partijen het doelwit. Terwijl de Britten met hun blokkade Duitsland probeerden uit te hongeren, deden de Duitse duikboten hetzelfde met Groot-Brittannië. De oorlogsinspanning vereiste de steun en opoffering van hele naties en de vrouwen en kinderen in de outback verbouwden graan en fokten schapen en runderen voor de vleesmarkt. Wol was een winstgevende zaak, de prijs voor een complete woloogst leverde meer dan vijftig procent méér op dan voor de oorlog.

'Deze oorlog zal alles veranderen voor ons vrouwen,' merkte Miriam op toen de twee vriendinnen met hun breiwerk op de veranda zaten. Het was mei 1915 en op de tafel naast hen lag een stapel sokken, truien, wanten en dassen, klaar om naar het front te worden verstuurd.

Gladys haalde een rij onregelmatige steken uit van de wollen warboel van haar dochter en gaf het haar terug. 'Hoe dat zo?'

'We hebben geleerd wat het betekent om onafhankelijk te zijn,' ant-woordde ze. Ze legde haar breiwerk weg en streek over de dikke buik van haar zwangerschap terwijl ze naar de omheinde weiden staarde. De kalveren riepen om hun moeder en de koeien in de wei verderop loeiden terug. De jonge stieren zagen er sterk en vet uit zoals ze daar in de kraal rondliepen en wachtten tot de drijvers ze naar de markt zouden brengen. Er waren nu minder paarden, want die waren net als de mannen aan het oorlog voeren. Ze voelde zich, ondanks de angst dat Edward misschien niet terug zou komen, diep tevreden over wat ze hadden bereikt sinds hun mannen waren vertrokken – en verdrietig omdat ze niet hier konden zijn om getuige te zijn van die prestaties.

'Vrouwen werken in fabrieken, in winkels en scholen en zelfs op kantoor. We hebben geleerd voor onszelf te zorgen. We weten nu wat het betekent om je salaris op zak te hebben – ons eigen geld te hebben.'

Gladys trok een gezicht toen haar dochter van drie besloot dat ze er genoeg van had en de wol van de veranda in het zand gooide. 'Dat blijft niet zo,' zei ze. 'De mannen zullen terugkeren en dan zullen we zo blij zijn dat we vergeten hoe het was om onafhankelijk te zijn. Wacht maar af.'

Miriam knikte terwijl ze naar een stofwolk keek die in de verte oprees. Er kwam iemand aan. Waarschijnlijk de veehandelaar die ze verwachtten. 'Misschien,' zuchtte ze. 'Maar de jongere vrouwen zul-len hun vrijheid niet zo gemakkelijk prijsgeven. Voor ons ligt het anders. Zo lang als Edward maar thuiskomt, maakt het voor mij niet uit of ik de rest van mijn leven de hele dag boven het fornuis hang. Het is in deze hitte al afmattend genoeg om zwanger te zijn zonder ook nog eens de hele dag te proberen het werk van een man te doen en dan ook nog op de kinderen te letten. Gelukkig hebben we de zwarten nog om ons te helpen.'

Gladys lachte schamper. 'Daar heb je nogal wat aan. Als je ze een minuut uit het oog verliest, slaan ze aan het zwerven.' Nu zag ook zij de stofwolk en hield haar hand boven haar ogen. 'Ik hoop dat dat de veehandelaar is. Die beesten waren al moeilijk genoeg om te vangen en ik zou het niet zien zitten om ze weer te laten gaan en helemaal opnieuw te beginnen.'

Miriam stond op het punt antwoord te geven toen tot haar door-drong dat ze zich vergisten. Geen handelaar die een knip voor z'n neus waard was ging ergens heen zonder zijn paard en de stofwolk was gewoon te groot.

'Dat is een auto die al dat stof veroorzaakt,' zei ze terwijl de wolk dichterbij kwam. 'Wie kennen wij in vredesnaam die een auto heeft?'

Gladys verzamelde haar kinderen om zich heen. 'Mim,' zei ze ang-stig. 'De pastoor heeft een auto. Je denkt toch niet...'

De twee vrouwen stonden daar en bleven staan wachten met de kinderen om zich heen en in hun armen en de angst stond op hun gezicht te lezen.

McFarlaine was een koude kikker – een man met weinig gevoel voor humor en nauwelijks medeleven. Hij liet nooit na te laten merken dat hij zijn uitgestrekte parochie in de binnenlanden zag als niet meer dan een opstapje naar Rome. Zijn komst kon maar één ding betekenen.

De auto kwam knarsend tot stilstand in een wolk van stof en het chroom glansde dof onder een laag vuil. Het portier ging open en de pastoor kwam naar buiten.

Miriam plofte op de stoel en trok de protesterende Chloe tegen zich aan.

Gladys stond daar als een standbeeld met wijd open ogen van angst en haar handen voor haar mond geslagen. 'Wie is het?' vroeg ze door haar vingers. 'O, god. Wie is het?'

Miriam zat daar en voelde hoe een koude hand zich uitstrekte naar haar hart. De wereld draaide om haar heen, verscheen en verdween in de duisternis, zodat ze de pastoor nog maar nauwelijks kon zien. Het drong tot haar door dat ze Chloe bijna smoorde en zette haar op de grond. Haar handen vlogen naar haar gezwollen buik waar ze de baby voelde schoppen.

'U hebt een telegram bij u.' Het klonk als een mededeling. De spieren in haar gezicht waren zo verstijfd dat ze nauwelijks een woord kon uitbrengen.

Hij knikte en ging naast Gladys staan, maar Miriam zag dat zijn aandacht op haar gericht was en de koude hand kneep nog harder.

'Het is mijn droeve plicht u mede te delen dat uw echtgenoot is gesneuveld in de slag om Gallipoli,' zei hij formeel. 'Hij heeft buitengewone moed getoond en heeft daarvoor een eervolle vermelding ontvangen.'

Hij sloeg het stof van zijn zwarte soutane en staarde naar een punt ergens achter Miriams schouder. 'Het eerste leger van de AIF is strijdend ten onder gegaan en de soldaten hebben moedig en in kameraadschap hun leven gegeven. Australië heeft laten zien dat ze een grote natie is geworden. U kunt trots zijn.'

De wereld draaide, werd zwart en grijs en draaide steeds sneller rond. Ze was zich maar vaag bewust van handen die haar grepen, van het feit dat ze half gedragen werd naar de bank in de hoek van de veranda en van een koude doek die op haar hoofd werd gedrukt.

Het enige wat ze kon horen waren zijn woorden die in haar oren weergalmden. Het enige wat ze kon zien was Edward die met een in het zonlicht vlammende haardos bezig was met de paarden in de kraal. Het kon niet waar zijn. Hij zou haar nooit verlaten. Ze zou het hebben geweten als hij dood was. Zou het op de een of andere manier hebben gevoeld als hij voor altijd weg zou zijn.

De stem van de priester bereikte haar van grote afstand. 'Ik zou niet gekomen zijn als ik had geweten van haar toestand. Hoe lang nog voor...?'

'Vier weken. Misschien wel minder na deze schok,' snauwde Gladys. 'U had dit wel op een vriendelijker manier kunnen aanpakken.' Ze zweeg even en haar stem trilde toen ze verderging. 'Hoe is het met Frank, eerwaarde? Is alles in orde met hem?'

'Geen nieuws is goed nieuws, mijn kind,' zei hij met neerbuigende vriendelijkheid. 'Ik heb niets gehoord.'

Miriam zakte weg in een welkome duisternis, liet zich erdoor vervullen, liet hem haar liefkozen en haar meevoeren naar een wereld zonder pijn, zonder gedachten en gevoelens. Haar besef van tijd en plaats ging verloren in deze donkere, koesterende wolken en alleen de plotselinge, dringende pijn dwong haar weer naar het heden terug te keren.

Edwards zoon werd geboren op de sofa, terwijl het stof dat was opgeworpen door de wegrijdende auto van de priester nog neerdwarrelde. Hij bleef net lang genoeg in leven zodat ze hem kon kussen en een naam kon geven en toen werd Edward Henry Strong begraven op de kleine begraafplaats op de heuvel achter de boerderij.

Miriam en Gladys stonden hand in hand, zonder iets te zeggen. Het was vroeg in de ochtend van de volgende dag en het kleine, witte kruis stak glanzend af tegen de rode aarde en het bleke gras. De bloemen die ze op het kleine heuveltje aarde hadden gelegd waren bedekt met dauw en glinsterden in de gloed van de zonsopkomst, terwijl de betoverende roep van de klokvogel als een prachtige psalm boven het land zweefde.

Miriam liet zich op haar knieën vallen, niet meer in staat de pijn nog langer te verdragen. De dam brak en de smart stroomde uit haar in een lange, gekwelde jammerkreet die van de heuvels weerkaatste en om haar heen echode, het verdriet uitvergrootte en de vallei van Bellbird vulde met haar verdriet. Dat zou de laatste keer zijn dat ze huilde.

Miriam deed haar ogen open en zag tot haar verrassing dat het nog donker was. De herinneringen leken zo werkelijk dat ze dacht dat ze de warmte van de zon en het aarzelende briesje nog kon voelen dat haar die vreselijke dag leek te strelen.

Ze besefte dat ze voor de gek was gehouden, wreef met haar vingers in haar ogen en kwam overeind. Het was koud en donker, het stilste moment van de nacht. Ze had nooit veel om religie gegeven, maar nu deed ze haar uiterste best om zich een stuk bijbeltekst te herinneren dat ze op die vervloekte school voor jongejuffrouwen uit het hoofd had moeten leren.

'Er is een tijd van leven, en een tijd van sterven. Een tijd om te spreken en een tijd om te zwijgen,' fluisterde ze in de nacht.

Dit was haar moment om te herinneren, om alle momenten van vreugde en verdriet uit haar leven bijeen te brengen en ze te onderzoeken. Ze had niemand hoeven begraven, behalve haar zoon – geen tastbaar bewijs van hun bestaan, behalve haar herinneringen. Vader was verdwenen, Kate en George waren opgeslokt door de oceaan en Edward was nooit thuisgekomen.

Er kwam een rustige acceptatie over haar. Spoedig, dacht ze, ik zal ze spoedig weerzien.

16

Jake had lekker geslapen en tegen de tijd dat de zon opkwam had hij zelfs kans gezien een van de dagboeken van Kate voor het grootste deel te lezen. Het handschrift was moeilijk te ontcijferen en een flink deel ervan was verbleekt, maar de dagboeken waren een geweldige bron en hij had bewondering gekregen voor de taaie, kleine Ierse die zoveel had bereikt.

Eenmaal gedoucht en aangekleed stak Jake het erf over. Hij verheugde zich op het ontbijt. Misschien was Fiona er ook, dacht hij hoopvol. Het was wel een beetje ondeugend geweest om haar gisteravond zo te plagen.

'Ik wil je even spreken.' Miriam kwam tevoorschijn vanonder de hangende bladeren van de peperboom. 'Vlug, hierin, en hou je stil.'

Jake grijnsde. Er ging niets boven een beetje geheimzinnigheid in de vroege ochtend om de eetlust op te wekken. Mim was de schok duidelijk alweer te boven en zag er patent uit.

'Kom op, schiet op. Ik heb niet de hele ochtend de tijd,' siste ze.

Jake duwde de hangende takken aan de kant en stapte de koele schaduw binnen. Als dat haar gelukkig maakte, zou hij het spelletje wel meespelen. 'Wat is er in vredesnaam aan de hand,' fluisterde hij. 'Heb je iets gevonden?'

'Ja en nee,' antwoordde ze mysterieus. 'Lees dat maar eens en vertel me dan wat je ervan denkt.'

Jake nam het schrift van haar aan en liet zijn blik over de pagina gaan. Het was geen dagboek, besefte hij, maar een lijst van Kates aan- en verkopen tijdens haar reizen naar de goudvelden. Het handschrift was nauwgezet, net als de bijzonderheden. 'Ik zie niet in waar dit iets mee te maken heeft,' zei hij, en de verwarring was van zijn gezicht af te lezen.

'Sla die bladzij eens om,' beval Miriam.

Hij deed wat hem werd gezegd en realiseerde zich toen waarom ze zo opgewonden was. 'Ik zie wat je bedoelt,' zei hij bedachtzaam. Hij keek haar in het gezicht en wilde haar niet teleurstellen – maar hoe moest hij haar vertellen dat het niet voldoende was?

'Het is niet wat je had verwacht, hè?' vroeg ze terneergeslagen. 'Ik zie het aan je gezicht.' Ze schudde haar hoofd en de teleurstelling was duidelijk zichtbaar in haar ogen. 'Je hoeft me niet te sparen, Jake. Ik ben oud genoeg om het recht voor z'n raap te horen.'

'Dit is geweldige achtergrondinformatie en ik zal het in combinatie met een paar stukjes uit het dagboek dat ik aan het lezen ben waarschijnlijk wel gebruiken in de rechtszaal. De verdediging zal het ongetwijfeld niet toelaatbaar vinden en proberen het buiten het proces te houden, maar dat zien we dan wel weer.' Hij sloeg het boek dicht. 'Het spijt me dat ik je niet meer kan beloven.'

Ze deed een stap in zijn richting en zei met gedempte stem: 'Je bent een goeie vent, Jake. Ik ben blij dat je aan mijn kant staat.' Ze klopte hem op de arm en baande zich een weg door de neerhangende bladeren.

Jake bleef een ogenblik staan en luisterde naar het gezoem van de bijen die in de peperboom rondvlogen en te druk bezig waren om de indringer op te merken. Zijn gedachten gingen alle kanten op. Misschien konden de notities wel worden gebruikt, bedacht hij. Het was riskant, maar zolang ze de akten niet hadden, had hij geen andere keuze dan het te proberen. In combinatie met het enige andere bewijsstuk konden deze aantekeningen een waardevolle verklaring vormen.

Fiona keek toe terwijl haar zus een vol bord roereieren en knapperig spek wegwerkte en dat alles wegspoelde met een mok zoete thee. Louise was al iets kwijt van dat uitgeteerde uiterlijk van iemand die zichzelf uithongerde en de frisse lucht en de zon hadden een gloed op haar wangen gebracht. Haar humeur was ook verbeterd en Fiona was blij na zo'n lange tijd de oude Louise weer terug te hebben.

Ze at haar toost op en duwde haar bord aan de kant. Haar eetlust was weg. Ze moest Mim vertellen dat ze wegging, en hoewel ze zich ervan bewust was dat haar timing waardeloos was, kon ze zich niet permitteren het gesprek in Brisbane te missen. Er was de afgelopen week zoveel gebeurd dat ze het helemaal had vergeten en er pas vanochtend weer aan had gedacht toen ze in haar agenda keek. Ze keek naar haar grootmoeder en hoopte dat ze zou begrijpen waarom ze weg moest, maar zag er enorm tegenop om het haar te vertellen.

Ze werd voorlopig gered door Jakes binnenkomst. 'Wat is dat?' vroeg ze toen ze hem het schrift in zijn aktetas zag stoppen.

'Gewoon iets waarvan Mim dacht dat ik het misschien interessant zou vinden,' zei hij op neutrale toon.

Fiona haalde diep adem. Ze werd er doodziek van overal buiten gehouden te worden. Ze stond op het punt iets te zeggen toen de telefoon ging waardoor ze allemaal opsprongen. 'Bellbird,' zei ze kortaf.

'Met Rafe. Geef me Louise.'

'Die is bezig,' zei Fiona snibbig.

'Wie is dat?' vroeg Louise.

Fiona vertelde het haar en gaf haar met tegenzin de hoorn. Louise nam de telefoon mee de hal in en deed de deur achter zich dicht.

Chloe en Fiona wisselden een blik van verstandhouding. 'Ik hoop niet dat hij van plan is terug te komen,' fluisterde Chloe. 'Louise ziet er zo goed uit. Het is duidelijk dat hij niet goed voor haar is.'

Miriam knabbelde aan haar toost en nam kleine slokjes uit haar mok thee terwijl ze de pagina's van Kates dagboek omsloeg. 'De tijd staat niet stil,' mopperde ze. 'Lees nou maar door.'

Fiona was halverwege het dagboek dat Henry tijdens de reis uit Engeland had bijgehouden. Het was fascinerend materiaal en hoewel Fiona wist dat ze al snel moest vertrekken, was ze erop gebrand erachter te komen hoe het leven was geweest in die tijd van stoom en zeil.

Ze sloeg de bladzij om. Hij was blanco – net als de rest.

'Heeft iemand de dagboeken van Henry? Hij schijnt er bij deze mee opgehouden te zijn.'

'Hij heeft er na Maureens dood geen meer bijgehouden,' zei Miriam met een mondvol toost. 'Zag het niet meer zitten, denk ik.'

Ze keek Fiona over de rand van haar bril aan. 'Ik snap niet waarom je je tijd verdoet met zo ver terug te gaan. We moeten ons concentreren op 1906 en misschien de paar jaar erna.' Ze stak haar hand uit en koos een dik dagboek met een zwaar slot. Het leer had gouddruk en het jaartal op de omslag was 1906. 'Probeer deze maar eens,' beval ze.

Er viel een stilte toen ze allemaal verdiept raakten in de boeken en het enige wat in de keuken te horen viel, was het tikken van de klok en het geritsel van de pagina's wanneer die werden omgeslagen.

Louise kwam weer binnen en zette de telefoon terug op de plank. Ze schuifelde om de tafel en ging zitten.

Fiona keek op toen ze haar hoorde snuffen. 'Wat is er gebeurd?' wilde ze weten.

Louise snoot haar neus. Haar oogleden waren gezwollen van het huilen en haar huid was vlekkerig. 'Niets,' zei ze afwerend.

'Gelul,' zei Fiona op haar bekende manier. 'Wat heeft hij tegen je gezegd, Louise? Loopt hij je weer te commanderen?'

'Fiona,' waarschuwde Mim afwezig, 'let op je taalgebruik.'

Louise pakte het dagboek dat ze had zitten lezen en schoof haar stoel achteruit. 'Dat gaat je geen moer aan,' snauwde ze. 'Ik ga op de veranda zitten. Daar heb ik tenminste rust.' Ze zette de stoel met een klap weer op zijn plaats. 'En je hoeft niet achter me aan te komen, want ik ben niet van plan er met jou over te praten.'

De telefoon ging weer over terwijl ze er langsliep. Ze griste de hoorn van de haak en haar gezicht lichtte hoopvol op. 'Rafe?' Ze luisterde, zich er duidelijk van bewust dat iedereen naar haar keek, en haar uitdrukking werd somber. 'Het is voor jou,' zei ze en ze stak de hoorn in Jakes richting. 'Ene Bill.'

Fiona keek toe terwijl Jake luisterde naar wat de man aan de andere kant van de lijn te zeggen had. Het was blijkbaar even belangrijk als langdradig. Ze probeerde uit te vinden wat er werd gezegd aan de hand van de antwoorden, maar Jake hield zich zoals gewoonlijk op de vlakte en gaf niets prijs. Toen hij eindelijk ophing en zich naar hen omdraaide, wist ze dat het slecht nieuws was.

'Het spijt me, Mim. Dat was mijn vennoot. Dempster heeft een tegeneis ingediend wegens smaad. Zijn advocaten eisen twee miljoen dollar genoegdoening plus de kosten.'

Miriam voelde haar hart pijnlijk in haar borst kloppen. Twee miljoen dollar was een bedrag dat ze onmogelijk bij elkaar kon krijgen, zelfs al verkocht ze Bellbird. En dat zou ze nooit doen. Ze zou haar geliefde huis nooit op kunnen geven om zo'n slang als Dempster af te kopen.

'O, mijn god,' kreunde ze. 'Wat heb ik gedaan?'

'Het is nog niet te laat, Mim,' zei Jake terwijl hij naast haar ging zitten en haar hand pakte. 'Als je de rechtszaak intrekt en een officiële excuusbrief schrijft, zullen de Dempsters hun eis laten vallen.'

'Nooit,' hijgde ze. 'Ik zal nooit mijn excuses aanbieden aan een van hen.'

'Mam.' Chloes stem klonk ongewoon scherp. 'Zo kun je niet verder. Het is een obsessie geworden. Geef die man wat hij wil en zet die hele domme rechtszaak uit je hoofd. Je bent toch al niet in een conditie om hem voor de rechter te slepen en al dat geld in de waagschaal stellen is helemaal stom.'

Miriam keek naar haar dochter, overdonderd door haar heftigheid. 'Dat kan ik niet,' zei ze. 'Het lijkt voor jou misschien een obsessie, maar het is het enige wat ik kan doen om voor het recht te vechten dat mijn vader nooit heeft ondervonden.'

'Chloe heeft gelijk,' bromde Leo. 'Het is al veel te ver gegaan. Het wordt tijd dat je je terugtrekt en nog een beetje waardigheid bewaart. Je bent niet gezond genoeg om dit allemaal aan te kunnen en twee miljoen dollar is nou niet bepaald wat je noemt kattenpis.'

Miriam wendde zich tot Fiona. 'Wat vind jij ervan?' Ze was bijna bang voor het antwoord, maar ze moest het horen.

Fiona deed er lange tijd het zwijgen toe en haar blik stond bedachtzaam. 'Ik denk dat Dempster alleen maar een spelletje speelt,' zei ze ten slotte. 'Het laatste wat hij wil is dit voor de rechter brengen. Ongeacht wie er wint, er blijft altijd wat vuiligheid hangen.'

Miriam voelde hoop in zich opwellen. Wat was haar kleindochter slim – wat een analytische geest had ze toch. Ze keek hoe Fiona achteroverleunde in haar stoel, met de armen over elkaar geslagen en het voorhoofd in gedachten gefronst. Toen zíj die leeftijd had, zou ze zich hebben laten leiden door haar instinct, maar de manier waarop Fiona het deed was beter. Ze overdacht dingen, deed haar mond niet open voor ze zeker wist dat wat eruit zou komen ook verstandig was.

'Het lijkt wel alsof hij weet dat we helemaal niets hebben om de zaak mee te winnen,' zei Fiona in de ingevallen stilte. 'Die tegeneis van twee miljoen is bedoeld om je af te schrikken. En die eis dat je je excuses aanbiedt is alleen maar zijn verachtelijke manier om je voor gek te zetten.'

Miriam knikte diep in gedachten. 'Daar ziet het zeker naar uit. Maar hij neemt wel een risico. Hoe kan hij nou zeker weten dat we helemaal geen bewijs hebben?'

'Mensen als Dempster leven voor het risico,' zei Fiona. 'Dat is de enige manier waarop ze een fortuin kunnen vergaren. Eenvoudige mensen zoals wij worden makkelijk afgeschrikt als zij met hun geld beginnen te zwaaien.' Ze zweeg even. 'Maar het verbaast me dat hij zich in de kaart laat kijken.'

Jake schraapte zijn keel en alle ogen draaiden zijn kant op. 'Heb je er rekening mee gehouden dat Dempster inderdaad gevonden heeft wat hij zocht? Zelfs hij is niet arrogant genoeg om het risico van een rechtszaak te nemen als hij niet op de een of andere manier zeker wist dat hij zou winnen.'

'Jake heeft gelijk,' zei Chloe ademloos en met grote ogen van afschuw. 'Doe wat hij zegt, mam. Geef het op voor we alles kwijtraken.'

Miriam bleef lange tijd zonder iets te zeggen zitten en keek haar familieleden aan. Haar gedachten waren helder, haar besluit stond vast. 'Nee,' zei ze vastberaden. 'Ik geloof liever dat Fiona gelijk heeft. Dempster begint bang te worden. Die tegeneis is bedoeld om me ervan te weerhouden dat ik verderga. Hij probeert me bang te maken.'

'Het spijt me zo,' klonk het gesnik in de deuropening. 'Het is allemaal mijn schuld. Ik heb jullie teleurgesteld.'

'Louise?' Chloe schoof haar stoel achteruit en liep naar haar dochter. Terwijl ze haar arm om de schokkende schouders sloeg, probeerde ze iets te begrijpen van wat het meisje bedoelde. 'Stil maar,' zei ze. 'Kalmeer eens een beetje en vertel me dan eens hoe je ons in vredesnaam hebt teleurgesteld.'

Louise veegde de tranen weg en snoot haar neus in het papieren zakdoekje dat haar werd voorgehouden. 'Ik had nooit gedacht dat het zo ver zou komen,' snikte ze. 'Ik had niks willen zeggen, maar het ontglipte me gewoon.'

Miriam voelde hoe de moed haar in de schoenen zonk. 'Je hebt met Ralph gepraat.' Het was een verklaring, geen vraag, en ze wist al wat het antwoord zou zijn.

Louise knikte. 'We waren aan het praten en ik vertelde hem over onze speurtocht naar de akten.' Ze snoot opnieuw haar neus. 'Hij wist uiteraard waar we mee bezig waren, hij was nog hier toen we besloten op zoek te gaan. Maar ik dacht dat het er niet toe deed of ik hem vertelde dat we nog niks hadden gevonden.'

Leo voegde zich bij Chloe in de omhelzing terwijl Louise snikte en haar tranen wegveegde.

'Fiona was woedend dat Mim Jake iets had gegeven wat hij mee moest nemen naar Brisbane. Ze was vreselijk nieuwsgierig en wilde weten wat het was, omdat ze wist dat het iets te maken móést hebben met de rechtszaak.' Louise keek naar Jake. 'Het spijt me, maar hoe kon ik nou weten dat een leuke anekdote zoveel ellende kon veroorzaken.'

'Dus Ralph heeft jou gebruikt om aan informatie te komen zodat hij in een goed blaadje bij Dempster kon komen.' Fiona keek woedend. 'Geen wonder dat overal is ingebroken en we ons wezenloos zijn geschrokken. Wat een klootzak.'

'Let op je woorden, Fiona,' mompelde Miriam automatisch.

'Het spijt me zo,' huilde Louise. 'Maar Rafe ziet altijd kans om me dingen te laten zeggen die ik voor me wil houden en om dingen te vertellen die geheim moeten blijven. Ik heb er geen seconde aan gedacht dat hij ermee naar Dempster zou gaan – dat wil zeggen, tot vanmorgen.'

'Hoezo, wat is er vanmorgen gebeurd?' Miriam was blij dat ze zat. Er was een grens aan wat ze op één dag kon hebben.

'Hij liet vallen dat hij af wist van de inbraak bij Jake,' snikte ze. 'Dat probeerde hij toen te verdoezelen door me ervan te beschuldigen dat ik een verhouding met hem had.' Ze bloosde vreselijk terwijl ze een blik in de richting van Jake wierp en zich vervolgens tot haar vader wendde. 'Hij heeft me van zulke vreselijke dingen beschuldigd, pap. Hij zei dat ik dingen voor hem verborgen hield. Dat ik hem tegenwerkte zodat hij het contract met Shamrock Holdings niet zou krijgen en dat ik achter zijn rug om met mijn familie tegen hem samenspande. Hij heeft altijd al geweten dat geen van jullie hem mag, en voor ik het in de gaten had, had ik hem alles al verteld.'

Miriam voelde met haar mee en ze pakte haar hand in een poging dat gevoel over te brengen. 'Er was niet zo heel veel dat je hem kon vertellen, schat, en ik vermoed dat Dempster er niks wijzer van is geworden. Droog je tranen en ga zitten. We hebben een boel te bespreken.'

Louise zat er verloren bij terwijl de anderen allemaal tegelijk begonnen te praten. Ze voelde zich een buitenstaander, een verrader. Ze had de mensen van wie ze het meeste hield gekwetst en zou zichzelf dat nooit kunnen vergeven – of Ralph. Waarom was ze zo meegaand geweest, waarom had ze haar ogen gesloten voor wat voor man hij in werkelijkheid was? Fiona had geprobeerd haar te waarschuwen, maar ze had geweigerd te luisteren. Hoe stom kon een mens zijn?

Ze nam een sigaret uit Fiona's pakje dat op tafel lag en stak hem op. Dat was de eerste in jaren en betekende in feite een soort opstand tegen Ralph.

Het gesprek was levendig en ging de tafel rond terwijl ideeën en voorstellen werden overwogen, tijdelijk terzijde geschoven of helemaal werden verworpen. Maar ze was zich slechts gedeeltelijk bewust van het gesprek, want haar gedachten werden in beslag genomen door haar huwelijk en haar man van wie ze plotseling had ontdekt dat hij een vreemde was.

Toen ze Ralph ontmoette tijdens een cocktailparty ten bate van het kleine theater waar ze al drie jaar aan verbonden was, begon ze net over een fataal verlopen affaire met een medeacteur heen te komen. Haar acteercarrière begon net van de grond te komen en ze droomde ervan om ooit in het National Theatre op de zuidelijke oever te spelen.

Ralph had haar gevleid, haar met dure cadeaus en uitstapjes het hof gemaakt en helemaal overdonderd. Ze was maar al te blij geweest met die aandacht en de raad van iemand die zo hoffelijk was en duidelijk voorbestemd voor grootse zaken – en ze had die vluchtige behoefte aan een gestreeld ego verward met liefde. Dat zag ze nu allemaal wel in; waarom was ze toen niet meer op haar hoede geweest?

Toen hij uiteindelijk opperde dat de toneelwereld niet goed samenging met die van het bankwezen, had ze het acteren en de vriendenkring die daarbij hoorde eraan gegeven en was met hem getrouwd. Achteraf besefte ze hoe manipulatief hij was geweest en hoe makkelijk hij haar had gereduceerd tot een schaduw van haar werkelijke ik. Ralph had haar helemaal overgenomen. Had haar kleren uitgekozen, haar kapsels, zelfs haar make-up. Hij had hun huis gekocht zonder met haar behoeften rekening te houden, had besloten dat ze geen kinderen konden hebben omdat dat wel eens kon botsen met hun levensstijl. Hij weigerde haar te laten werken, betaalde alle rekeningen en beheerde het geld, nam mensen aan en ontsloeg ze en verwachtte van haar dat ze daar dankbaar voor was.

En dat was ze ook geweest – tot een paar dagen geleden. Nu, met de kille aanvaarding van de feiten en het heldere inzicht in haar huwelijk, wist ze dat Ralph nooit van haar had gehouden. Dat hun huwelijk een farce was. Hij had haar gebruikt omdat ze zo zwak was en hij had ervan genoten haar te manipuleren. Hoe zwakker ze werd, hoe meer hij het overnam, net zo lang tot ze volledig naar de achtergrond verdween.

Het leven hier op Bellbird had haar de ogen geopend voor wat echte liefde betekende en voor het feit dat ze dat gevoel bij de familie te horen was kwijtgeraakt door met Ralph te trouwen. Fiona had gelijk gehad, gaf ze in stilte toe. Hij had haar vrienden weggejaagd, haar toneelambities de grond in geboord en haar zelfs van haar familie vervreemd – hij had haar volledig geïsoleerd tot ze niemand anders meer had dan hem. Ze was zijn speelgoedje geworden, zijn marionet. Trek maar aan het touwtje en Louise danst.

Ze dreigde opnieuw in tranen uit te barsten en ze vermande zich. Het was nu te laat om meelij met zichzelf te hebben. Ze moest een manier zien te vinden om uit zijn schaduw te treden – een manier om alles weer goed te maken voor deze familie die ze aanbad. En uiteindelijk moest ze de ware Louise vinden.

'Als je vastbesloten bent om met deze waanzin verder te gaan, dan zal ik terug moeten om te zien wat ik kan doen,' zei Leo. 'Twee miljoen is een hoop geld, maar er staan nog een paar mensen bij me in het krijt en het wordt tijd dat ze over de brug komen.'

'Ik ga met hem mee,' zei Chloe. 'Dat vind je toch niet erg, hè, mam? Ik heb ook nog wel ergens een bedragje, maar het kost tijd om dat vrij te maken.'

'Ik ga er niet van uit dat ik dat geld moet betalen,' zei Miriam vinnig. 'En ik wil absoluut niet dat jullie failliet gaan vanwege dit allemaal. Het is een persoonlijke zaak tussen Brendt en mij en als puntje bij paaltje komt, kan ik altijd Bellbird nog verkopen.'

'Over m'n lijk,' zei Fiona boos. 'Bellbird is van ons. Ik zou de gedachte dat Dempster het overneemt niet kunnen verdragen.'

'Ik geloof dat we nu allemaal een beetje hard van stapel lopen,' zei Jake kalm. 'Dempster moet bewijzen dat je hem in zijn goede naam hebt aangetast. De zaak zal waarschijnlijk voor een jury worden behandeld en die heeft een meerderheid nodig om een beslissing te nemen. Als er ook maar het minste vermoeden bestaat dat hij je familie heeft bedrogen, verliest hij, of erger – dan kan zijn genoegdoening teruggebracht worden tot een dollar, waaruit het ongenoegen van het hof zou blijken en dat zou weer twijfels aan zijn betrouwbaarheid kunnen oproepen.'

Miriam knikte. 'Dat betekent dat hij z'n vuile was buiten moet hangen,' zei ze. 'En dat zal hij niet willen. Zoals een van jullie al zei: er blijft altijd wat van de vuiligheid hangen.'

'We kunnen maar beter het zekere voor het onzekere nemen,' bromde Leo. 'Chloe en ik gaan terug en zorgen voor de financiën voor het geval dat...' Hij draaide zich naar Louise. 'Wat ga jij doen, schat?'

Louise schrok op uit haar ellende. 'Ik blijf hier,' zei ze vastbesloten. 'Brisbane is wel de laatste plek waar ik wil zijn.'

'Ik zal helaas wel terug moeten,' zei Fiona. 'Ik heb overmorgen een belangrijke afspraak. Daar kwam ik net pas achter, ik had het helemaal vergeten. Dat mag ik niet missen – het zou kunnen uitdraaien op een aanbod voor een heel goeie baan.' Ze reikte over de tafel en pakte Mims hand. 'Het spijt me, Mim,' zei ze. 'Ik vind het rot om je alleen te moeten laten, maar het is belangrijk.'

Miriam gaf haar een klopje op de hand. 'Natuurlijk vind ik het niet erg, liefje. Het leven gaat verder en als het zo belangrijk is, moet je natuurlijk gaan. Zolang je maar niet vergeet me maandag in de rechtszaal te komen steunen,' voegde ze eraan toe.

'Gelukkig blijft Louise hier,' zei Jake terwijl hij zijn aktetas pakte. 'Ik wil niet dat Mim alleen blijft.'

'Waar ga jij heen?' vroeg Fiona. 'Terug naar moeder de vrouw?' Ze beet op haar lip. Dat was gemeen om te zeggen en ze schaamde zich er onmiddellijk voor.

Hij keek haar strak aan en trok zijn wenkbrauw vragend op. 'Ze hebben me op kantoor nodig,' zei hij. 'Nu Dempster die tegeneis heeft ingediend, valt er heel wat papierwerk te doen.' Hij strekte zijn hand uit en pakte drie kasboeken. 'Die werpen misschien wat licht op een paar dingen, dus ik neem ze mee om ze door te nemen als ik wat tijd overheb.'

Hij draaide zich naar Miriam. 'Het spijt me dat ik je in de steek moet laten, Mim. Maar als we goed voorbereid willen zijn, dan kan ik niet langer blijven. Die arme Bill staat er al veel te lang alleen voor.'

Een uur later stond Miriam op de veranda en keek toe terwijl haar familie vertrok. Leo reed rustig het erf af terwijl Chloe haar tranen droogde en treurig uit het raam zwaaide. Fiona startte haar luidruchtige motorfiets en verdween na een kushand in Mims richting brullend in dezelfde richting. Ze hadden allemaal een dagboek of een journaal meegenomen en hadden beloofd te zullen bellen zo gauw ze iets vonden.

'Ik geloof dat ik Eric kwijt ben,' zei Jake toen hij terugkwam uit de schuur. 'Pokkenkat. Als je hem nodig hebt is hij er niet.' Hij keek op zijn horloge en ging vervolgens met zijn hand door zijn verwarde haar. 'Ik moet weg,' mompelde hij boos. 'Waar hangt hij verdomme uit?'

Miriam ging in haar gebruikelijke stoel zitten en glimlachte. 'Laat hem hier,' bood ze aan. 'Hij voelt zich hier duidelijk thuis.'

'Maar het is mijn kat,' sputterde hij. 'Het is niet eerlijk om jou daarmee op te zadelen.'

Miriam keek glimlachend op naar Louise en ze wisselden een veelbetekenende blik. 'Hij komt wel terug naar de boerderij als hij daar aan toe is,' zei Miriam. 'Ik neem hem wel voor je mee naar Brisbane.'

Jake keek nog een laatste keer het erf en de omliggende weiden rond. 'Dat moet dan maar,' zei hij zachtjes. Toen grijnsde hij en wreef over zijn kin. 'Dank je, Mim. Het spijt me dat ik je er zo mee overval, maar het is belangrijk dat ik terugga naar kantoor om alles voor maandag voor te bereiden.'

Louise ging naast haar zitten en samen keken ze toe hoe Jake zijn spullen bij elkaar zocht en in de pick-up klom. 'Hij ziet er echt goed uit,' zei Louise zachtjes terwijl ze ten afscheid naar hem zwaaiden en naar het stof keken dat achter de auto opwolkte en weer neerdaalde. 'En hij doet daar helemaal niet verwaand over. Je vraagt je af wat er mis is met hem – het gebeurt niet vaak dat een man zo perfect is.'

Miriam keek haar oudste kleindochter aan en probeerde niet te lachen. Jake was beslist goed in het veroorzaken van opwinding bij de vrouwen in haar familie. 'Hij heeft zo zijn problemen, net als ieder ander. Ik geloof dat hij vreselijk onzeker is als het om iets buiten zijn vakgebied gaat. Hij heeft een vreselijk jeugd gehad, weet je. Zijn vader raakte aan de drank toen zijn moeder stierf en de kinderen werden her en der ondergebracht tot hun grootmoeder ze in huis nam.' Ze glimlachte. 'Ik geloof dat hij vóór zijn scheiding zijn portie ellende al had gehad,' zei ze. 'Maar er gaat een rust van hem uit waar ik wel op gesteld ben, een zekere standvastigheid die ik heel prettig vind.'

'Het is wel aandoenlijk dat hij zo dol is op die rotkat,' zei Louise. 'Jammer dat hij niet hetzelfde voor Fiona voelt.' Ze giechelde. 'Die heeft het zwaar te pakken.'

Miriam hield haar gedachten voor zich. Als Jake en Fiona tegen het einde van het proces nog niet de eerste stappen hadden gezet, moest ze iets ondernemen. Net zo goed als ze ervoor moest zorgen dat haar dochter en Leo weer bij elkaar kwamen. Die waren veel te oud om zich nog als een stelletje verwende kinderen te gedragen. 'Kom op. We moeten gaan lezen. Ik verwacht niet dat we iets zullen vinden, maar we kunnen nergens meer zoeken, dus kunnen we net zo goed verder ploeteren.'

'Je hebt een fout gemaakt,' zei Brigid terwijl ze een glas wijn aannam van haar zoon. 'Je moet je nooit in de kaart laten kijken tot de laatste slag gespeeld is. Ik dacht dat je wel beter wist.'

'Ook al levert het verder niets op, dan nog schrikt het die ouwe taart misschien af,' mompelde hij terwijl hij zich omdraaide en uit het raam keek. De zon glinsterde op het water en windsurfers gleden door de golven. Het uitzicht gaf hem anders veel genoegen, maar vandaag zag hij het nauwelijks.

'Miriam wordt nergens door afgeschrikt,' zei zijn moeder droogjes. 'Ze is taai en wanneer ze in de hoek gedreven wordt, geeft ze niet op – dan komt ze daar knokkend weer uit.'

'Misschien had ik een nog veel hoger bedrag moeten eisen,' snauwde hij. 'We kunnen haar die rechtszaak niet laten doorzetten. Dat ruïneert ons.'

Brigid zette haar glas wijn op de bijzettafel bij haar elleboog. 'Onze reputatie zal zeker schade oplopen. Daarom was het zo belangrijk dat we ons gedeisd hielden tot we zeker wisten dat ze niet genoeg had om ons voor de rechter te slepen.' Ze zuchtte diep en ging met haar hand over het snoer prachtig bij elkaar passende parels om haar nek. 'Zonder bewijs zal de zaak zeker worden geseponeerd – niet eens in behandeling worden genomen en we hebben genoeg contacten bij de pers om te voorkomen dat er gemene reportages verschijnen.'

'En als er wel iets is?' Zijn gewoonlijk zo blozende gezicht was doodsbleek en zijn donkere ogen gloeiden kwaadaardig – en, vermoedde ze, van angst.

'Dat lijkt me hoogstonwaarschijnlijk,' zei ze met een zekerheid die de knagende twijfel overstemde. 'Ralph zou het ons dan wel hebben verteld en dan zouden onze huiszoekingen ook iets hebben opgeleverd.'

'Maar hij zei dat die advocaat iets heeft meegenomen naar Brisbane,' hield Brendt aan. 'Joost mag weten wat het is, of waar het is. Het kantoor wordt afgeluisterd en de klerk heeft een fortuin gekregen om alles wat enigszins van belang is door te geven, maar iedereen houdt zijn mond. Het is zo verdomde frustrerend.'

'Rustig, Brendt.' Brigids toon was ijskoud.

'Ik wou dat grootvader haar in dezelfde mijnschacht had geduwd als haar vader,' mompelde hij. 'Dat zou ons een hoop ellende hebben bespaard.'

Brigid pakte haar glas en nipte van haar wijn. Ze zei niets, maar ze dacht des te meer.

17

Het was een van die perfecte ochtenden en de Brisbane-rivier weerkaatste honderdduizend zonnesterretjes op zijn pad onder de Victoria Bridge. De nieuwe gebouwen op de zuidelijke oever glansden in de ochtendzon en zelfs het drukke verkeer dat via de North Quay de stad binnenstroomde kon niets afdoen aan de schoonheid van het gezang van de fluitekster tussen de bloesem van de bomen op het kleine stukje groen dat uitkeek op de rivier.

Fiona was de eerste die die maandagochtend aankwam en terwijl ze daar op het grasveldje stond en naar het verkeer dat over de brug reed keek, vroeg ze zich af hoe de dag zou eindigen. Haar laatste babbeltje met Mim over de telefoon had haar niet meer duidelijk gemaakt dan dat Mim had besloten eerder van Bellbird te vertrekken en bij Chloe zou logeren. Louise had haar toevertrouwd dat ze vermoedde dat hun grootmoeder zich eindelijk was gaan afvragen of ze wel het juiste deed, en was teruggegaan naar Ralph. De trut wilde nog één keer proberen haar huwelijk te redden.

Fiona ging met haar handen door haar haar – een zenuwtic die niets te maken had met ijdelheid – en trok haar jasje recht. Ze begon het al heet te krijgen in het pak, maar het was het enige fatsoenlijke dat ze had om aan te trekken, want ze liep maandenlang alleen maar rond in spijkerbroeken en t-shirts. Ze stak een sigaret op en terwijl ze probeerde de vogelpoep te ontwijken, ging ze op de hoek van een bank zitten en wachtte. Er was nog bijna een uur te gaan voor ze de zon moest verruilen voor de koele, strenge omgeving van het Hooggerechtshof.

'Jij bent vroeg,' zei Jake en hij ging naast haar zitten.

Geschrokken draaide ze zich om en keek naar hem. 'Verdorie,' zei ze naar adem snakkend. 'Wat zie jij er keurig opgedoft uit.'

Jake friemelde aan het boord van zijn overhemd en aan zijn das. 'Wacht maar tot je me in toga en pruik ziet,' antwoordde hij met een scheef lachje. 'Ik ben absoluut oogverblindend als ik m'n kostuum aanheb.'

Ze giechelde, maar zag toen de tic aan de zijkant van zijn kaak en realiseerde zich dat hij net zo nerveus was als zij. 'Ik wou dat we hier niet mee doorgingen,' zei ze toen ze de pers zich zag verzamelen bij het gerechtsgebouw.

'Ik ook,' antwoordde hij. 'Maar Mim heeft een zaak, al is die dan een beetje wankel, en we moeten ons niet laten verslaan door onze eigen twijfels.' Hij keek haar aan en glimlachte. 'Denk eraan dat we dit voor Mim doen,' zei hij zachtjes. 'Zij is niet bang om te verliezen – ze is alleen maar vastbesloten haar zegje te doen. Wij zijn hier om haar zo goed als we kunnen te steunen.'

Fiona zag hoe de zon de gouden spikkeltjes in zijn ogen deed uitkomen en de blauwzwarte kleur van zijn haar naar voren bracht. Ze schraapte haar keel en keek de andere kant op. Hij was te dichtbij, zijn onderzoekende blik veel te intens – en de manier waarop zij op hem reageerde was veel krachtiger dan ze had beseft. 'Leg me maar eens uit wat er gaat gebeuren,' zei ze nors. 'Ik heb geen idee hoe het werkt bij het Hooggerechtshof.'

Jake zette zijn aktetas op de grond en leunde achterover tegen de leuning van de bank. 'Bij een geding gaat het om een persoon die een onenigheid heeft met een andere persoon of partij en genoegdoening eist. Om het geding te beginnen hebben we een aanklacht ingediend bij het Hooggerechtshof. Mim is de "klager". De erfgenamen van Patrick Dempster zijn de beklaagden – degenen die ervan verdacht worden dat ze Mims rechten op haar erfenis hebben geschonden.'

'Tot nu toe kan ik het wel volgen. Het klinkt niet al te ingewikkeld.'

Jake glimlachte. 'Dat is het ook niet. Maar het juridische jargon wil de leek nog wel eens in verwarring brengen.' Hij ging met zijn hand door zijn haar, waardoor het recht overeind ging staan. 'Als Mims advocaat heb ik een dagvaarding aan Dempster betekend. Hij moet binnen een bepaalde tijd bevestigen dat hij die ontvangen heeft door een bepaald formulier in te leveren dat meestal wordt aangeduid als "een verschijning". Als hij dat niet doet, of andere bezwaren aandraagt, dan wint Mim de zaak automatisch.'

'Maar Dempster heeft dat formulier wel ingeleverd – daarom zijn we hier.' Fiona staarde naar de rivier en keek hoe de veerboot de trossen losgooide en zich een weg stroomopwaarts worstelde. Toeristen stonden aan dek foto's te maken. Ze zou er alles voor over hebben gehad om tussen hen te staan in plaats van hier voor het gerechtsgebouw te zitten wachten. 'Nou, wat gaat er nu gebeuren?' vroeg ze en ze richtte haar aandacht weer op de man naast haar.

'Ik heb verschillende documenten, pleidooien, uitgewisseld met de rechtskundige adviseurs van de Dempsters. Daarbij zat een verklaring van de eis, met een specificatie van de eis en welke genoegdoening er op elk punt wordt geëist. Dempster kan vervolgens zijn verdediging voeren waarin hij elke claim toegeeft of afwijst – en dan kan hij zijn tegeneis indienen.'

'En dat heeft hij gedaan,' zei Fiona bitter. Ze kneep haar ogen dicht tegen de zon. 'Krijgt Mim de kans om haar zegje te doen? Is er zonder de eigendomsakten genoeg bewijs voor een gedegen zaak?'

'Zij is de klager en haar verklaring komt als eerste aan bod. Dempster komt aan de beurt als zij klaar is en zal reageren op de dingen die Mim naar voren heeft gebracht. Mim moet voldoende bewijs aanvoeren om vast te kunnen stellen dat haar argumenten zwaarder wegen dat die van Dempster. Dergelijke bewijsvoering staat bekend als de balans van waarschijnlijkheid.'

Hij haalde diep adem. 'We kunnen ook getuigen oproepen of gebruikmaken van beëdigde verklaringen. Wanneer iedere partij klaar is met zijn uiteenzetting, zal de rechter uitspraak doen, ofwel onmiddellijk, of pas op een latere datum.'

Jake streek zijn haar glad en trok zijn stropdas recht. 'Alle getuigen zijn inmiddels al lang dood. Mim zal het zwaar krijgen, nu ze het in haar eentje moet doen.'

'Er is een getuige,' zei Fiona toen ze beweging aan de andere kant van het grasveld zag. Jake volgde haar blik. 'Daar heb ik aan gedacht,' zei hij zachtjes. 'Maar zij is een getuige van de tegenpartij en is al opgeroepen door de verdediging.'

'Ze zal liegen alsof het gedrukt staat,' siste Fiona.

'Dan is het aan mij om de waarheid boven tafel te krijgen.' Hij glimlachte en liet zijn hand even op haar arm rusten. 'Ik weet dat het een cliché is, Fiona, maar vertrouw op me,' zei hij zachtjes.

Fiona keek hem diep in de ogen en wist dat ze dat zou doen – ondanks alle tekenen die wezen op het tegendeel.

Brigid haalde diep adem voor ze uit de limousine stapte en de pers tegemoet trad. Ze zwermden al vragen schreeuwend om haar heen en de lichten flitsten terwijl de camera's hun werk deden. Ze nam haar meest koninklijke houding aan, legde haar hand in de bocht van Brendts arm en schreed door de menigte op het plein. Ze had niets te zeggen. Brendt had een steek laten vallen – alweer – de pers werd verondersteld vanochtend elders bezig te zijn.

Terwijl ze het standbeeld van Themis passeerden, bedacht ze wrang dat de godin van de rechtspraak niet blij zou zijn met de gebeurtenissen van vandaag. Maar de drie stenen pilaren met het wapen van Queensland en een serie plaquettes waarop het ontstaan en de geschiedenis van het Hooggerechtshof van Queensland uiteen werden gezet, waren voldoende om haar weer tot nadenken te stemmen. Want de macht van de wet hing als het zwaard van Damocles boven hun hoofd en hoewel ze op alle eventualiteiten was voorbereid, stond ze niet te trappelen om die plannen uit te voeren.

Toen ze eenmaal in de rustige foyer van het gerechtsgebouw en door de detectiepoort waren, nam ze haar hand van zijn arm en zette haar keurige hoedje met de voile recht. 'Ik dacht dat je een afleidingsmanoeuvre had bedacht?' siste ze.

'Een bankier met de broek op zijn knieën is blijkbaar niet genoeg meer om ze af te leiden,' zei hij grimmig terwijl hij zijn das goed deed. Toen glimlachte hij voor het eerst in dagen. 'Black heeft z'n geld wel verdiend.'

Brigid glimlachte ijzig terwijl ze met haar vingers over het parelsnoer om haar nek ging. De foto's waren zeker choquerend en de reputatie van de man was voor altijd naar de maan – een verdiende straf voor zo'n blaaskaak. 'Je had die pedofiele advocaat moeten nemen – dat is een veel beter doelwit voor de pers.'

'Die heb ik nog nodig,' zei Brendt terwijl hij naar de verzamelde menigte keek. 'De bankier kon worden gemist, de advocaat kunnen we een andere keer gebruiken.' Hij ging met zijn hand over zijn zijden das. 'Ik zie dat onze familie op volle sterkte is komen opdagen om ons te steunen,' zei hij zuur.

'Je kunt geen omelet maken zonder eieren te breken,' zei Brigid vinnig. 'Wat had je dan verwacht, Brendt? Je hebt in de loop der jaren de hele familie van je vervreemd. Je kunt niet verwachten dat ze nu ineens achter je komen staan.'

'Ik vecht hier voor het voortbestaan van het bedrijf,' siste hij. 'Je zou toch verwachten dat er tenminste een paar waren die belangstelling hebben.'

Brigid haalde haar schouders op. Net als de rest van de familie had ze een flink kapitaal in trust. De uitslag van het proces zou niemand schaden, behalve Brendt die te trots was geweest om naar goede raad te luisteren en al zijn geld in Shamrock Holdings had gestopt. 'Arabella heeft blijkbaar andere afspraken,' zei ze zachtjes. 'Ze stelt me teleur.'

'Mijn vrouw komt heus wel,' mompelde hij boos. 'Zij weet tenminste waar haar trouw ligt.'

Brigid deed er het zwijgen toe. Arabella was een vrouw naar haar hart, een vrouw die tijdens haar huwelijk een kapitaal opzij had gelegd en het geld verstandig had geïnvesteerd. Brendt zou geschokt zijn geweest als hij had geweten hoe rijk en onafhankelijk zijn vrouw was. En wat trouw betrof – ze was alleen maar trouw aan zichzelf en aan haar kinderen. Brigid begreep haar beter dan ze zichzelf vermoedelijk begreep en als de uitkomst van het proces Shamrock Holdings zou beschadigen, dan zou Arabella de eerste rat zijn die het zinkende schip verliet.

Brigid realiseerde zich dat ze in clichés dacht, schudde die gedachten van zich af en bereidde zich voor op de dag die voor haar lag. Ze verstijfde toen mensen in de richting van een plotselinge bedrijvigheid keken. De tegenpartij was gearriveerd.

Miriam stapte door het detectiepoortje en zag haar meteen. Ze beantwoordde Brigids kritische blik met een hooghartige blik van haarzelf en voelde lichte voldoening toen de andere vrouw de eerste was die het oogcontact verbrak.

'Hoe voel je je, Mim?'

Ze keek op naar Jake en glimlachte van verrukking toen ze zag hoe knap hij eruitzag met zijn pruik op en wapperende toga aan. 'Ik heb m'n pillen ingenomen en een stevige whisky gedronken. Ik heb me nog nooit zo goed gevoeld,' antwoordde ze. Dat klopte ook, vreemd genoeg, realiseerde ze zich. Want ondanks het feit dat ze verzwakt was, stond ze te trappelen om haar dag in de spotlights te beleven. Ze kon niet wachten en barstte van verlangen naar wat er komen zou.

'Waar zijn Leo en je dochter?' zei hij terwijl hij met zijn ogen de menigte afzocht. 'Aangezien je bij hen logeert, had ik gedacht dat ze je wel hierheen zouden brengen.'

'Ik heb afgelopen nacht in een hotel geslapen. Ik denk dat Chloe de tijd weer eens vergeten heeft,' zei ze luchtig. 'Ze is nooit iemand geweest die op de tijd lette, die dochter van mij.' Ze klopte hem op de arm. 'Geen zorgen, Jake,' zei ze sussend. 'Ze komen heus wel.'

'Wat heb je met Eric gedaan?' vroeg hij terwijl hij aan zijn pruik friemelde.

Miriam had gehoopt dat hij dat niet zou vragen. 'Kon hem niet vinden,' zei ze. 'Maar het komt wel goed. Maak je niet ongerust.'

Jake kreeg niet de kans om te antwoorden omdat de griffier van het hof om aandacht vroeg. 'Iedereen die betrokken is bij de zaak Strong tegen Dempster wordt verzocht plaats te nemen in de rechtszaal.'

'We zijn aan de beurt,' zei Jake zachtjes en hij nam haar bij de arm. 'Weet je zeker dat je dit wilt doorzetten?'

Miriam ging met haar hand over haar pasgewassen haar. 'Zeker weten. Ik ben niet voor niks dat hele eind gekomen. Wijs de weg, Jake. We gaan er tegenaan.'

Miriams hart ging tekeer toen ze op de stoel naast Jake ging zitten. Ze keek toe hoe de rechtszaal volliep en zag met genoegen het aantal verslaggevers dat op de perstribune zat samengeperst. Ze voelde een warme gloed door zich heen trekken toen ze Louise achter Fiona zag binnenkomen en ze een plaatsje zochten in de rijen achter de tafels van de advocaten. Haar kleindochter was blijkbaar zonder haar echtgenoot gekomen. Was dat een goed teken? Ze hoopte van wel. Ze glimlachte sereen en deed haar best er ontspannen uit te zien ondanks de afwezigheid van Chloe en Leo.

Ze wendde haar woedende blik naar Brendt en zijn moeder die met hun advocaat in conclaaf waren. Haar zenuwen waren tot het uiterste gespannen en de adrenaline joeg zo door haar aderen dat ze er licht van in haar hoofd werd. En toch was dit waar ze bijna haar hele leven op had gewacht – ze was vastbesloten het tot het einde vol te houden.

'De rechter is de edelachtbare Fradd-Gilbert,' zei Jake zachtjes. 'Ze is recht door zee en wordt als eerlijk beschouwd. Dempsters advocaat wilde dat de zaak achter gesloten deuren behandeld zou worden, maar dat heeft ze geweigerd omdat het publiek er recht op heeft alles te horen wanneer een groot bedrijf wordt verdacht van malversaties.' Hij pakte de revers van zijn zwarte toga beet. 'We hadden ook om een jury kunnen verzoeken, maar ik denk dat we met alleen een rechter beter af zijn – minder kans op omkoping.'

Alsof ze op dat moment had gewacht, kwam de rechter binnen door een zijdeur en iedereen ging staan totdat zij had plaatsgenomen. Ze was een lange, magere vrouw van onbestemde leeftijd. Ze nam het gezelschap op over de rand van haar halvemaanvormige bril. 'Als u zo vriendelijk zou willen zijn om te beginnen, meneer Connor. Ik heb begrepen dat uw cliënt kampt met haar gezondheid, dus ik heb voorzorgsmaatregelen genomen.'

Jake bedankte haar, leidde Miriam naar de getuigenbank en liet haar plaatsnemen.

Miriam keek hem aan en knipoogde. Het was Jakes idee geweest om gebruik te maken van haar zwakke gezondheid en ze had eerst geweigerd, tot ze inzag dat het wel verstandig was – en nu was ze er dankbaar voor dat ze niet zou hoeven te staan terwijl ze haar verklaring gaf. Ze legde de eed af en leunde achterover, handen losjes gevouwen op haar knieën.

Jakes heldere, zware stem galmde door de doodstille rechtszaal. 'Mevrouw Strong, zou u willen beginnen met te vertellen waarom u hier bent?'

Miriam keek naar de andere kant van de zaal, naar Brigid en haar zoon. Ze zaten naast elkaar met een gezicht waar niets aan af te lezen viel, omringd door hun advocaten. 'Ik ben hier om te bewijzen dat ik recht heb op de helft van het kapitaal van de familie Dempster,' zei ze vastberaden.

Jake wachtte tot het geritsel en geroezemoes was weggestorven. 'Misschien kunt u uw claim verduidelijken door ons het verhaal achter dat recht te vertellen?'

Miriam nam een slok water en zette het glas terug naast de kleine kan op de plank naast haar. Ze begon te spreken en ze herinnerde zich het verleden zo helder alsof alles nog maar een paar uur daarvoor was gebeurd. Ze vertelde alles wat er in die kinderjaren was voorgevallen, over de ontberingen, het delen van vondsten en eten en onderdak. De verbintenis die ontstond met Patrick en zijn familie en uiteraard die met Kate.

'Mijn vader en Patrick Dempster waren compagnons,' zei ze ten slotte. 'Patrick had ervaring in het mijnwerkersvak door zijn jaren in de mijnen in Wales en mijn vader had het geld om het hele project te financieren – in ieder geval een tijdje. Het geld raakte al snel op, maar mijn vader verdiende voldoende met zijn schilderijen om ons allemaal tot de volgende vondst te kunnen onderhouden.'

Ze glimlachte triest. 'Het zoeken naar goud en edelstenen was toen al een verslaving geworden,' vertelde ze. 'Er waren altijd andere goudvelden, een volgende mijn, een nieuwe kans om fortuin te maken. Australië was in de greep van een race naar rijkdom – een rijkdom die verborgen lag in de aarde en voor het grijpen lag als een man maar volhardend genoeg was.'

'Dus het compagnonschap tussen Patrick en uw vader was welbekend onder de goudzoekers?'

Miriam knikte, terwijl ze wist wat er zou komen. 'Geen van beiden deed er geheimzinnig over.'

Jake overhandigde het dagboek van Kate als bewijsstuk nummer één en verklaarde Kates relatie tot Henry en Miriam. 'Wilt u alstublieft het stuk uit juli 1894 voorlezen?'

Miriam voelde Kates aanwezigheid toen ze het beduimelde dagboek aannam en het naar het licht draaide. Het was alsof ze naast haar stond en de woorden las die ze zo lang geleden had geschreven – een eenzame getuige van gebeurtenissen die zoveel pijn zouden veroorzaken.

Ik ben er vandaag achter gekomen dat mijn liefste Henry een compagnonschap is aangegaan met Paddy Dempster. Hij heeft me zelfs de officiële papieren daarvan laten zien en de akten van hun concessie en hij is ervan overtuigd dat die hem zullen beschermen als er iets gebeurt. Ik ben wanhopig, maar wat kan ik doen? Hij heeft na zoveel duisternis weer hoop gevonden – en hij wil alleen maar een leven voor zichzelf en kleine Miriam. Ik bid dat Patrick een eerlijke compagnon zal zijn, maar wetend wat ik weet, vrees ik het ergste.

'Waarom vreesde Kate het ergste?' vroeg Jake.

'Kate was het jaar voor ze naar Australië vertrok in Dublin. Patrick ook. Ze was er getuige van dat Patrick een moord beging,' zei Miriam.

De rechtszaal stond op zijn kop. De advocaten van de verdediging sprongen overeind en schreeuwden hun protesten, Brendt stond te roepen en met zijn armen te zwaaien en de pers zat aantekeningen te maken alsof hun leven ervan afhing. Brigid zat stijf rechtop op de harde houten bank en juist het feit dat ze zo roerloos zat, isoleerde haar van de chaos om haar heen terwijl de rechter om stilte hamerde.

'Heeft u enig bewijs voor deze beschuldiging?' Rechter Fradd-Gilbert tuurde over haar brillenglazen naar Miriam.

'Geen enkel,' gaf Miriam toe. 'Alleen wat Kate me heeft verteld en zij loog niet.'

'Niet toelaatbaar,' oordeelde de rechter. Ze keek woedend naar Jake. 'Wilt u er alstublieft voor zorgen dat uw cliënt zich beperkt tot bewijzen die haar eis ondersteunen, meneer Connor. U hebt voldoende ervaring om te weten dat geruchten niet als zodanig kunnen worden toegelaten.'

Dat gaf Jake toe en hij rommelde wat in zijn papieren tot het lawaai wegstierf en er een verwachtingsvolle stilte viel. 'Mevrouw Strong, wilt u het hof vertellen wat er kort na uw twaalfde verjaardag voorviel?'

Miriam sloot haar ogen en vermande zich. Ze haalde diep adem en staarde naar de bank met advocaten terwijl ze vertelde over de gebeurtenissen op die vreselijke dag.

'Het lichaam van mijn vader is nooit gevonden,' zei ze ten slotte. 'Kate heeft haar bezittingen ingepakt en we zijn de volgende ochtend vroeg vertrokken. Ik begreep toen niet waarom ze zo'n haast had, maar nu snap ik dat wel.'

'En waarom was dat?' drong Jake aan.

Miriam dacht zorgvuldig na over hoe ze haar antwoord zou formuleren. De rechter had al geweigerd naar geruchten te luisteren, maar het was belangrijk dat ze de waarheid wist over te brengen. 'Vanwege haar verdenkingen en vanwege de gewelddadige manier waarop Patrick haar al eerder had behandeld,' begon ze. 'Kate vreesde voor mijn veiligheid.'

De verdediging stond al te protesteren.

De rechter verwierp de protesten. 'Laten we hiernaar luisteren tot ik vind dat het niet langer toelaatbaar is,' zei ze.

Miriam vertelde het hof over Patricks poging tot verkrachting en Jake presenteerde Kates dagboek waarin ze de gebeurtenissen van die vreselijke nacht aan boord van de *Swallow* had opgetekend. 'Patrick werd door haar geobsedeerd, maar moet hebben beseft dat zij en mijn vader verliefd op elkaar aan het worden waren. Hij heeft niet geholpen bij de zoektocht naar mijn vader en heeft ook geen enkele emotie getoond omtrent zijn verdwijning. Maar ik was er bij toen hij Kate bedreigde over de akten van de mijn. Ziet u, hij beweerde dat die uitsluitend van hem was en hij vermoedde dat Henry ze aan Kate had gegeven om te bewaren.'

Ze zweeg verblind door tranen en keek omlaag naar haar handen. 'Hij raasde en tierde en maakte ons allebei bang, maar Kate wist niets van die eigendomspapieren. De tent van mijn vader was doorzocht, maar de papieren waren daar duidelijk ook niet opgedoken. We konden niet bewijzen dat de mijn níét van Patrick was en als Kates vermoedens over mijn vaders verdwijning juist waren, dan liep ik ook gevaar. Daarom vertrokken we.'

Jake leidde haar door een beknopte versie van haar levensverhaal na de verdwijning van haar vader en kwam ten slotte uit bij de dag dat ze zijn advies vroeg. 'Waarom hebt u contact met me opgenomen, mevrouw Strong? Wat heeft u, na al die jaren, ertoe doen besluiten dat u kon bewijzen dat u recht hebt op een deel van het fortuin van de Dempsters?'

'Ik heb iets gevonden wat alleen maar van dat laatste goudveld af-komstig kan zijn. Iets wat Dempster een extra reden voor moord zou hebben gegeven.'

Alle ogen waren op Jake gericht toen hij de speeldoos uit de doos onder de tafel haalde en hem omhooghield. 'Is dit wat u vond?'

Miriam zag dat Brendt zichtbaar ontspande en deed haar best om niet te glimlachen. 'Ja,' zei ze. 'Maar het was wat ik in het geheime laatje vond dat me u deed bellen.'

'Dat kunt u beter maar even uitleggen,' zei Jake terwijl hij een snelle blik wierp in de richting van de verdediging die erop gebrand was protest aan te tekenen.

'Voor ik dat doe,' zei Miriam die vastbesloten was van elke minuut van dit verhoor te genieten, 'zou ik eerst iets uit een later dagboek van Kate willen voorlezen. Dat is geschreven in 1911, vlak voor ze ver-trok voor haar laatste, gedoemde reis.' Ze opende het dagboek en in de stilte klonk haar stem helder en vast terwijl ze de in het bekende vloeiende handschrift geschreven tekst op de vergeelde pagina's voor-las.

Ik heb de werkelijke waarde van Henry's nalatenschap ontdekt en na lang nadenken besloten niet meer te doen dan het aan Miriam te geven als ze eenentwintig wordt. Oude haatgevoelens kunnen maar beter blijven rusten en ik wil dat mijn lieve schat van de toekomst geniet. Haar vader heeft me zijn geheim toevertrouwd, en tot nu toe heb ik, als zoveel anderen, gedacht dat dat vrijwel niets waard was. Ze zal me misschien niet bedanken voor het feit dat ik zijn nalatenschap zo lang geheim heb gehouden, maar ik hoop dat de muziek van de Harlekijn vrede en begrip zal bren-gen voor haar gekwelde ziel en dat ze me uiteindelijk zal kunnen vergeven.

Jake zette de speeldoos met de Harlekijn op de brede plank bij de ge-tuigenbank. 'Prima gedaan,' zei hij zachtjes. 'Ik heb het teruggestopt waar het eerst zat en zoals je ziet heb ik de speeldoos laten repareren.' Hij draaide zich om en zei luid: 'Wilt u het hof alstublieft laten zien wat u in deze speeldoos hebt gevonden, mevrouw Strong?'

Miriams handen beefden toen ze op het kleine knopje in de bodem van de speeldoos drukte en zag hoe de la opengleed. Ze pakte wat er op het rode fluweel lag en hield het omhoog.

Er ging een zucht door de zaal die klonk als een bries door een maïsveld.

Miriam keek naar de Dempsters. Ze wisten wat het was, en wat het betekende – dat zag ze aan de asgrauwe gezichten en de geschokte blik in hun ogen.

Ze liet de edelsteen nog een keer aan het fijne gouden kettinkje heen en weer slingeren, voor ze hem tussen duim en wijsvinger pakte. Hij was bijna vijftien centimeter lang en tussen de zeven en tien centimeter breed en perfect geslepen en gepolijst.

'Dit is een zwarte opaal die uitsluitend wordt gevonden op een plek die ik ken als Wallangulla. U zult die kennen als Lightning Ridge,' legde ze uit. 'Maar het is geen gewone zwarte opaal, zoals u zich ongetwijfeld hebt gerealiseerd.'

Ze glimlachte en was zich ervan bewust dat ze ieders aandacht had. Ze bewoog de opaal in het licht en liet de kleuren op de oppervlakte dansen. 'Je kunt tegen het zwart alle kleuren uit het spectrum zien. Er zitten zelfs stukjes roze in – de zeldzaamste kleur van allemaal – maar dat is niet de enige reden dat deze opaal zo ontzettend kostbaar is.'

Ze hield hem omhoog en keek bewonderend naar de manier waarop hij glansde en de kleuren in het licht leken te verschuiven. 'Dit is waar legendes over ontstaan,' zei ze zachtjes in de ingevallen stilte. 'Want dit is zo zeldzaam dat maar een paar uitverkoren mensen er ooit een hebben gezien. Zo zeldzaam dat er mensen zijn die geloven dat een dergelijke edelsteen helemaal niet bestaat, behalve in de verbeelding van oude goudzoekers.'

Ze keek naar haar kleindochters en zag hun verbijstering. Ze zag haar dochter binnenkomen en na vluchtig oogcontact draaide ze zich weer om en zag Brigids blik vol pure haat op zich gericht. Miriam keek recht in het gezicht van de andere vrouw toen ze weer begon te spreken. 'U zult het daarvandaan niet kunnen zien, maar de kleuren hebben een patroon. Hetzelfde patroon als dat van de kleren van een van deze dansende figuren.'

Ze deed de speeldoos open en de dansers begonnen te draaien op het ritme van de pakkende muziek. Ze liet haar publiek, als een actrice, even wachten – het draaide allemaal om timing en ze wilde het juiste moment uitkiezen. Toen de muziek wegstierf en de laatste klanken van het refrein in de stilte vervlogen keek ze opnieuw in de richting van het publiek in de rechtszaal.

'Dit, dames en heren, is een Zwarte Harlekijn.'

'Dat bewijst helemaal niks,' schreeuwde Brendt terwijl hij de waarschuwende hand van zijn advocaat afschudde en uit zijn stoel overeind schoot. 'Je vader heeft hem waarschijnlijk uit de mijn gestolen.'

'Stilte,' commandeerde de rechter terwijl ze met haar hamer sloeg.

Er heerste totale opwinding in de rechtszaal; mensen schreeuwden door elkaar, verslaggevers gingen ervandoor en vochten zich een weg naar buiten om bij een telefoon te komen.

Brendt liet zich niet het zwijgen opleggen. 'Die Harlekijn kan Kate wel op de kop hebben getikt tijdens haar handel met een van de andere mijnwerkers in Lightning Ridge – waar is je bewijs dat het uit mijn goudvelden komt? Nou, vertel op!' schreeuwde hij. 'Bewijs het dan, ouwe tang.'

'Ik eis orde in de rechtszaal,' riep de rechter boven de kakofonie uit. Ze sloeg herhaaldelijk met haar hamer tot er opnieuw een opgewonden stilte intrad. Ze vouwde haar handen voor zich op haar bureau en keek woedend de zaal in. 'Ik wens dergelijke onderbrekingen niet te tolereren,' zei ze streng tegen de verdedigers. 'Wilt u uw cliënt erop wijzen dat ik dergelijke taal niet wens te horen in mijn rechtszaal. Hij krijgt later de kans om zijn zegje te doen. Als er nog een keer zo'n uitbarsting komt, beschouw ik dat als belediging van het hof en gaat hij eruit.'

Fiona zat op het puntje van haar stoel en haar handen omklemden het gladgewreven hout. Mim zag er vermoeid, maar euforisch uit en leek helemaal niet onder de indruk van Brendts uitbarsting. Het was alsof ze erop had gerekend – en een antwoord had op zijn beschuldigingen. Maar hoe zou dat kunnen? De dagboeken van Kate waren toch zeker niet voldoende bewijs? Ze keek naar Jake die er kalm uitzag en alles onder controle leek te hebben. Ze wisselden een blik en ze deed haar best zich te ontspannen.

De rechter leunde achterover in haar stoel. 'Meneer Connor, u kunt verdergaan.'

'Dank u, edelachtbare,' zei hij met een stijf buiginkje. Hij wendde zich weer tot Mim en vroeg haar uit te leggen waarom ze er zo zeker van was dat de Zwarte Harlekijn afkomstig was uit haar vaders mijn.

'Ik heb hier Kates registers,' zei ze. Ze pikte er een uit en hield die omhoog. 'Kate hield heel nauwgezet bij welke edelstenen ze kocht. Ze hield een register bij van elk goudveld dat ze bezocht. Ze noteerde de naam van de goudzoeker, het aantal stenen, de kwaliteit ervan en de prijs die ze betaalde. Ze voegde daar details aan toe over de kosten van het snijden en slijpen en, in enkele zeldzame gevallen, van het zetten in goud of zilver.' Mim likte haar lippen voor ze nog een slok water nam. 'Vervolgens noteerde Kate de verkoop van die edelstenen en de naam van de koper.'

'En staat de Zwarte Harlekijn ergens in de boeken?'

'Niet met zoveel woorden,' gaf ze toe. 'Maar ik heb wel een aantekening dat mijn vader haar de avond voor hij verdween een pakketje opalen heeft gegeven.'

Ze opende het register met LIGHTNING RIDGE op de kaft en wees op een notitie halverwege de pagina. ' "Pakket met twaalf opalen. Henry Beecham, 12 mei 1906. Kwaliteit onbekend, maar waarschijnlijk niks waard." '

Fiona zag hoe Brendt rusteloos heen en weer schoof op de harde bank, keek toe terwijl hij druk in het oor van zijn advocaat zat te fluisteren en zag vervolgens diens afwijzende antwoord en de kalmerende hand op zijn arm. Ze glimlachte, blij om hem te zien lijden.

'Waarom zou een vrouw met Kates ervaring denken dat deze onbetaalbare steen waardeloos was?' zei Jake. 'Vandaag de dag zou hij honderdduizenden dollars per karaat opbrengen!'

'U moet niet vergeten dat dit allemaal plaatsvond aan het begin van de eeuw. De goudzoekers hadden bij White Cliffs en Coober Pedy de vrij gewone opaal ontdekt, wat wij de glasopalen noemen. De zwarte opaal was onbekend tot de mijnwerkers de exemplaren bij Lightning Ridge vonden. Omdat ze bijzonder waren en omdat er geen markt voor was, namen de opkopers een risico. Dat risico bleek later natuurlijk de moeite waard, maar op dat moment wist nog niemand wat hij ermee aan moest.'

'Wat zou verklaren waarom ze hem zo lang hield,' veronderstelde Jake.

Miriam knikte. 'Nu ik haar dagboeken heb gelezen, denk ik dat Kate besloten had ze voor mij te bewaren. Het was de enige erfenis die mijn vader me na kon laten. Ze heeft zich pas veel later gerealiseerd wat die stenen waard waren – en heeft toen besloten ze te slijpen en te polijsten als cadeau voor mijn eenentwintigste verjaardag.'

'Hebt u de andere opalen, mevrouw Strong?'

Miriam deed opnieuw een greep in de speeldoos en hield ze omhoog. 'Kate heeft er een paar prachtige oorhangers, een armband en een ring van gemaakt. Deze sieraden alleen al zijn zeer onlangs getaxeerd op twee miljoen dollar.'

Fiona zakte onderuit in haar stoel. De schok benam haar de adem. 'Wel verdomme,' zei ze ademloos. Ze ving Louises blik op en ze keken elkaar vol ongeloof aan.

Haar verraste uitroep werd overal in de zaal herhaald terwijl de mensen tot zich door lieten dringen wat Miriam net had verteld.

Jake wachtte opnieuw tot de zaal tot rust was gekomen. 'Deze juwelen vertegenwoordigen op zich al een fortuin, mevrouw Strong. Waarom eist u een deel van de rijkdom van de familie Dempster?'

Miriam legde de sieraden zorgvuldig op de plank voor haar en liet ze fonkelen en gloeien in de straal zonlicht die door een van de hoge ramen naar binnen viel. 'Deze opalen zijn gevonden bij Shamrock Flats, de concessie die mijn vader en Patrick Dempster in 1904 namen. Mijn vader verdween vóór die concessie een van de rijkste van Lightning Ridge bleek te zijn. Rond 1914 waren de zwarte opalen van Lightning Ridge beroemd geworden. Ze werden als bijna onbetaalbaar beschouwd vanwege hun zeldzaamheid. Shamrock Flats werd toen nog steeds geëxploiteerd door Patrick Dempster en hun huidige rijkdom komt voort uit wat daar is gevonden.'

Ze raakte voorzichtig elk van de prachtige juwelen aan, terwijl er tranen in haar ogen schitterden. 'Deze vertegenwoordigen maar een klein deel van het fortuin dat Patrick Dempster en zijn familie van mij hebben gestolen en ik ben hier vandaag om mijn rechtmatige erfenis op te eisen.' Ze knipperde met haar ogen en ging staan. 'Mijn vader heeft nooit de kans gekregen om zijn rechten op te eisen, maar ik kan mijn stem nog laten horen en ik eis gerechtigheid.'

Fiona keek aandachtig toe hoe Miriam haar ogen afveegde en haar neus snoot. Er was iets aan de houding van haar grootmoeder wat niet klopte, maar ze kon er niet de vinger op leggen. Toch had ze het sterke vermoeden dat Mim maar deed alsof – dat ze iets van plan was.

Het leek Jake ook op te vallen, want hij liep naar de getuigenbank en had even een onderonsje met haar voor hij zich weer tot de volgepakte rechtszaal wendde. 'Mevrouw Strong,' begon hij, 'u hebt het hof verteld dat u gelooft dat uw vader en Patrick Dempster compagnons waren en dat dit zou blijken uit het bezit van de eigendomsakten van Shamrock Flats.'

Hij keek de rechtszaal rond. Er was een doodse stilte gevallen.

'Hebt u die akten, mevrouw Strong?'

Miriams gezicht was doodsbleek. Ze zwaaide heen en weer toen ze probeerde te staan en zakte vervolgens in elkaar.

'De zitting is verdaagd,' zei de rechter terwijl Jake zich naar Miriam haastte. 'Laat me weten wanneer mevrouw Strong voldoende hersteld is om verder te gaan,' voegde ze eraan toe terwijl ze de zaal uit schreed.

Fiona en de anderen voegden zich bij Jake terwijl hij Miriam in zijn armen nam en haar door een zijdeur de zaal uit droeg. Ze haastten zich achter hem aan terwijl hij een kleine hal overstak en een kamer binnenging met het opschrift 'jury'.

Miriam werd op een bank gelegd met een kussen onder haar hoofd. Fiona en de anderen dromden om haar heen, geschrokken van hoe ze eruitzag en bang dat het proces te veel was gebleken voor deze dappere matriarch.

Miriam opende haar ogen en nam dankbaar een slokje uit het glas dat Chloe voor haar vasthield. 'Geef me een van mijn pillen,' commandeerde ze. 'En maak je niet zo druk. Ik ben alleen maar flauwgevallen.'

'Je weet de momenten wel uit te pikken,' zei Jake zachtjes met een genegenheid die geen van hen verbaasde. 'Met een dergelijk gevoel voor timing hoor je op het toneel thuis.'

Miriam trok een wenkbrauw op en keek hem woedend aan. 'Ik val niet flauw op bevel,' zei ze boos. Ze wuifde met een koninklijk gebaar met haar hand. 'Laat me alleen,' beval ze. 'Ik heb rust nodig en jullie verstikken me.'

'Mam,' protesteerde Chloe. 'Je hebt ons de stuipen op het lijf gejaagd. We kunnen je nu niet alleen laten. Stel je voor dat het weer gebeurt.'

Miriam keek ontstemd hoe ze om haar heen draaiden. 'Oké,' zei ze met tegenzin. 'Jij mag blijven, Chloe. De rest van jullie, eruit, en laat me met rust.'

Fiona had het gevoel dat er iets niet klopte. Er hing iets in de lucht, iets ongrijpbaars, en ze had geen idee wat.

Ze bleef nog even rondhangen, maar werd al snel met zachte hand, maar vastberaden de kamer uitgestuurd door haar vader. 'Het komt wel goed,' zei Leo. 'Kom op, meiden, ik betaal de lunch, al heb ik geen idee wat de kantine hier voor vreselijks te bieden heeft.'

'Dat hoeft niet,' zei Jake terwijl hij hen voorging naar een kamer apart, verderop in de gang. 'Ik heb geregeld dat de lunch hier gebracht wordt.'

De kamer baadde in zonlicht dat weerkaatste op het zilveren bestek en het kristal. Jake maakte een fles chardonnay open terwijl de rest opschepte van de heerlijke koude visschotels en aan tafel ging zitten.

'Dank je dat je Mim daarnet gered hebt,' zei Fiona terwijl ze naast hem ging zitten. 'En hiervoor,' voegde ze daaraan toe en ze knikte in de richting van de uitgebreide maaltijd. 'Je schijnt overal aan te denken.' Ze keek hem vanonder haar wimpers aan. 'Is er iets wat je niet kunt?'

Hij glimlachte. 'Meer dan genoeg,' antwoordde hij zachtjes. 'Daar kunnen we het misschien later eens over hebben?'

Fiona ging met haar hand door haar haar. 'Ik vertrek binnenkort,' zei ze. 'Dus dan moet je wel opschieten.'

'Vertrekken?' Zijn hand was onderweg naar zijn vork en bleef halverwege hangen. 'Waar ga je heen?'

Fiona concentreerde zich op haar eten. Het was waarschijnlijk heerlijk, maar het smaakte nergens naar. 'Ik heb een nieuw contract met *National Geographic*,' zei ze ten slotte. 'Ze willen dat ik een serie doe over de verdwijnende koraalriffen. Ik vertrek binnenkort voor een duikcursus en dan moet ik nog leren omgaan met een onderwatercamera.' Ze draaide zich naar hem toe en keek hem aan, een stralende glimlach op haar gezicht geplakt om alle emoties die ze voelde te verbergen. 'Het is een geweldige opdracht. Ik kan bijna niet wachten.'

Zijn uitdrukking verried niets, maar aan zijn ogen was te zien hoe teleurgesteld hij was. 'Waar is die duikcursus?'

'Ten noorden van Cairns,' antwoordde ze. 'Het eerste artikel gaat over het Great Barrier Reef.' Ze kwam tot de conclusie dat ze de schijn niet langer kon ophouden. Ze was het niet van plan geweest en het kwam erg ongelegen, maar ze kon niet langer ontkennen dat ze stapelgek was op deze man en ze kon haar gevoelens niet langer verbergen. Wat was er trouwens zo leuk aan vrijgezel zijn? Waarom zou ze het er niet op wagen en eens zien hoe ze met elkaar konden opschieten? 'Het is niet zo ver. Waarom kom je niet op bezoek?'

Hij hield zijn hoofd schuin, de humor keerde terug in zijn ogen en speelde weer om de hoeken van zijn expressieve mond. 'Misschien doe ik dat wel,' zei hij zachtjes.

Brendt liep te ijsberen in het kantoor van zijn advocaat. 'Ze heeft de eigendomspapieren niet,' snauwde hij. 'En ze heeft die verdomde dingen nooit gehad ook. Ze probeert alleen maar tijd te rekken.'

Arabella, die vlak voor Miriam flauwviel in de rechtszaal was gearriveerd, sloeg haar slanke benen over elkaar en stak een sigaret op. 'Rustig maar, schat,' zei ze lijzig; haar Engelse klinkers klonken zo anders dan die van degenen die haar omringden. 'Je bezorgt jezelf nog een hartaanval.'

'En waar heb jij vanochtend uitgehangen?' viel hij naar haar uit terwijl hij zich razendsnel omdraaide om haar aan te kunnen kijken. 'Ik zou toch hebben gedacht dat je loyaliteit ten opzichte van mij en van het bedrijf belangrijker was dan wat dan ook.'

'Ik had wat te doen,' zei ze op haar deftige manier. 'Ik ben er nu. Dus maak je niet zo druk.'

Brendt wendde zich tot Brigid. 'Miriam bluft, hè?' wilde hij weten. Hij wilde gerustgesteld worden.

Brigid haalde haar schouders op. 'Ze stortte anders behoorlijk overtuigend in,' zei ze bedachtzaam. 'Ze is in principe een eerlijke vrouw.' Ze klonk zuur toen ze dat toegaf. 'Haar slechte gezondheid in aanmerking genomen, zou het best kunnen dat de hele zaak haar te veel is geworden en ze daarom niet verder kon met haar leugens.'

Brigid staarde voor zich uit en herinnerde zich de tijd dat ze allebei nog jonge vrouwen waren op die vreselijke school. Miriam had toen laten zien dat ze wilskrachtig en vasthoudend was, net zoals ze dat vandaag had gedaan — vreemd dat ze zo gemakkelijk het bijltje erbij neergooide terwijl haar zaak er zo sterk voor leek te staan.

Ze raapte haar gedachten bij elkaar en stak haar kin vooruit. 'Ik denk dat het allemaal binnen een paar minuten voorbij is als we de rechtszaal weer instappen. De rechter zal uitspraak doen in ons voordeel en dat is het dan.'

'Nee, dat is het niet,' brieste Brendt. 'Ik zal dat kreng haar laatste cent afhandig maken voor wat ze vandaag heeft gedaan. Ze zal van geluk mogen spreken als ze met de kleren aan haar magere lijf hier vandaan komt.'

Brigid keek haar zoon met afkeer aan. Brendt was altijd al een slecht verliezer geweest — dat was een van de trekjes die hij van zijn grootvader Patrick had geërfd — en ze voelde er niets voor hun naam nog verder door het slijk gehaald te zien worden. 'Als je besluit die aanklacht wegens smaad door te zetten, zul je dat alleen moeten doen,' zei ze ijzig. 'Ik heb mijn ontslagbrief al bij de raad van commissarissen ingeleverd. Ik ben nu gepensioneerd, met ingang van hedenmorgen.'

Hij keek haar met wijd open mond aan en zijn ogen werden groot terwijl alle kleur uit zijn gezicht wegtrok. 'Waarom?' bracht hij moeizaam uit.

'Als je daar een antwoord op moet hebben, Brendt, dan heb je niets opgestoken van wat ik je in al die jaren heb geleerd.' Ze pakte haar handtas en verliet de kamer.

Chloe en Miriam kwamen op hetzelfde moment dat Brigid de deur verderop in de hal dichtdeed uit de kamer van de jury. 'Laten we de andere kant opgaan,' zei Chloe zachtjes, terwijl ze haar hand op Miriams arm liet rusten.

Miriam schudde de hand af. 'Ik loop niet voor haar weg alsof ik iets te verbergen heb,' zei ze vastbesloten. Ze hield haar kin omhoog en rechtte haar rug en schouders terwijl de andere vrouw langzaam naderbij kwam.

Chloe bekeek de grijsharige, elegante vrouw die voor hen bleef staan. Ze droeg dure kleren, de parels rond haar hals en in haar oren pasten perfect bij elkaar en waren duidelijk kostbaar. Diamanten fonkelden aan haar vingers terwijl de gemanicuurde en gelakte nagels een roffel sloegen op het leer van de handtas.

'Dat is lang geleden, Bridie,' zei Miriam. 'Je zorgt nog steeds goed voor jezelf, zie ik.'

'Sommige mensen zien er nu eenmaal graag goed uit,' zei Brigid vinnig, en haar koude blik ging over de eenvoudige katoenen jurk en het vale vest van Miriam. 'Aan de andere kant, ik denk ook dat je een beetje nonchalant wordt van het leven op zo'n afgelegen plek.'

'Je bent altijd al een verwaande trut geweest,' zei Miriam met ingehouden woede. 'Zelfs toen je geen nagel had om je kont te krabben, vond je nog dat je meer waard was dan iedereen.'

Brigid keek smalend. 'Dat was ook zo,' zei ze lijzig. 'Ik wist toen al dat als je iets wilde hebben, je het moest pakken voor iemand anders ermee vandoor ging. Jij en die halfzachte vader van je hadden gewoon het lef niet om voor jezelf te zorgen – jullie lieten alles aan mijn vader over.'

Miriam haalde diep adem en Chloe voelde de elektriciteit bijna van haar afspatten terwijl ze haar uiterste best deed zich te beheersen. 'Hoe kun je 's nachts rustig slapen in de wetenschap dat die mooie familie van je schuldig is aan moord en bedrog?'

'Makkelijk,' antwoordde Brigid. 'Er is niets waar ik me schuldig over hoef te voelen.'

Ze stopte haar handtas onder haar arm. 'Er verdwenen nu eenmaal mensen op de goudvelden. Dat kwam vaak genoeg voor met al die gaten in de grond en al die tunnels die werden gegraven. Je vader had gewoon pech dat hij daar bij hoorde.'

'Leugenaar,' zei Miriam hijgend van woede. 'Je wist wat er was gebeurd – twee handen op één buik, Paddy en jij. Het zou me niets verbazen als jij hem een handje geholpen hebt.'

Chloe dacht dat ze even iets in Brigids ogen zag flikkeren, maar het was alweer verdwenen voor ze het kon analyseren. 'Ik geloof dat jullie allebei nu wel genoeg hebben gezegd,' zei ze vriendelijk terwijl ze haar moeder weg probeerde te leiden. 'Het zal zo langzamerhand tijd zijn dat we teruggaan naar de rechtszaal.'

Brigids hand schoot uit en greep de mouw van Miriam beet. 'Die beschuldiging neem je terug, oud lijk,' zei ze woedend.

Miriam gaf een klap in het zwaar opgemaakte gezicht en het geluid van vlees op vlees echode door de lange, verlaten gang. 'Nooit,' siste ze. Ze deed een stap naar voren tot ze bijna neus aan neus stond met haar oude vijand. 'Als je me nog een keer zo noemt, sla ik je bewusteloos,' zei ze met opeengeklemde kaken. 'Ik ben misschien wel oud en ik kleed me misschien slordig en woon in de rimboe, maar mijn rechtse directe is nog goed genoeg om een bijtend paard tot de orde te roepen.'

Brigid deed een stap achteruit, haar hand bedekte de vingerafdrukken die Miriams klap op haar doodsbleke gezicht had achtergelaten. 'Ik klaag je aan wegens mishandeling,' zei ze ademloos.

'Ha,' antwoordde Miriam, 'dat zou ik je wel eens willen zien proberen.' Ze draaide zich om en marcheerde de gang door in de richting van de deur naar de rechtszaal.

Louise was heel vroeg van huis gegaan. Rafe was vanmorgen in een merkwaardige stemming en ze moest zien te ontsnappen. Haar pogingen om haar huwelijk te lijmen hadden aanvankelijk wel gewerkt, maar nu waren ze weer in hun oude gewoonten vervallen en er was niets veranderd. Om haar gedachten af te leiden van haar huwelijk, pakte ze een exemplaar van de *Australian* dat op een tafeltje lag en streek hem glad. Wat ze zag was zo ongelooflijk, dat ze nog eens moest kijken. 'O, mijn god,' zei ze zachtjes. 'Moet je nou kijken.'

Verbaasd gingen de anderen om haar heen staan.

Louise draaide de krant om, zodat ze allemaal de foto's van Ralph en zijn minnares konden zien. Die waren uiterst beeldend, ondanks het feit dat bepaalde delen onzichtbaar waren gemaakt. 'Klootzak,' kreunde ze terwijl ze het bijbehorende verhaal las. 'Hier staat dat hij al een paar maanden bij deze trut is en er zijn ook nog foto's van andere vrouwen met wie hij wat gehad zou hebben.'

Ze verfrommelde de krant, verblind door tranen van een woede die ze nauwelijks onder controle kon houden. 'En al die jaren heeft hij me ervan beschuldigd dat ik ontrouw was. Al die jaren heeft hij gedreigd me te vermoorden als hij me met een ander zou betrappen.' Ze keek naar Fiona en veegde haastig de tranen van haar gezicht. 'Ik wil hem nooit meer zien. Wat ben ik een stomme idioot geweest, Fee. Wat een stomme, onwetende idioot om ook maar een woord van wat hij zei te geloven.'

Fiona sloeg haar armen om haar heen. 'Bewaar die krant, Louise,' fluisterde ze. 'En elke keer dat je die foto's ziet, word je er weer aan herinnerd wat een lul hij is. Ik wil maar zeggen,' zei ze giechelend, 'welke man is het waard om tranen over te vergieten als hij zijn schoenen en sokken aan moet houden tijdens seks? En wat die sokophouders aangaat...' Ze barstte in lachen uit en probeerde dat met haar hand te smoren.

Louise snoof haar tranen terug en streek de pagina's glad. Ze voelde een bevrijdende lach opborrelen. 'Je hebt gelijk,' giechelde ze. 'Hij ziet er belachelijk uit – en kijk eens naar die dikke kont.'

Ze leunde met haar hoofd tegen dat van Fiona. De tranen stroomden over haar wangen, maar het waren tranen van opluchting, van vreugde om de nieuwe dag die voor haar was aangebroken. Ze zou nooit meer omkijken, nooit spijt krijgen van het feit dat ze bij Ralph was weggegaan – en ze zou nooit meer iemand anders zijn dan zichzelf.

De rechtszaal liep snel vol en toen de rechter binnenkwam en haar plaats innam, klonk er onder de aanwezigen een verwachtingsvol geroezemoes.

Brigids afwezigheid viel Miriam onmiddellijk op en ze voelde iets wat in de buurt kwam van teleurstelling. Maar ze realiseerde zich dat haar tegenstandster deed wat ze altijd deed – zichzelf beschermen.

'Voelt u zich goed genoeg om verder te gaan, mevrouw Strong?' vroeg de rechter vanaf haar hoge positie.

'Inderdaad,' antwoordde ze. 'Dank u.'

De rechter gaf te kennen dat Jake verder moest gaan met de procedure en Miriam zat kalm in de getuigenbank het gevreesde moment af te wachten.

'Mevrouw Strong,' zei Jake, 'wilt u het hof alstublieft vertellen of u de eigendomspapieren van Shamrock Flats in uw bezit hebt?'

'Die heb ik,' antwoordde ze.

Er ging een schok door de zaal en Miriam kon een glimlach niet bedwingen toen ze Jakes geschrokken reactie op haar antwoord zag. Ze keek naar de volgepakte publieke tribune en zag haar familie zitten met grote ogen vol vreugde en verwarring.

Fiona ging staan en stootte een vuist in de lucht. 'Goed gedaan, Mim,' riep ze.

'Stilte in de zaal,' zei de rechter en ze liet de hamer zijn werk doen.

Miriam moest bijna giechelen. 'Wilt u ze zien?' vroeg ze met de onschuld van een pasgeboren veulen.

Jake grijnsde. 'Als u zo vriendelijk zou willen zijn,' zei hij.

Miriam zocht in haar ruime handtas en haalde drie vellen vergeeld papier tevoorschijn. Ze bladerde ze door, koos er één uit en gaf die aan Jake. 'Dit is de akte waarin het compagnonschap is geregeld. Hij is opgesteld door een advocaat in Port Philip en ondertekend door zowel Patrick Dempster als mijn vader. Hij is gedateerd 3 juli 1894.'

Ze keek hoe Jake het papier van haar aannam en het bestudeerde. Ze glimlachte toen hij eindelijk opkeek en ze het ongeloof en de bewondering in zijn ogen zag. Brendt Dempster, zag ze, was bleek en zijn ogen waren als gloeiende kolen op de papieren gericht alsof hij ze wilde verbranden.

Miriam pakte het tweede vel papier. 'Dit is de concessie van de twee mannen voor een mijn in White Field die ze "Dove Field" noemden.' Ze zwaaide met het derde vel papier. 'En dit,' zei ze met een triomfantelijke klank in haar stem, 'is de concessie voor Shamrock Flats bij Lightning Ridge. Hij is getekend door zowel Patrick Dempster als Henry Beecham.'

'Dat is onmogelijk,' schreeuwde Brendt boven het lawaai uit dat deze verklaring teweegbracht. Hij dook met een paars gezicht op Jake af en graaide naar de documenten. 'Mijn vader heeft gezegd dat hij ze jaren geleden al had vernietigd.'

Er viel een plotselinge stilte. Brendt stond stokstijf met een asgrauw gezicht midden in de rechtszaal toen de verschrikkelijke betekenis van zijn woorden tot hem doordrong.

'Ga zitten, meneer Dempster,' doorbrak de rechter de stilte. 'U beledigt het hof en zult worden aangeklaagd.' Ze raapte haar aantekeningen bij elkaar en pakte de kostbare stukken papier en haar bril. 'De zitting is verdaagd tot morgenochtend.'

Miriam liet ze wachten tot ze een groot glas whisky had en comfortabel in haar hotelsuite zat. Ze keek naar hun gezichten zoals ze om haar heen zaten en kreeg een warm gevoel van liefde voor elk van hen. Haar familie betekende meer voor haar dan welke zwarte Harlekijn dan ook, realiseerde ze zich.

'Kom op, Mim,' kreunde Fiona. 'Voor de draad ermee. Waar heb je die papieren gevonden?'

Je had erop kunnen rekenen dat zij de eerste zou zijn, dacht Mim met genegenheid. Als er sprake was van geheimpjes kon Fiona het nooit hebben van niets te weten. 'Ik heb ze eigenlijk niet gevonden,' gaf ze ten slotte toe. 'Dat was je moeder.'

'Mam?' Fiona en Louise draaiden zich als één man om en keken naar Chloe. 'Hoe dan? Je bent teruggegaan naar Byron Bay.'

Chloe knikte. 'Dat is zo, maar mijn hoofd was natuurlijk nog steeds bij die papieren. Ik wist dat ze ergens moesten zijn, en toen ik in mijn studio zat, realiseerde ik me dat er één plek was waar niemand van ons aan had gedacht.'

Miriam onderbrak haar; ze kon zich niet langer inhouden. 'Chloe belde me en toen ben ik gaan kijken. En daar waren ze.'

'Waar?' klonken de anderen wanhopig in koor.

'De hele tijd vlak onder onze neus,' zei ze, verrukt dat ze weer hof hield. Ze genoot van de aandacht, en van haar moment van triomf. 'Toen ik erover nadacht was de aanwijzing overduidelijk en toen ik beter keek, zag ik dat mijn vader zijn eigen verwijzing had gemaakt naar de plek waar hij ze had verstopt.'

'Mam,' zei Chloe zachtjes. 'Geloof je niet dat je het nu een beetje te bont maakt?' Haar groene ogen glansden van plezier en in het zonlicht dat door het raam naar binnen stroomde hing haar rode haar als een stralenkrans om haar gezicht. Mim vond dat ze er nooit eerder zo mooi had uitgezien – of gelukkiger, nu Leo en zij eindelijk vrede hadden gesloten en weer geliefden waren geworden.

'Misschien,' mompelde ze. Ze stak haar hand uit naar de map waarin Chloe haar tekeningen en schilderijen vervoerde – een eenvoudige map, bestaande uit twee kartonnen vierkanten die met rode linten aan elkaar waren bevestigd. Ze deed het vloeipapier aan de kant en haalde voorzichtig haar vaders laatste schilderij tevoorschijn.

Er ging een zucht door de kamer. 'Natuurlijk,' fluisterde Fiona.

'Wel verdraaid...' zei Jake en hij schudde zijn hoofd.

Miriam bestudeerde het schilderij, hield hem in het licht zodat de fijne penseelstreken nauwgezet konden worden bekeken. Nu het schilderij ontdaan was van zijn lijst zag het er tamelijk klein en onbetekenend uit, maar, dacht ze, je moest uiteraard nooit op het uiterlijk alleen afgaan – dat kon wel eens heel bedrieglijk blijken te zijn.

'Hij heeft dit tafereel van Lightning Ridge in de rustige vroege uren van de dag en bij het vallen van de avond geschilderd. Hij was moe en smerig, zijn arme handen kapot van het graven, maar hij had de dringende behoefte om te schilderen. Een bijna koortsachtig verlangen om het bijzondere licht van onze Nieuwe Wereld te vangen. Dit was het laatste schilderij van een serie die hij heeft gemaakt van de goudvelden in zowel Lightning Ridge als White Cliffs. Er waren er uiteraard meer, maar daar is geen spoor meer van te vinden.'

Ze haalde diep adem en de gebeurtenissen van die dag en de triomf van wat ze had bereikt, werden haar bijna te veel. 'Hij gaf deze aan Kate op de ochtend van de dag dat hij verdween. Het was zijn laatste cadeau, en zijn kostbaarste. Hij wist dat het schilderij nooit zou worden verkocht of weggegeven – dat er nooit afstand van zou worden gedaan. En daarom liet hij de aanwijzing waar de akten verborgen waren achter op de achterkant – voor het geval er iets met hem zou gebeuren.'

'Wat was die aanwijzing?' Fiona zat gretig op de armleuning van Mims stoel.

Miriam draaide het schilderij om. De inkt was tot geel verbleekt, maar de woorden waren nog steeds leesbaar. Ze gaf hem aan Jake. 'Lees jij het maar. Ik kan geen Latijn.'

Hij stond met zijn rug naar het licht zodat hij de laatste woorden van Henry kon lezen.

Mens lenis perfacta lenia cognita est
Homo enim nulla re tanto proditur

'Nu breekt m'n klomp,' zei hij. 'Het is een citaat van Spenser.' Hij keek op, zag de niet-begrijpende gezichten en glimlachte. 'Je vader was inderdaad een slimme man, Mim – en duidelijk iemand met gevoel voor humor.'

Hij keek de kamer rond en moet hebben beseft dat niemand begreep waar hij het over had, want hij boog zich weer voorover naar de tekst op de achterkant van het doek. 'Dit citaat is zo subtiel dat je nooit zou hebben begrepen wat het wilde zeggen, tenzij je ernaar op zoek was.'

'Maar wát betekent het?' kreunde Fiona terwijl ze heen en weer schoof op de armleuning. 'Verdomme, kan hier dan alleen maar in raadsels worden gesproken?'

'Taalgebruik, schat,' zei Miriam bestraffend met bestudeerde nonchalance.

Jake grijnsde en gaf Fiona het fragiele doek. Hij liet een hand losjes op haar schouder rusten terwijl ze elkaar in de ogen keken.

De vriendelijke inborst blijkt uit mededogen
want niets toont beter de ware aard van een man

Epiloog

Er waren drie maanden voorbijgegaan sinds het proces. De rechter had haar in het gelijk gesteld en haar familie zou nooit meer ergens gebrek aan hebben. Niet dat het geld ertoe deed – het ging om het principe, want met geld kon je geen geluk kopen, kon je niet de liefde en geborgenheid van een familie geven.

Miriam zat in de auto en dacht aan haar familie terwijl Frank noordwaarts reed. Fiona zat in het noorden van Queensland, ongetwijfeld samen met Jake, aangezien het tweetal sinds de rechtszaak onafscheidelijk was en ze vermoedde dat er binnenkort wel een bruiloft zou zijn.

Louise had hulp gezocht en zich ingeschreven voor een toneelcursus in Sydney. Ze ging met iemand uit – een aardige vent die Ed heette en die iets in het theater deed – maar het was nog te vroeg om erop te kunnen hopen dat het iets werd. Ze moest eerst eens een tijdje lol maken voor ze zich weer bond.

De kat van Jake, Eric, woonde nog steeds op Bellbird en was inmiddels vader van tenminste twee nesten. Ze glimlachte toen ze dacht aan de dag dat hij apetrots de keuken binnen was komen marcheren. Dat was een paar weken na het proces geweest. Daar was hij, met zijn harem en een stuk of zes kittens in zijn kielzog. Arme Jake, dacht ze. Hij was Eric kwijtgeraakt, maar om het goed te maken had hij Fiona.

En wat Chloe betrof. Haar dochter was ongewoon ter zake geweest toen zij haar nodig had. Miriam genoot bij de gedachte dat Chloe en haar echtgenoot nu goedmoedig aan het kibbelen waren over in welk huis ze zouden gaan wonen. Ze zuchtte. Het was zo heerlijk dat alles ten slotte toch goed afgelopen was.

Miriam was weer wat op krachten gekomen, maar ze wist dat het niet veel langer meer kon duren. Ze had ergens de energie vandaan gehaald om deze lange, stoffige reis naar Lightning Ridge te ondernemen en ze wist dat het haar laatste zou zijn. Toch was het belangrijk dat ze hier kwam, want er was iets wat ze moest doen voor ze haar leven compleet kon noemen.

Toen Frank haar door de hoofdstraat reed, realiseerde ze zich dat Lightning Ridge sinds het begin van de eeuw niet veel was veranderd. Er waren nu wel winkels natuurlijk, en een paar motels en hotels en zelfs een nieuwbouwwijk aan de rand van de stad. Maar de hitte was nog steeds ondraaglijk en de mijnwerkers die rondhingen in de schaduw, zagen eruit alsof ze zo uit een oude sepia foto waren gestapt. Ze zagen er haveloos uit – gekleed in vodden en hun baarden die tot op hun borst hingen zaten vol klitten – en volgden met nieuwsgierige blik de auto die door de hoofdstraat reed. Het was alsof ze terug was in de tijd.

Ze leunde achterover in de passagiersstoel, bijna terugverlangend naar die goeie ouwe tijd. En toen ze de stad uit reden en verdergingen langs de smalle slingerende weg tussen de stoffige struiken en bomen voelde ze dat het sterkst. Want dit deel van de Ridge was helemaal niet veranderd.

De afvalbergen lagen nog steeds tussen het struikgewas. Daar kwam de bloedrode aarde tevoorschijn tussen de bosjes, de buxus, vals sandelhout, wilga en sinaasappelbomen. Plukken gele bloemen van wilde knollen wiegden in de wind, tot leven gebracht door de recente regens. Plukjes rode bessen hingen aan klimranken die zich om grijze stammen van neerhangende gombomen slingerden. Het zonlicht filterde in een gouden gloed door de bladeren en leek de hele plek te betoveren. Grijze wallabies en kangoeroes keken toe vanuit de bescherming van de struiken, hun oren alle kanten opdraaiend als radars en altijd klaar om te vluchten.

Verroeste hutjes van golfplaat helden gevaarlijk tegen rotsblokken, naast vervallen werktuigen en schachtwielen die piepten en kraakten terwijl de emmers vol stenen naar boven werden gehaald. Het leven was hier nog precies zoals het altijd was geweest. Lightning Ridge was uniek in die zin dat geen enkele grote maatschappij het mocht overnemen – elke concessie moest privébezit zijn – en werd fel verdedigd, met meer dan gewone aandacht voor wat de buurman uitspookte.

Miriam staarde uit het raam naar de vervallen caravans, de stenen huisjes en versleten tenten en schamele houten hutjes. Pick-ups hadden de plaats ingenomen van muilezels en paarden, maar de atmosfeer van de plek was niet veranderd, realiseerde ze zich toen ze een groepje kleine kinderen in een nabijgelegen afvalberg zag scharrelen. Het was alsof ze zichzelf en Brigid weer zag en er liep een rilling over haar rug.

'Laten we terugrijden door de stad,' zei ze terwijl ze het raampje dichtdraaide en de airconditioning harder zette. 'Je weet waar ik heen moet.'

'Dat kost ons een as,' waarschuwde hij op zijn gebruikelijke zure manier terwijl hij probeerde de spleten en bulten in de zandweg te ontwijken en rakelings langs een enorm gat reed. Hij schakelde terug en ze kropen verder.

Miriam negeerde hem en wachtte. Haar reis was bijna ten einde, een paar minuten extra maakten niet uit.

De begraafplaats strekte zich achter roestige, witte hekken uit op een plateau dat uitzicht bood op de stad. Er stonden een paar bomen en de hitte weerkaatste op de harde aarde, glinsterde op een paar stukken gebroken glas of weggegooid kristalerts. Er was geen kerk, geen keurig in het gelid staande marmeren grafstenen; alleen maar een paar houten kruisen op bergen rode aarde.

Miriam maakte de ketting los en deed het hek open. Er hing een sfeer van troosteloosheid en verloren dromen op dit stille, verlaten stuk grond en Miriam voelde dat met volle hevigheid toen ze tussen die meelijwekkende kleine heuvels liep.

Hier en daar was een grafschrift nog leesbaar, een herinnering van zijn maten dat ze hem in een volgend leven zouden weerzien. De naam van een man, misschien wel uitsluitend zijn bijnaam, in het hout gekerfd – een bosje door de zon verbleekte plastic bloemen, vergeten en verlaten, net als de mannen onder de rijke, rode aarde.

Miriam glimlachte verdrietig toen ze de bierflessen zag ter herinnering aan het favoriete drankje van de overledene – een weinig glorieus einde van een leven dat ooit van hoop vervuld was geweest. Ze bleef een tijdje aan het andere einde van de begraafplaats staan, luisterde naar het getsjirp van de vogels in de bomen en keek naar de papegaaien die in een wolk van roze en grijs naar hun plekje voor de nacht vlogen. Toen draaide ze zich om en liep verder naar een eenzame berg aarde die bijna schuilging onder het onkruid.

Frank nam zijn hoed af en krabde op zijn hoofd terwijl hij het grafschrift las.

Miriam glimlachte en keek neer op de bleke, marmeren grafsteen die glansde onder zijn sluier van wilde bloemen en klimop. Ze besteedde enkele ogenblikken aan het wegtrekken van klimop en toen ze daarmee klaar was, legde ze haar bosje bloemen tegen het vrijgekomen marmer en bleef lange tijd staan in nauw contact met de man die hier onder de zalmkleurige aarde lag. De beenderen waren een paar jaar geleden gevonden en ze wilde graag geloven dat hij het was.

'Je zou trots zijn geweest op Chloe,' fluisterde ze. 'De eigendomspapieren waren bijna helemaal vergaan. Maar de overige papieren waren nog goed genoeg zodat zij er een geweldige vervalsing van heeft kunnen maken.'

De pijn kwam weer terug. Het was tijd om terug te gaan voor haar laatste Bellbird-zomer. Ze kuste haar vingertoppen en legde die lichtjes op de grafsteen. 'Tot gauw, pap.'

Dankbetuiging

Mijn dank gaat uit naar de historische verenigingen in de mijnstadjes die we hebben bezocht voor hun nauwgezette verslaglegging, en naar mijn dierbare vrienden Deanna, Tony, Dianne en Alan – Kerstmis in Tasmanië was buitengewoon. Barry en Leeanna in Perth, jullie waren geweldig – en dat geldt ook voor Michael en Gil en de lieve Max – bedankt dat jullie zoveel met me hebben willen delen.

Tijdens de zoektocht naar dit verhaal is meer dan achttienduizend kilometer afgelegd en ik ben Ollie Cater oprecht dankbaar voor zijn liefde en kameraadschap tijdens deze, wat achteraf bleek, traumatische reis. Na alle kikkers die ik heb gekust – heb ik eindelijk een prins gevonden.

Lees ook van Tamara McKinley:

Windbloemen

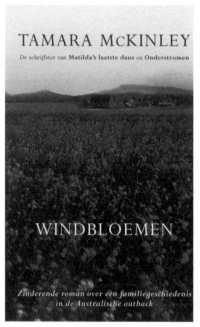

Australië, 1936. Ellie wordt als 14-jarig weesmeisje dolend in de verzengende hitte van de outback gevonden door de tweeling Charlie en Joe. Ze brengen haar naar het enige familielid dat ze kent, tante Aurelia, op haar grote veehouderij Warratah. Hier groeien de drie op tot jonge volwassenen.

Dan breekt de Tweede Wereldoorlog uit. Ellie heeft Joe in haar hart gesloten, maar het is de vileine Charlie die als enige terugkomt. Ondanks alles heet Ellie hem welkom maar Aurelia wantrouwt Charlies motieven, en niet ten onrechte...

Jaren later is het aan Ellie om aan haar inmiddels volwassen dochters de waarheid te vertellen over wat er destijds is gebeurd. Maar daarvoor moet ze wel enkele beschamende geheimen van Warratahs geschiedenis prijsgeven. Ellie hoopt dat haar dochters sterk genoeg zijn voor de naderende storm.

'McKinley is een boeiende vertelster, die de verhaallijnen uitstekend weet te combineren en die oog heeft voor het specifieke van haar vaderland.' *Biblion*

ISBN 90 325 1016 9
Paperback, 384 blz.

Lees ook van Tamara McKinley:

Onderstromen

Vlak na de Tweede Wereldoorlog keert Olivia Hamilton vanuit Engeland terug naar haar geliefde Australië, nadat haar moeder is overleden. In haar geboortedorp Trinity hoopt ze de waarheid te vinden achter een aantal onthutsende documenten uit haar moeders nalatenschap. Daarbij heeft ze de hulp nodig van haar verfoeide oudere zus Irene en een oude vriendin van haar moeder.

Irene heeft Olivia van jongs af aan al met verachting behandeld, en de jaren hebben haar haat niet verminderd. Kan het zijn dat de papieren van haar moeder daar iets mee te maken hebben?

Olivia is vastbesloten in haar zoektocht naar de waarheid. Ze heeft geen idee welke uitdagingen en passies voor haar in het verschiet liggen, maar ze komt er snel achter dat stille wateren niet alleen diepe gronden hebben, maar ook gevaarlijke onderstromen verbergen…

Onderstromen is een ontroerende roman over de zoektocht van een jonge vrouw naar haar dramatische familiegeschiedenis tegen het decor van het zinderende Australië.

'Prachtige roman die je aan je stoel gekluisterd houdt!'
Women's Weekly

ISBN 90 325 1017 7
Paperback, 368 blz.